D1132146

儿 童 心 理 学 奠 基 之 作

CHILDREN
THE CHALLENGE

孩子：挑战

[美] 鲁道夫·德雷克斯
薇姬·索尔兹　著

甄颖 译

从"独裁的阶级社会"到"人人平等的民主社会"，现代社会正在经历深刻的变化，民主不仅是一种政治思想，也意味着生活方式、育儿方式的改变。如何在尊重孩子、给孩子平等自由的同时，让孩子尊重规则、承担责任、赢得合作，这是现代教育的基础课题，也是现代父母要面对的永恒挑战。

如何成为孩子的合作者

鲁道夫·德雷克斯
RUDOLF DREIKURS

当今孩子们出现的问题，不论在数量上还是程度上，都比过去多且严重，而绝大多数父母面对这些新问题时会不知所措。新一代的父母知道，不能用传统方法对待当今的孩子；但他们会有疑问：不用传统方式，那用什么方式？我们除了像自己的父母那样以外，还能做什么不同的事？虽然当今的父母能够接触到很多理论，但这些理论和说法各不相同，只能让父母更加疑惑，无法付诸实践……那么，人们凭什么相信我们这一套方法呢？

基于我在育儿领域中长达40年的经验，我相信，我们提供的这套方法能够非常有效地解决家庭冲突。这些方法经过了我们家庭关系咨询中心的实验、研究、考证。许多家长找到了对待孩子的有效方法，并赢得了孩子的合作。这些家长可能并不清楚新的行为方式之所以成功，其背后的心理学原因，但他们掌握了新方法。本书中推荐的方法，基于著名心理学家阿尔弗雷德·阿德勒（Alfred Adler）的生活哲学理念及人类生活观。当今心理学界的趋势也正朝着这个方向发展。我们既不建议家长纵容孩子，也不建议家长严惩孩子，我们建议家长学习如何成为孩子的合作者，有方法了解他们，有能力引导他们，这样孩子们就既不会没人管变成"野孩子"，也不会感到家里压抑、令人窒息。

过去发表的研究报告和著作中，我提出了一些与孩子相处的原则和理念。众多父母和孩子也提供了很多新想法和方式，还提供了很多实例，很多是我们这些专家都没有想到的。孩子和成人相处的问题和方式，我们和孩子们在共同努力，相互学习。

我们特别邀请薇姬·索尔兹女士（Mrs. Vicki Soltz）讲述她执行我们这套体系的经历。她曾经领导过多个家庭关系研究小组。她不是给小组中的母亲教授具体的建议和操作方法，而是带领大家学习并理解核心理念。也就是说，她先跟我认真学习体系中的每个知识点，然后转化成"母亲的语言"，教给小组里的妈妈们。毕竟我们不是要教给家长们心理学知识，而是给她们提供一些切实可行的方法，作为养育孩子的新方向。

我期待以我们共同的努力，终能达到预设的目标——辅助。然而即使有最高的技巧也不能保证排除困难与错误。我们只希望父母知道如何应对，并更有信心，虽然他们未必时常想去做。问题仍旧会发生，而且会继续存在。

我们十分了解和同情那些想要履行责任而又完全没有准备的父母。父母和孩子一样需要接受训练。当我们对孩子的挑衅做出新回应，我们就可能发展出新态度，为和孩子的和谐关系开创出新途径。

目录
CONTENTS

OUR
PRESENT
DILEMMA

第一章
现代父母的两难处境

在人人具有平等意识的社会里，我们不能控制和命令别人。

平等，就是每个人都有为自己做决定的权利。这使得丈夫失去了对妻子的统治权，父母亲也失去了对孩子的统治权。

普赖斯太太给邻居奥尔巴尼太太倒了一杯咖啡，然后坐下来准备聊天。这时，七岁的马克冲进厨房，五岁的弟弟汤姆紧随其后。马克熟练地爬上橱柜台面，打开上面一层橱柜的门。汤姆也爬上来，同样轻车熟路。

普赖斯太太喊："下来！我说下来！马上给我下来！"

"我们要吃棉花糖！"马克对着妈妈喊回去。

"现在不能吃棉花糖，马上就到午饭时间了。立刻从上面下来！"

马克抓了一袋棉花糖，从橱柜的台面上跳到地上。汤姆也跳下来，伸手去抢哥哥手里的棉花糖。俩孩子冲出厨房。普赖斯太太在后面喊："回来！我说了你们不能吃！"哥儿俩用力摔上纱门，把她的话堵在了里面。

普赖斯太太跟奥尔巴尼太太叹气道："唉，这些孩子！我真的不知道该拿他们怎么办？他们根本就是印第安野人，一刻也安静不下来。"

我们经常不知道该拿孩子怎么办。孩子们不分时间地点，常常做出让大人头疼甚至讨厌的事来。比如去游乐园，本来是全家都开心的事情，但事实上大部分时候，家人们很难玩得愉快。我们经常见到这样的场景：疲倦又亢奋的孩子们叫喊着："还要"、"再来"，烦躁的家长生气地说："不能再玩了！"可是很快又因孩子的尖叫哭闹而妥协。爸爸们烦恼又无奈地掏出钱包，花掉他们原本没打算花的钱。这样的公共场合里，打孩子屁股也屡见不鲜。最后常常以妈妈们拖着挣扎反抗的孩子们回家这样的情形收场。回到家，家长们还会抱怨："早知道不该带你出去玩！"

孩子们在餐厅里的表现也常常让人抓狂。他们在椅子上坐不住，动个不停，或者不顾旁人大声喧哗，在餐厅里跑来跑去。还有很多孩子非要哄着劝着喂着，才肯吃饭。

在超市，孩子们经常玩旋转门和护栏，在过道上乱跑，要买这个要买那个。得不到时就发脾气，或大哭大闹。

在类似的公共场合，我们经常看到行为不端的孩子在生气、发脾气、尖叫，而一旁的家长疲惫不已，束手无策，气愤暴躁，难以应付。

而在家里，很多孩子表现得不配合，不愿意承担做家务的责任。他们常常大声吵闹，不管不顾，不守规矩，没有礼貌。他们的行为经常显得对家长和其他长辈不够尊重。他们一再跟家长对抗，而家长却束手无策。

不听话的孩子让我们不知如何是好。我们试着用各种方式安抚他们，比如乞求、命令、哄骗、处罚及贿赂，目的只是想让孩子们守规矩。一位奶奶沮丧地说："现在的孩子真不听话！"孩子们无礼、违抗的行为普遍到家长们都习以为常了："小孩子就是这样的。"

学校里，许多孩子不愿意承担学习的责任。老师们要求父母亲操心孩子的作业，可是却又无法告诉家长们，怎么做不用打屁股或说教而引导孩子完成作业。

还有"问题孩子"，关于这个话题的新闻报道越来越多，这类孩子的犯罪年龄也越来越小。法庭要求家长们不要让孩子晚上在外游荡，却没有指导具体怎么做。全国范围内，关于青少年犯罪的研究报告也越来越多，可没有人能提出有效的解决方法。

越来越多的家长在育儿的过程中感觉到沮丧和烦躁。家长们都希望培养出快乐和自律的孩子。而事实上，孩子们却常常感到不满、无聊、低落，并表现出傲慢或者以自我为中心。儿科医生和精神科医生的研究表明，精神严重失常孩子的数量正以惊人的速度在增长。

为了改善这种局面，许多家长参加儿童研究的课程，参加家长小组讨论，听P.T.A（家长教师协会）举办的演讲，阅读大量书籍、指导手册和报纸文章。然而很少有人真正意识到家长教育的重要性。家长们好像丧失了教育孩子的能力，而且老一辈家长似乎不用人教他们怎么养孩子。问题究竟出在哪里？过去有一套社会公认的教养孩子的规范体系，每个家长只要遵循社会标准就可以了。到了当代，我们却需要发展大规模的家长教育，为什么会这样呢？

很多人说，这样的情况是因为成人缺乏安全感，情绪不稳定，思想不成熟，不是孩子的好榜样；社会缺乏道德规范或健康的价值观，或者没有宗教信仰。确实，现在的道德观念发生了改变，但当代社会中，人们对危害社会的事件的关注度越来越高，说明现在的社会道德标准不但没有下降，反而远远超过以前。而说到安全感，每个时期都有让人感到不安或压抑的事件，不论是第一次世界大战、经济恐慌，还是第二次世界大战，或是原子弹爆炸、氢弹爆炸等。我们还听到许多人说"现在的年轻父母和孩子都不够成熟"。成熟，是个含混的词，通常指的是"不幼稚"。这样形容一个人时，也就暗示着"幼稚、孩子气"是缺陷。借着"有礼貌"和"适应社会"之名，我们似乎更愿意人们显得世故，不要流露真实感受。实际上，"成熟"指的是心智得到完全成长，潜力得到充分发展。而只有少数人能认知体会这种快乐。完美的成熟，需要用一生来完成。怎么能用"成熟"来要求孩子或是年轻人呢？

还有，"成人从来没有做过孩子的好榜样"。在过去的年代，孩子不可以做大人做的事。大人常说"照我说的去做"，而不是"照我做的去做"。在宗教领域，担任神职人员的家长及有虔诚宗教信仰的家长，和他们信仰无神论的邻居一样，在管教孩子方面遇到各种挑战。教堂的主日学校里，经常因为孩子不听老师的话，课堂变得混乱。每个主日学校的老师都能证明，普通学校存在的问题，主日学校也有，有时候还更严重。其实，问题的症结隐藏得很深，这些事实表明，我们不知道该如何应对孩子。传统方法已不适用于今日，而同时，我们还没学会新方法。

在养育孩子方面，每种社会文化在发展过程中，逐渐衍生出相对明晰的社会规范。因此，与早期社会进行研究比较，是了解现今社会育儿规范的绝佳方式。不同族群有不同的传统文化、不同的教养方式，其成员也发展出特有的行为规范、性格特征，以及遇到困难和挑战时的应对方式和习惯。长期发展下来，族群中的男性、女性和孩子都很清楚他人对自己的期望是什么。每个人的行为模式都建立在长期发展出来的文化传统之上。

虽然西方文化比上古社会复杂得多，但教养孩子仍然具有很多传统规范。有些传统，比如孩子只能听从不能表达自己，是许多家庭遵循的原则。所有孩子的行为规范都很统一。

　　然而，随着民主理念的提升、人际关系的改变，这样的育儿文化受到了很大影响。从帝制农奴时代，到大宪章签署、法国大革命、美国内战，再到今天，人们逐渐明白了：人生而平等。这种平等，不仅仅是法律意义上的平等，更是日常生活中可以看得到摸得着的相互尊重、平等对待。这个发展变化，暗示了民主并不只是一个政治理想，它同时也是一种生活方式。改变日新月异，但一部分人没有意识到改变背后的内涵，这就是民主带来了影响并改变了我们的社会氛围，使得养育孩子的传统方法落后或失效。我们已经脱离了独裁专制的社会，在人人具有平等意识的社会里，我们不能控制和命令别人。平等，就是每个人都有为自己做决定的权利。在独裁社会里，统治者是主宰，有权力让人屈服。例如，不论一位父亲的社会地位怎样，在他自己家里，他统治着所有家庭成员，包括他的妻子，这个情况在现代社会已经消失。女性宣告：我们与男性平等，这使得丈夫失去了对妻子的统治权，父母亲也失去了对孩子的统治权。这是社会剧变的开始，这个变化，人们都能感受得到，却不甚了解。与此同时，社会体系的其他领域也受到了影响，例如，雇主协会和工人协会的关系愈来愈趋于平等。民主理念扩大最为显著的领域，是废除对黑人的种族差别待遇，这成为当时极为迫切的社会问题。这个重大的社会结构变化，比女性平等和子女争取平等的变化，更容易迅速被察觉。

成人通常对孩子与自己平等的观念感到很深的不安，于是他们断然否定这个可能："真可笑，我比我的孩子懂得多，他怎么可能跟我相等？"当然不是相等，不是在知识、经验或技巧方面的相等，即使成人相互之间也没有在这些方面的相等。平等，并不是相同一致！平等，是虽然每个人都有能力和性格上的差异，却有权利享受同样的尊敬和尊重。传统文化认为成人优于孩子，人的社会等级由出身、财富、性别、肤色、年纪或智慧决定。

另一个让成人觉得必须主导孩子的可能原因是，我们大概对自己的价值感不明确，甚至深深认为自己的理想没有达成，便用弱小的孩子来做比较，通常比较的结果让成人愉快，认为这样可以在心理上提升自己的重要性。然而，这是个错误的幻觉。事实上，孩子往往比我们有能力，很多时候孩子的聪明才智胜过我们。

我们对平等的意识和理解还不深刻，但民主的理念已经在我们的文化中逐渐蔓延开来。孩子对这种社会变化趋势非常敏感。他们很快就感受到他们能够和大人一样享有平等的权利，他们和成人平等，那么他们就不会再容忍成人对他们的独裁、支配、让他们屈服的做法。与此同时，家长也能感受到孩子想要平等的关系和不再顺从家长的命令。

这种由"独裁的阶级社会"到"人人平等的民主社会"的改变，早已得到了教育界人士的认可和肯定，教育学家们也由衷地希望社会环境更加民主。然而，民主只是理念，怎样在实际生活中操作和应用？大多数人都很困惑。结果是我们往往将放纵当成了自由，将混乱当成了民主。很多人认为：民主就是为所欲为。这是放纵，不是民主。如果一个家庭中，每个人都只做自己喜欢做的事情，那每个人都是家里的"霸王"，家庭生活就会乱作一团。如果每个人都为所欲为，那就会出现很多矛盾冲突，这对人际关系有弊无利，还会恶化矛盾，形成恶性循环。这样的环境里，人们会觉得压力和负担很重，容易紧张、愤怒、烦躁和暴怒，生活呈现出的将是非常糟糕的负面。虽然民主中包含自由，但这样的环境里，多数人根本无法享受自由，也没有享受自由的可能。为了让每个人都能够拥有和享受自由，我们需要规则，规则会产生限制和责任。

自由中也包含责任。例如，我享有开车的自由，但是假如我认为我可以在南行线上向北行驶，那么我这个"自由"肯定会很快结束。这个"开车的自由"，包含了我愿意遵守交通安全法规的限制。我们只能在遵守规则的前提下拥有自由，这个规则不是独裁者或者权威机构为自身利益而设，而是为了维护社会整体利益，每个个体都应当遵循。

当今一个普遍现象，是家长给予孩子无限自由，结果孩子成了"小霸王"，父母成了孩子的仆人。孩子享受所有的自由和权利，而家长则承担所有的责任和义务。这根本不是民主。父母这样做，就会承担给孩子过分自由的可怕后果：他们要替孩子掩饰，替孩子承受惩罚，容忍孩子无礼，对孩子的要求不断妥协，丧失了作为家长对孩子的影响力。而对孩子来说，虽然不明白原因是什么，但能感受到生活没有限制，没有任何约束，没有规则引导。他们更加为所欲为，不去了解、学习、适应集体和社会生活的限制和规则。这样的状态，会妨碍孩子对集体生活和伙伴发展表现出应有的兴趣，让孩子觉得混乱和不适，问题和挑战增多。清晰和明确的界限，能给人安全感，让人清楚自己在社会结构中的位置和职责。否则，孩子将感到无所适从。即使孩子不断努力，想要"找寻自我"，找到自己的价值，但却没有方向。我们经常见到很多孩子，他们可以为所欲为，可以目中无人，却很不快乐。这就是原因。自由必然与规则相伴，没有规则，就不会有自由。

要帮助我们的孩子发展出人生成功的性格和能力，我们眼下应该改变已经过时的强权方式，建立基于自由与规范责任之上的新方式和秩序。我们不能再强迫孩子绝对顺从，而应该用激发和鼓励的方式，让孩子主动遵循应有的规则。我们需要用新育儿方式替代过时的传统方式。

在接下来的章节中，我们将介绍一些方式和理念，这些源自我们在亲子关系领域里的多年研究。我们的家庭辅导中心就像一个"人际关系实验室"，可以检验新方法的效果。在最开始的时候，便让每个人清楚"平等的家庭关系"这个基本原则，并成为家庭成员的牢固习惯，这就需要花很长一段时间和坚持不懈的努力。(有一个很有趣的现象，当某个独裁的国家或地区受到民主思潮影响后，原本行为举止受到传统约束、行为规矩的孩子，就会出现行为严重不端的情况，美国就发生过这样的普遍现象，这使得父母和老师都感到苦恼。)但不经过这个初始步骤，家长面临的挑战，以及无效的亲子关系，就永远没有机会得到解决和更正。

UNDERSTANDING THE CHILD

第二章
了解孩子

如果我们想改变孩子的行为方向，必须先了解孩子行为背后的动机，否则我们几乎难以改变他们的行为。

六岁的博比坐在桌子前面用蜡笔涂色，妈妈在旁边计划一周的食谱。博比开始用一只脚踢地板。"别踢了，博比！"妈妈生气地说。博比耸耸肩，停了下来。没一会儿，博比开始用两只脚踢起来。"博比，我说了，不要再制造噪音！"妈妈又呵斥了博比。他又安静了一会儿。但没两分钟，他又开始踢地板。妈妈一下子把笔摔到桌子上，打了博比一巴掌，大声吼道："我说不要再踢了！你为什么总干让我生气的事呢？你为什么不能安安静静地坐着呢？"

博比并不知道自己为什么不停地踢地板，他根本无法回答妈妈的问题。然而，这个行为背后一定有原因，而且一定有解决的方法，能够让妈妈和博比之间不发生战争，不制造让两人都不舒服的紧张。

然而，要想知道怎样激励孩子有效地合作，我们需要学习一些心理学技巧。

如我们所知，人的行为都有一定的目的，是朝着某个目标前进的。有时候，我们清楚自己的行为动机，有时候不清楚。每个人都问过自己这样的问题："我为什么这样做？"这时候，我们对自己的行为动机很迷惑。而我们知道，自己的行为有动机，只是往往对这个动机没有主动意识，孩子也一样。如果我们想改变孩子的行为方向，必须先了解孩子行为背后的动机，否则我们几乎难以改变他们的行为。有时候，我们可以通过观察孩子某个行为产生的结果，发现这个行为背后的动机。再看上面的例子，妈妈很生气，而博比没有意识到会让妈妈生气。博比有一个背后的动机理由。妈妈对博比吼叫和打他，能让博比感到成功，因为那一刻他得到了妈妈完全的关注。他怎么会停止呢？当然不会！看看这个结果多棒！他能用这样的方法让妈妈为自己忙碌。这就是发现博比行为背后动机的线索。博比并不知道自己有这样的动机，但他的行为无意识地被这样的动机驱使，一天不下百次。而妈妈的反应恰好符合博比的需要，反过来强化了这个隐藏的目的。如果博比知道他的行为不会得到预期的结果——踢地板不会让妈妈生气——他还会继续做同样的事吗？他早就放弃了。另一方面，如果博比安静地好好玩，这时候能得到妈妈亲切的微笑、满意的拥抱和赞美的言辞，那他也不会用捣蛋的行为去得到妈妈的关注。妈妈的生气让博比感到满意，妈妈通过打他一巴掌让他停下来，显示了妈妈的挫败，她只会刺激博比惹她更生气，让她更挫败。博比的脚表达出了他的心声："看我！和我讲话！不要只顾埋头在你的笔记本上！"如果妈妈能看到这一点，就能了解博比的动机。他通过得到妈妈的过分关注来获得归属感。如果妈妈能够了解这一点，就能较好地处理这件事情。不断责备博比是个大错，这样博比只会不断地惹妈妈生气。我们会在后面讨论更多的方法，将发现有许多方法可以让妈妈拒绝博比的过分要求，改善博比的行为。

孩子对归属感有强烈的需求

既然孩子是社会的产物，他最强烈的心理动机就是希望有归属感。孩子是否有安全感基于他有没有归属感，这是他的基本需求。他所做的每一件事都是为了获得自己的定位。从婴儿期开始，他就忙着用各种方法确定他是家里的一分子。通过观察和一次次行为的成功，他能够确定——不是通过言语的方式，但是很明确——"噢！这样能让我有归属感，这样能让我受到关注。"他选择用这些方式去满足他的基本需求。这个方式便成为既定目标，进而形成他的行为基础，也就是他的动机。期望有归属感是他的基本需求，而他计划满足基本需求的方式，就成了他的既定目标。因此我们可以说，他的行为有目标导向。孩子们并不察觉和理解他们行为背后隐藏的动机。如果问博比为什么乱踢，博比肯定会很诚实地说他不知道。所有他用来寻找自身价值感的方法，都是他自己通过直觉找到的，而不是通过理智推断决定的。他的行为源自内在动机，他从一次次的尝试和错误中学习。他会不断重复那些让他感受到自身价值和归属感的行为，而放弃让他感到不受关注和孤独的行为。根据这个指导，我们就会有引导孩子的方法。然而，我们还需要知道孩子想通过什么具体方式获得归属感，这样就可以避免陷入多种陷阱。

在讨论孩子为获得极重要的归属感而采用的不同的具体方式之前，我们必须先对孩子有全面的了解，包括孩子如何观察、他的环境怎样，以及他在家中的地位等。

孩子是如何观察和思考的

孩子是观察的专家，但在对观察到的事情进行解释理解时，却容易产生错误。然后他们常常在寻找自己的定位和价值感时，使用的就是这些错误的理解和定论。

三岁的贝丝本来是个快乐可爱的孩子，她成长得很快，让父母感到欣慰。一岁前学会走路，十八个月就不再用尿布了，两岁时能清楚地说出正确的语句，而且她擅长表现自己的聪明可爱，得到了大人的肯定和喜爱。可是忽然，她开始用哼唧、啼哭和哀声提出要求，还经常尿裤子、拉裤子。这些年龄倒退的行为发生在弟弟出生两个月之后。弟弟刚出生的前三个星期，贝丝对这个小婴儿很感兴趣。她专心地看妈妈给弟弟洗澡、换尿布、喂奶。但每次贝丝表示想给妈妈帮忙时，都被妈妈亲切但坚定地拒绝了。贝丝对小弟弟慢慢失去了兴趣，不再到家里的婴儿室去了。而且很快，她那些让爸爸妈妈不安的行为也开始了。

贝丝观察到，弟弟得到了全部关注。她突然觉得，是这个全家一直期待的弟弟，把妈妈从自己身边抢走了。妈妈大部分的注意力都在这个婴儿身上。贝丝的观察是正确的，妈妈的确把大部分时间花在这个不能自理的婴儿身上。但她对观察的结果做了错误的解释，她认为自己失去了在家里的位置，那么她会想：拉尿在裤子里，以及其他和婴儿一样不能自理的行为，就会受到妈妈的关注。她用想象把自己变成一个婴儿，希望借此赢回她失去的家庭地位，但是，她没有看到自己作为一个大孩子有超越婴儿的能力。（我们稍后将探讨如何解决贝丝的挑战。）

五岁的杰里经常和他妈妈发生冲突。不论妈妈要他做什么，杰里都要反抗，一概拒绝。他经常大发脾气，毁坏玩具、餐具或家具。妈妈必须强硬地逼迫或惩罚他，否则他总是有办法不做自己应该做的事情或家务。杰里的妈妈很困惑，自己明明为杰里树立了"做完事情再玩再享乐"的好榜样，可自己的榜样作用在杰里这里却没有什么效果。而杰里很快发现，不论妈妈说什么，爸爸都言听计从，爸爸总是迫于妈妈生气时的压力，对妈妈妥协，以换取和平。所有事情中，爸爸最讨厌当面冲突和争执。所以有的时候，妈妈想严厉管教杰里时，爸爸为了避免妈妈生气而和杰里发生冲突，就会尝试着为杰里求情。

杰里观察到妈妈在家里的权威地位，感到景仰。他的想法是，谁有权威，谁的家庭地位就高，所以，他也想得到同样的地位。于是他模仿妈妈，用生气和愤怒来得到权威地位。而且事实上，妈妈对他确实一点办法也没有，他也观察到了这一点。没有观察到这一点的是妈妈。妈妈以为惩罚杰里时，自己是优势一方，妈妈从未明白，杰里下次还会无法无天，而这种无法无天的表现，恰恰是杰里对上一次惩罚的报复，是两人之间权力之争的新回合。占优势的是杰里。他通过表现自己的力量而取得优势地位，这个行为哪有什么错呢？但我们能认为杰里是个快乐的孩子吗？将来在集体生活中，杰里能够学会相互迁就和宽容吗？杰里将来能够通过大发脾气解决生活中所有的问题吗？他能够永远成为"皇帝"

吗？将来他与女友或妻子之间的关系会怎样？他对男性在社会中的地位将会有什么观念？

孩子的内在环境和外部环境

孩子会观察生活中的一切，从观察中得出自己的结论，并据此找到自己的行为方向。从童年起，孩子们就必须学习如何调整自己以适应和应对内在环境和外部环境。孩子的天性是他们的内在环境，一岁前，孩子们用大部分时间学习如何运用自己的身体。他们要学会手脚协调等，移动自己的位置，拿到想要的东西，他们学习怎样让身体各个部分按照大脑发出的指令自如行动。他们观察、学习，通过视觉、触觉、嗅觉、味觉、听觉等接受各种信息，进行自己的解释和理解。慢慢长大后，他们开始学习利用自己的智慧做事情。通过一次次的经验，包括成功和失败，他们对自己的内在环境进行认知和调整，发现自己的长处和短处。遇到障碍或困难时，他们要么调整，要么放弃。有时候，当孩子们面对某个短处，他们甚至会发展出自己的特长（也有可能会矫枉过正）。

伊迪丝先天没有右胳膊，但她的双胞胎妹妹伊莲双臂完好。伊迪丝对身体的严重缺陷并不屈服，她用一只胳膊完成了妹妹用双手完成的所有事情。在学爬行的婴儿时期，她就学会了下肢着地拖着双腿很快地前进，一点也不输给妹妹。她学会了用左手穿衣、扣扣子、绑鞋带、梳头发、洗澡，她能熟练地做所有家务活儿，甚至还能缝缝补补。她现在结了婚，是个很出色的家庭主妇，很少需要别人的帮助。

艾伦五岁时患了小儿麻痹症，右脚肌肉萎缩。他的妈妈鼓励并帮助他运动。他们发现游泳是很好的运动方式，艾伦非常喜欢和享受。到了十六岁上高中时，艾伦克服了自己的身体缺陷，成了学校游泳队的明星。

四岁的麦琪是家里四个孩子中的老小，她有严重的先天性视觉障碍，但并不全盲。麦琪生活不能自理，非常无助，需要别人给她穿衣服，喂她吃饭，走路的时候需要家人牵着她的手，她什么都做不了。家里每个人都在为她服务，想尽各种办法让她高兴。对自己的身体缺陷，麦琪完全屈服了，她的生活全部依赖他人。

这里，读者可能会觉得我们以偏概全了。我们并没有说周围人对这些有生理缺陷的孩子的影响，我们这样做是有原因的。我们只是想通过举例，说明这些身患残疾的孩子对自己生活困难不同的处理方式，以及这些方式对周围人的影响，这个影响比我们想象的要大很多。伊迪丝从童年起就下定了要和妹妹一样的决心，这赢得了妈妈的钦佩，也让妈妈很容易帮助和鼓励她。艾伦愿意主动走出自己的困境，这个愿望帮助他和妈妈想出了游泳这个解决方法。而麦琪的无助和放弃的决定，则帮助她得到了家人的同情、怜悯及照顾服务。如果这些孩子在最开始做出了不同的决定，那么他们的人生就会改写。

孩子们在认知自己的内在环境时，同时也和外部环境有交流。

在孩子学习应付自己的内在环境的同时，他和外部环境也有了接触。婴儿的第一个微笑，就是他对外部环境的第一个反应和互动。他察觉到自己微笑时，周围人给予他的表扬和鼓励；并发现，当他用微笑回应别人的微笑时，感到很愉悦。这样，他认知内在环境和协调外部环境的能力同时增强。同样道理，当他遇到阻碍，他可能会调整或放弃。

外部环境中，有三个因素会影响孩子性格特质的发展。

第一个是家庭氛围。孩子通过与父母亲的关系，体验整个社会关系。每对父母营造的家庭气氛不一样，孩子通过父母营造的家庭氛围体验经济条件、种族背景、文化宗教和社会习俗对他们的影响。他们吸收家庭价值观、道德观与生活习惯，进而努力让自己符合这个家庭氛围的标准。他的物质观取向，受到家庭经济氛围的影响。他对其他种族的态度，会跟父母的类似。如果宽容忍让是某个家庭氛围的行为典范，那么这类家庭的孩子就可能会认为宽容忍让是相互支持应该付出的代价。如果父母鄙视与自己不同的人，那么这个家庭的孩子就可能会通过这样的行为典范寻求自己在种族或社会上的优越感。过去的宗教社会传统对人们的训练和影响被广泛认同，虽然孩子对宗教价值观的想法可能大相径庭，但他们仍然会通过观察父母对待他人，例如对宗教内和宗教外的人的不同方式而学习人际关系。

父母之间的关系决定家庭其他成员的关系。如果父母之间温和相处、彼此友善、齐心协力，那么父母和孩子之间或孩子相互之间也容易发展出这样的关系。合作就会成为这个家庭的行为规范。如果父母之间相互敌对、相互控制，孩子之间就容易发展出同样的情况。如果爸爸在家里权威且强硬，妈妈顺从宽容，那么男性主义就可能成为这个家庭的准则，尤其对男孩而言。然而，在当今这个男女平等的社会，也有可能出现女孩遵循男性主义中的男性行为准则。父母的关系，是孩子在发展自己个人价值观时的重要指标和方向。如果妈妈在家里处于支配地位，那么孩子可能会模仿妈妈，获取权威地位。如果父母之间存在激烈竞争，那么竞争就有可能成为家庭成员的行为典范。家里所有孩子的共性，就是父母营造出的家庭氛围的体现。但是，即使同一个家庭的孩子，也会有很大不同，甚至天壤之别，这是为什么呢？

孩子在家庭中的位置

第二个外部环境因素是孩子在家庭中的位置。"家庭星座"（family constellation）体系指出，家庭成员间的特殊关系类似星座，例如一颗星星与其他星星组合成北斗七星，每个星星都有其位置，星星之间又各有联系。每个家庭都存在特定的形态。在成员互动及相互影响下，每个人发展出不同的特质。每个人在"家庭星座"中所处的位置——他所扮演的角色——会对整个家庭的行为模式和子女的性格特质产生或多或少的影响。

当父母亲有了孩子，就出现了复杂的家庭关系。妈妈的角色和妻子的角色不同，爸爸的角色与丈夫的角色也不能混为一谈。孩子的出现，让夫妻关系空间增加了一个新维度。这个婴儿是独生子，从他的角度看家庭关系，和从父母的角度看家庭关系是不一样的，婴儿处在接收父母亲关注的一端。而父母处在给予这个独生子关注的一端。其中，妈妈给予婴儿大部分的照顾，因为这是她的职责。三个人发展出非常明确的"给予和接收"的关系及行为模式——非常典型的相互影响。父母之间甚至可能会因为孩子的原因发生冲突。这种关系结构因为孩子的出现而产生，而孩子会以他的行为影响父母。

第二个孩子出生了，原有的三人组合变了。"小皇帝"突然被废黜了，他不明白谁导致了这个情况，但他现在必须面对自己的家庭地位的变化，对"篡位者"和允许改变发生的爸爸妈妈表明自己的立场。"家庭星座"发生了改变，新成员加入了这个"关系网"。新成员是个婴儿，第一个孩子发现，非常有必要重新确立自己的地位——他是年长的孩子。另外一方面，新来的婴儿发现自己的地位是"家里的小宝宝"。然而，因为有哥哥，这个小宝宝的地位和第一个孩子曾经的"小宝宝地位"具有不同的意义。

第三个孩子出生了，每个人在"家庭星座"中的位置又变了。爸爸妈妈现在有了三个孩子。老大曾经被"废黜"，现在轮到老二被"废黜"了。老二现在发现，自己被夹在中间——在老大和新生婴儿之间。随着每个新生儿的出现，"家庭星座"就会因为新的互动方式和新的行为模式而呈现出新面貌。这就是同一个家庭的孩子个性不尽相同的原因。我们发现，如果两个孩子都是老大，即使他们来自不同家庭，他们之间的共同点通常也会比同一个家庭中老大和老二之间更多。

随着"家庭星座"逐渐发生变化，每个孩子都会通过自己的方式确立自己所占的位置。就好像通常人们会认为邻居家的草坪长得更好一样，孩子们也容易认为别人的位置比自己的好。当老大觉得老二对自己的地位造成了威胁时，他会认为有必要调整自己的内在环境，结果通常是要么选择放弃，要么在某些方面努力保持领先，以达到弥补和平衡。老二也一样，通常他会对老大的进步和成长感到不满，会想尽办法超越，或者放弃。孩子们对自己排行重要性的认识，完全取决于他们对家庭位置的看法，也就是他如何去理解每个人的家庭位置。并不是所有排行老大的孩子天生都要争抢领先。每个"家庭星座"都会因为其中每个人理解的不同而不同。童年的理解和决定，会留下终生印象。通常，大多数家庭里都存在明显的竞争现象，尤其是老大和老二之间，他们会刺激对方朝相反的方向发展，如果父母常用两个孩子作对比，误以为这个方法可以刺激孩子们更加努力，实际上会更糟糕。孩子们会背道而驰：他们会很气馁地将这个对比的领域割让给较成功的一方，自己选择相反的方向。老大在某个方面成功，老二就会把这个领域视为"被占领区"，转而发展完全相反的方面。

我们举例说明"家庭星座"对孩子性格发展的重要影响。

A先生和太太都受过高等教育，活跃，聪敏，精力充沛，学识渊博。女儿帕蒂的出生让他们感到无比喜悦，自然而然地期盼她能干成"大事"。帕蒂的每个成长阶段都充满了爸爸妈妈的赞美和鼓励。十个半月帕蒂开始学走路，A太太无比骄傲。一岁多，帕蒂就能自己如厕。爸爸妈妈为拥有这么聪明的孩子而感到幸福和兴奋。帕蒂也能感到这些赞许，因而更加努力学习和发展。帕蒂十四个月时，弟弟斯基珀出生了。从出生起，斯基珀就比帕蒂弱。他的体重增长不太符合标准，出牙时间也比帕蒂晚。爸爸盼望有个强壮、"有男孩气"的儿子，忍不住为斯基珀担忧。这个过程中，帕蒂一直在研究家里的形势。虽然随着斯基珀日渐长大，她发现自己也在长大，自己的能力也在增长，但她还是认为斯基珀对她造成了威胁——一种障碍。她怎样才能保住自己在父母心中的地位呢？当然，对这些问题的思考，帕蒂并不是进行理智的推理或深思熟虑，她只是感受自己所处的环境状况，做出下意识的认知和决定。她感受到爸爸对这个弱儿子的失望，并据此增加体现自己活力的行为。然而，每当斯基珀有了进步，帕蒂就会感到恐慌。她必须有另一个新成绩，以保持自己领先——维持第一——的位置。随着时间的推移，帕蒂越来越专注于达到父母对成绩的要求，力争领先于弟弟。渐渐地，她形成一个了错误信念：我必须是第一，我必须是最好的。同时她也发现了阻止弟弟斯基珀发展的方法，就是让他气馁，并藐视他所做的一切。

与此同时，斯基珀对内在环境和外部环境的意识也在渐渐发展，他感觉到自己在某些方面达不到父母的期望，同时感觉到姐姐的聪明和敏捷，并为她能力更高而感到恼火。他尝试做很多事，但不期望自己会成功。他会很快感到气馁，容易放弃。他逐渐形成一个错误信念：我没有什么发展的机会。当他听到父母说："帕蒂像你这么大的时候，就可以做到呀，为什么你做不到呢？"他会涌起绝望和类似痛恨帕蒂的感觉。他不是面对挑战更加努力，相反，他对父母的批评照单全收，借此更加证明：我是个没指望的人。

到这里，我们不难看出，斯基珀对帕蒂不再构成威胁。通过加倍努力，帕蒂不断取得成绩，从而解决了这个问题。斯基珀出生时的外部环境和帕蒂出生时的外部环境不同，虽然他们有相同的父母，父母的期望标准也没有变，但他有个处处符合父母标准的姐姐。斯基珀的身体不够强壮，这是他的不利条件，在这个条件下，他观察衡量自己的处境，感到似乎面临无法逾越的障碍，这让他很沮丧，逐渐形成自己没有成功可能的错误概念。那么，他怎么找到自己在家庭中的位置呢？父母对他能力差这个现象表现得很在乎——他们花了大量精力：惩罚他、逼迫他、警告他，并由于他的笨拙而失去耐心。虽然斯基珀经常用大哭来回应爸爸妈妈的难过，但他却因此得到了爸爸妈妈的很多关注。好了，这就是他自己的定位！

当帕蒂三岁三个月时，凯茜出生了。帕蒂开始察觉到她现在面临一个新现实：要和另外一个女孩竞争。这时她对生命也有了更多的了解，通过有意识的观察，她明白小婴儿十分无助，不能自理。于是她发挥了令人惊讶的作用，帮助妈妈照顾这个无能为力的妹妹。然而，当凯茜渐渐长大，并学会一些技能时，帕蒂开始感到恐慌。现在，"星座"改变了。帕蒂要和弟弟妹妹竞争并保持领先，不论弟弟妹妹中哪一个取得一点成绩，都会对她这个唯一有能力完成任务的人造成威胁。她开始对弟弟妹妹因为成功得到赞美而郁闷生气。然而，她也察觉到，如果自己表现出嫉妒，就会遭到父母的指责。为了规避这个结果，她找到了掩饰嫉妒的方法。

而斯基珀看到，凯茜也是一个聪明的女孩，这更让他觉得自己是个没指望的人，对他的家庭地位雪上加霜。男孩这个身份没有任何优势，因为很多方面他不像个男孩。斯基珀现在成了夹在中间的孩子。很不幸，他还是个尴尬的孩子，既不是个聪明的女孩，也不是个强壮的男孩，容易失败，受挫时容易哭泣。大家都说他很胆小，他更加畏畏缩缩，对人对事都很冷漠。他和帕蒂玩得比较多，但总是扮演卑微的角色，接受帕蒂的指挥。

而凯茜是个可爱又迷人的小婴儿，是大家注意力的焦点，身边有四个人为她服务。当她对外部环境的觉察增长时，她感受到父母的成绩标准，发现姐姐帕蒂遥遥领先，而哥哥斯基珀不知道为什么没有达到标准。最重要的是，她看到帕蒂和斯基珀都经常受到父母的批评——帕蒂因为乖戾、浮躁(这是她对父母给弟弟妹妹太多关注的报复)；斯基珀因为粗心、爱哭。凯茜两岁时，她发现在家里自己可以做个快乐的、容易满足的好孩子，就这样，她为自己在家中找到了定位。

帕蒂六岁半开始上学，她因为是妈妈的好帮手而非常自大，这时艾琳出生了。帕蒂并不太在乎艾琳这个新威胁，因为她在家里已经拥有了相当稳固的地位。尽管如此，她认为最保险的行为，就是尽一切努力让这个小妹妹停留在婴儿阶段。慢慢地，每当妈妈让帕蒂教艾琳系鞋带时，帕蒂就会迟疑。她会做出精彩的表演，自己在教艾琳系鞋带，同时她总是找到投机取巧的方法，并指出艾琳多么蠢笨。斯基珀基本不理艾琳，这不过是另一个女孩——又多了一个而已。妈妈经常说斯基珀在"半睡眠状态"。而凯茜则总是自己玩，表现得极富创造力，很少惹麻烦招致父母指责。她不擅长任何事，但也从不招人讨厌。艾琳总是个"婴儿"，需要全家人更多的关注。

艾琳长到三岁时，这个"家庭星座"呈现出这样的状况：爸爸妈妈活跃、高标准；九岁半的帕蒂聪明、高效，是个好学生，她相信只有保持第一才能显示自己的重要性——领先才有价值；八岁半的斯基珀软弱、低效、容易气馁，他相信只有成为"软弱的爱哭者"或让别人为自己难过，才能体现自己的价值；六岁的凯茜夹在中间，既不是老大，也不是老小，她快乐、容易满足、举止良好——她用好的行为讨人喜欢，从不在意自己是否做出什么成绩；三岁的艾琳，一个可爱但笨笨的"小宝宝"。每个人都有了自己独特的位置、独特的角色，对如何踏上自己的人生道路有了明确的感受。

当然，并不是每个有四个孩子的家庭都是这样的。我们所举的例子只是一个家庭的情形。也可能在有的家庭里，老大因为老二卓越的表现而气馁，让老二成功地超越了自己。比如，老大可能是个平庸的女孩，而老二是个可爱的女孩，并且成功地引起许多关注，让姐姐黯然失色。这样的"家庭星座"会怎么发展，取决于每个孩子对生活现状和自己地位的理解，以及他为应对前两者所做的决定。我们举例的家庭也可能出现完全不同的情况。假如帕蒂觉得父母的标准过高，或者弟弟斯基珀带来的威胁过大，超出了自己的能力，那她有可能会选择放弃或缩小自己取得成绩的范围。斯基珀有可能发现，做学问是一扇通往成功的大门，便成为一个学识渊博的人而弥补了体弱的缺点。凯茜则有可能决定要成为一个强壮的"男人婆"，甚至是家里的"小恶魔"。这些结果也可能导致艾琳成为家里的"小乖乖"。

每个"家庭星座"成员的行为模式，由他们对自己家庭位置的想法来决定。同时，每个人的行为模式又微妙地影响着其他人的行为。每个孩子的行为都是在给其他孩子提出问题：我要对他的行为做何种应对？孩子们的决定，取决于他们怎么诠释自己的地位和其他孩子的表现。如果这个诠释是错误的——很多情况的确如此——错误观念就形成了。如果父母察觉到这些错误观念（不幸的是大多数父母很少注意到孩子行为背后的观念），他们就能够引导孩子做出正确的分析和决定。至于如何引导，我们会在后面加以说明。

十岁的乔治和八岁的大卫暑假时共同负责修剪草坪。如果他们不把修剪后的草坪垃圾清除干净，妈妈就不准他们第二天去游泳。大卫负责前院，乔治负责后院。中午修剪完，大卫走进屋里大声宣布："妈妈，我是个好孩子，我已经做完我的工作了。乔治在路上玩呢，都还没开始干呢！""是啊！亲爱的，你一向是个好孩子，"妈妈回答，"你去把乔治叫回来，跟他说，是我要他回家！"

大卫找到乔治对他说："妈妈让你回家，你倒霉啦！我已经清理好我负责的院子了，你都还没开始干呢！"乔治转过身面向大卫，打了他一拳。接下来两兄弟打了一架。两人回到家，大卫向妈妈哭诉被哥哥打的经过，他认为哥哥根本是"无缘无故"打他。妈妈对哥哥说："噢，乔治，你怎么总这么坏呢？为什么你就不能好好做你应该做的事？你不能对弟弟好点吗？你们应该相亲相爱，而不是老打架。"

兄弟俩这个让人头疼的关系始于弟弟大卫出生后不久，那时候乔治两岁，变得非常难管。他目中无人，抵触情绪严重，行为不端，总惹麻烦。妈妈经常责骂他。而弟弟大卫是个快乐的小婴儿，每次妈妈对他表达爱和亲昵，他都迅速做出回应，妈妈不断称赞他是个好孩子。妈妈隐约知道乔治有些嫉妒刚出生的小弟弟，但不明白为什么，她觉得自己仍然在乔治身上花了很多时间。而乔治看到的是，弟弟大卫取代了自己在妈妈心中的地位。妈妈对这个小宝宝的"优点"十分喜爱和欣赏，于是乔治便放弃了这个好孩子的"领地"（而不是调整和改进能给妈妈好印象的能力），他转而成为"坏孩子"以得到妈妈的关注。虽然大卫是"好孩子"，但他总能巧妙地让乔治和他发生冲突，这样就会使乔治的形象更糟糕，以维持他"好孩子"的地位。而乔治和弟弟大卫发生冲突，又是想通过这个事实证明是大卫抢了自己的"头等位置"，通过冲突击败他，以取得心理平衡。兄弟俩用不同的方式，都不让爸爸妈妈省心。他们俩的行为基于两人如何诠释自己的家庭地位，并且根据自己的诠释和对方互动，以保持关系的平衡感。显而易见，兄弟俩对自己的诠释完全没有意识，也不清楚自己其实是竞争和冲突的参与者和维持者。

　　而在三个孩子的家庭里，原本是"小宝宝"的老二失去了原有的位置，成为了中间的孩子。他面临一个困难处境：老大和老小会联手对抗这个共同的"敌人"，使得老二两头受压。身为老二的孩子忽然发现自己既没有老大的长处，也享受不了"小宝宝"的特权。因此，他容易有被歧视和被虐待的感觉，觉得生活和周围人都很不公平。他很可能喜欢挑衅别人，通过这样的行为来证明生活就是不公平。除非他能找到改变这种思维的方式，否则他一生都会认为，生活不公平，自己没有什么机会。但是，如果中间的孩子取得了比其他兄弟姐妹更好的成绩，他的公平感就会增强。如果一个家庭中，妈妈是个高标准严要求的人，而中间的孩子是女孩，那么这个女孩就可能会模仿妈妈，也成为高标准严要求的人，她会利用自己的女性特质在家里以及今后的生活中达到那些标准和要求。如果一个家庭中成员们普遍重视强壮的男性气质，那么生活在中间的女孩就有可能去和哥哥及弟弟竞争，可能会发展成"男人婆"，甚至比哥哥和弟弟更男孩气。同理，如果一个全是女儿的家庭中父母对没有儿子感到遗憾，那么其中一个女儿可能会表现得像个男孩子而让父母高兴。而如果中间的是唯一的男孩，则会出现几种不同的情况：有可能他因为自己的性别，从姐姐妹妹中脱颖而出，不会因为是中间的孩子而受气或逊色。但是，如果家里妈妈比较强势，这个中间的孩子就会感受到妈妈对懦弱的爸爸的不屑，他会觉得自己处境困难，容易逃避，认为男性不值一提。他也有可能站在妈妈一边，也对爸爸强势，发展成大男子主义；他还有可能和爸爸联手，用微妙的行为反击妈妈以及她的权威。他会朝着哪种方向成长，取决于他对自己家庭地位的诠释以及潜意识的决定。

在四个孩子的家庭里，老二和老小通常会成为盟友。他们会表现出相近的兴趣、行为和性格特质。孩子们之间相互竞争时，是在表达他们的不同。而他们什么时候会发展成盟友，并没有统一的法则。但这对家庭状态很重要，孩子们之间的共性是整个家庭气氛的体现；而他们的差别，是他们在"家庭星座"中不同位置的体现。

　　如果是女孩中的唯一男孩，不论他排行老几，他都会发现，他的性别既可能是优势，也可能是劣势，完全取决于这个家庭怎么看待男性角色，以及他对能否承担这个男性角色的诠释和决定。而男孩中唯一的女孩也会是同样的情况。如果这个女孩体弱多病，并且因此受到家人的同情和怜悯，那她就会发现，体弱多病是个优势。如果这个家庭重视强壮而看不起弱小，那她就会发现自己面临困境。她有可能会选择放弃变得强大，生活在哀怨之中，认为自己没有家庭地位，生活充满磨难；她也有可能尽全力克服体弱多病的特点，力求和健康孩子一样有能力，甚至比他们还好。如果是在一个成员都很活跃的家庭里，这样的选择就会难上加难。比方如果这个孩子患有先天性心脏病，那几乎可以说，她再努力也无法和身体健康的孩子一样活跃。而如果她放弃，又可能会被家里人取笑。那么，这个孩子很有可能会朝完全不同的方向发展，不是成为爱好运动的人，而是成为一个学者。

　　如果第一个孩子夭折后家里又有了第二个孩子，这个孩子会面临两难的境地。他在家里位置上是老二，前面总有个"亡灵老大"，然而他的现实位置却是老大。再加上一种可能，妈妈可能因为失去了第一个孩子，而对这个孩子过分保护，恨不得把他用棉花团包起来。那么这个孩子有可能选择在这种令人窒息的家庭气氛中做一个备受宠爱的人，也有可能选择竭尽全力反抗这种过度保护以争取独立。

老小在家庭的地位很独特。他很快便能发现，因为自己的无能为力而拥有了许多"仆人"。如果父母对这种心理没有察觉，就会很容易让老小通过这种方式维持特权，总想办法让家里人围着他忙个不停。这个"无助的小宝宝"宁愿别人替自己做，也不愿意自己动手。这样很容易，但对孩子的性格健康却很危险。

独生子的情况是另一种困境。这是个活在大人世界里的孩子，仿佛是被巨人包围的小矮人。他没有兄弟姐妹能让他发展和同龄人的关系，那么他的目标很可能是取悦或变相操纵成人。他可能会发展出大人的看法，理解力早熟，他总是"踮起脚尖走路"，希望达到大人的高度；他还有可能会是一个永远没机会长大的婴儿，总在大人之下。他和其他孩子的关系容易紧张和不稳定。他不懂得怎么了解其他孩子，而其他孩子可能会觉得他是个"胆小鬼"。除非他很小就经常和其他孩子相处，否则他很难发展出孩子群体的归属感。

事实上，没有所谓的"最理想的子女数量"。不论一个家庭有多少个孩子，都会有自己家的问题。这些问题是由家庭全体以及每个成员如何诠释自己在家庭中的地位产生的。不论家里有多少个成员，都会相互影响。没有某个因素是影响孩子成长的决定性因素，孩子们相互之间的影响又反过来影响父母。每个人都对自己和其他人的发展有主动的影响，例如前面提到的乔治和大卫的案例。乔治眼里的家庭情况是，婴儿大卫是个掠夺者，他强占了妈妈所有的爱和关注。所以对乔治来说，做个"好孩子"没有用。然而，如果他表现出不良行为，至少妈妈会注意他！那么对他来说，宁可被责骂也不愿意被忽视。这样的矛盾想法，让乔治在心理上趋向成为"坏孩子"，因为这样他才能找到自己的家庭定位：我是个"坏孩子"，而大人拿我没办法，这就是我的存在价值。当然，乔治并不是真的用这些词语思考，这是他潜意识里的信念。他通过不良行为赢得妈妈的关注。他不快乐，他认为他所面临的障碍（婴儿大卫）绝对难以克服，因此他变得沮丧，对生活中的这个难题，他趋向负面解答，因为他找不到其他方法来克服障碍，因为他看不到和这个婴儿相比自己能得到什么好处。而妈妈频频对他的不良行为产生反应，这反倒更加鼓励了他的不良行为。再加上爸爸的责备："为什么你不能像弟弟一样?"乔治更确认他只能用"坏"来得到关注,也更进一步确认了那个婴儿是"好"的。随着年龄的增长,大卫会变得更好,这又增加了乔治的压力,激起他更不愿遵从爸爸妈妈的要求去爱护弟弟,因为这是推翻他的人,是被他认定为"敌人"的人。大卫持续以"好"来维护他的地位,而乔治更成为"坏"。父母责备"坏"的,支持"好"的,加剧了这个关系,造成两个孩子的对立冲突,使得他们的关系纠缠不清。

前面的几个例子让我们看到,孩子对外部环境的反应各不相同,并没有放之四海而皆准的规律,让父母提前预测。然而如果父母能够对"家庭星座"的情形有主动的意识,就会理解以前的困惑。敏锐的观察能够给人意想不到的领悟。当我们明白了为什么,我们就能应付自如了。

孩子是如何做出反应的

关于"塑造孩子特质"的书籍和理论很多——这样的理念里,孩子仿佛是块橡皮泥,大人的工作就是把他们塑造成符合社会标准的人。这是非常错误的理念。从前面的例子来看,这个观念正好与事实相反。在我们知道之前,孩子就开始为自己、父母和周围环境塑造他们自己的特质。孩子是鲜活的、充满生命的独立个体，他们和大人有同等的力量，建立与他人的关系。孩子建立的每个关系都不尽相同，每个关系的特性都取决于这个关系中双方的互动和贡献。每个关系的变化也取决于这样的互动和对变化的反应。关系中的两者可能是大人与大人，可能是孩子与孩子，也可能是孩子与大人。这些人际关系中的每个因素都有可能因为其中一方的变化而变化。发展这些人际关系时，孩子会通过自己的智慧和能力在其中给自己定位。孩子会尝试每件事，如果成功地达到目标，那么他就会把这个方式保留下来，将此作为给自己定位的方法之一。有时候孩子会发现，同一种方法未必处处适用。那么他会有两种选择，要么不再尝试，不再发展这个关系；要么采用新的方式，发展不同的人际关系。

九岁的基思是独生子，在家里是个讨人喜欢的孩子。他帮妈妈做家务，会去做几乎所有能让爸爸妈妈高兴的事情。他安静、有礼貌、顺从、干净整洁，总是将玩具放回原处。可是，在学校他却是个问题学生，老师说他"很孤僻"。他从来不干扰其他人，也不和同学互动，他什么都不做，一直坐着做白日梦。老师需要经常提醒基思做下一件事情。基思没有朋友，也不参加体育比赛和班级活动。

在家里，基思是大人世界中唯一的孩子，享有特殊地位，同时他通过行为得到了大人的喜爱和认可，这又进一步让他给自己定位。而在学校里，他的周围是和自己一样的孩子，这些孩子还因为基思的冷漠及不合群而嘲弄他。基思本来尝试通过学习得到特殊地位，但没有收到预期的效果，老师没有认为基思与众不同，没有让他成为孩子中间地位特殊的一个。基思不知道可以用其他什么方法和同学们竞争，他不会完美投球，也不能通过礼貌举止打动同学。于是基思打了退堂鼓，他没有尝试新的人际关系，而是一直独处做自己的白日梦。

孩子也可能和父母分别发展出完全不同的人际关系。

五岁的马戈和七岁的吉米总是不断胡闹，把妈妈搞得手忙脚乱。两人在制造麻烦上堪称一对，他们想要什么东西时，先是低声哼唧耍赖，然后大声号哭，最后尖叫怒吼，不达目的决不罢休。可是，当爸爸在家时，他们却显得非常规矩。只要爸爸看他们一眼，他们就会赶紧做该做的事。爸爸无法理解妈妈说的孩子们的那些表现，因此他经常扬扬得意地说："他们就是听我的。"

这是因为孩子们知道妈妈会对他们让步，而且对他们的不良行为除了唠叨没有其他方法。而爸爸言出必行，他的行为中体现了坚定，孩子知道爸爸有底线，而妈妈没有底线。

因为家庭成员性格不同引起的不论是难题还是挑战，如果家人致力于和谐的家庭气氛，这些问题都可以得到改善。没有所谓的完美关系，我们需要的是有所进步而不是完美。假如父母中的一方明白"中间孩子"产生了被冷落的感觉，那么妈妈（或爸爸）就可以按照这个线索帮助这个孩子，用适合的方式做出努力，找到自己的正确定位。假如父母中的一方知道老大因为老二的飞速进步而感到灰心丧气，那么妈妈（或爸爸）就能寻找机会增加对老大的激励，让他重拾信心。假如父母中的一方了解到最小的孩子有可能通过拐弯抹角的操纵，让全家人为自己服务，那么妈妈（或爸爸）就能帮助老小逐渐理解他可以通过其他方式取得成就感和生存意义，而不是通过让别人替自己做事这种方式。

孩子对自己在"家庭星座"中的位置的判断和相应的反应，就像人类的创造力一样无限。敏感细心的父母可以观察家里的状况，并问问自己："我的孩子对他所处的状况有什么想法和信念？"很多时候，我们成人容易想当然地把自己处在同样情况下的所想所为套用在孩子身上，而不去站在他们的角度体会孩子自己的行为逻辑。

外部环境中对孩子产生影响的第三个因素，是普遍采用的"训练孩子"。我们会在后面继续讨论更多的有效训练方式，届时会对训练方式中各种因素的重要性更加清楚明确。而现在，很显然，我们需要的是往后退一步，客观地好好看看我们的孩子。他们怎么处理自己的内在环境？他们怎样进行调整？有没有过分调整？他们通过观察得出什么结论？他们在"家庭星座"中的位置如何？这个位置对他们有什么意义？如何确切回答这些问题，还有更多指导，我们将在稍后讨论训练方法时谈到。

ENCOURAGEMENT

第三章
鼓励

孩子需要鼓励，就像植物需要水。没有鼓励，孩子的性格就不能健康发展，孩子就没有归属感。鼓励孩子是一个持续的过程，重点在于给予孩子自尊和成就感。

鼓励是教养孩子最重要的部分。可能孩子出现不良行为的根本原因，就是缺乏鼓励。

一个行为不良的孩子，是个气馁的孩子。孩子需要鼓励，就像植物需要水。没有鼓励，孩子的性格就不能健康发展，孩子就不能得到归属感。

然而，我们目前的教养方法却持续让人失望和沮丧。在孩子眼里，大人们显得极度巨大、高效迅速、无所不能。当孩子有了这些感受，只有他们与生俱来的成长勇气支持着他们不放弃成长。孩子的这种勇气太棒了！设想我们和一群巨人同处一室，我们能不能做到像孩子们那样持续给自己勇气？虽然孩子们在这样的环境中会觉得自己能力甚微，可是他们用惊人的成长愿望和勇气，克服自己这种渺小羸弱的感受。他们渴望成为家庭内平等的一分子，然而当他们在努力尝试给自己这个定位时，不断遇到挫折和困难。正是我们目前普遍的养育方式让他们沮丧气馁。

四岁的彭妮跪坐在餐桌旁，看着妈妈把买回来的东西一一放好。妈妈把蛋托从冰箱里拿出来放在桌上，又把一盒鸡蛋从购物袋里拿出来。彭妮伸手拿蛋托，想帮忙把鸡蛋放进去。"彭妮，别动！"妈妈喊，"你会把鸡蛋打烂的，还是让我放吧。宝贝，等你长大点再做。"

妈妈这几句无心之语却给彭妮浇了一盆冷水,让她感到气馁,妈妈加深了让彭妮认为自己很弱小的信念!这对彭妮的自我认知带来了多少伤害?我们知道,即使是两岁的孩子,也能小心地把鸡蛋放好。我们见过两岁的孩子很小心地把一个个鸡蛋放进蛋托的凹洞里,当他们完成这件工作,眼睛散发出自豪的光彩。妈妈们也会为孩子的成绩而高兴!

三岁的保罗正在自己穿棉衣,准备和妈妈一起出门买东西。妈妈说:"保罗,过来,我帮你穿,你穿得太慢了。"

保罗看着能干的妈妈迅速地给自己穿好衣服,完成了这件他自己要好一会儿才能完成的工作,感到自己真是没用,这样的挫败感让保罗放弃继续尝试,以后就让妈妈帮自己穿衣服好了。

我们常常无心地通过讲话语气、行为动作,让孩子们觉得自己无能、没用、做不了大事情,并且他们低我们一等。而即使孩子们感到面临这样的状况,他们通常还是会通过不断努力,找到自己的定位。

我们通常没有给孩子不同的途径和机会，让他们找到自己的强项和长处，反而我们常常以大人的偏见——我们不相信孩子有能力——站在他们的对立面。为了让我们的行为和偏见显得有道理，成人还会武断地规定所谓适龄行为的标准。一个两岁的孩子试图帮忙清理餐桌时，我们立刻从他手里把盘子抢过来："别动，宝贝，你会把盘子打碎的。"为了不打碎盘子，我们却打碎了孩子发展自我能力的信心。(你真的认为塑料餐具的发明，是为了鼓励孩子的好奇心，满足孩子的能力吗？)我们的行为阻碍了孩子发掘自己能力和优点的努力。我们高高在上，认为自己更聪明、更厉害、有能力。当一个幼儿自己穿上了鞋，我们却说："你看，你把左右脚穿反了。"当小宝宝第一次尝试自己吃饭，结果把自己弄成大花脸，把餐椅、围兜和衣服都弄脏了，我们会大喊："看你搞得这么脏！"然后把勺子从他手里拿过来，喂他吃。这些行为向孩子展示的，是他多么弱小无能，而我们多么聪明能干。当孩子通过拒绝张嘴吃饭，来表达他的反抗和不满时，我们却对他生气。渐渐地，我们打碎了孩子想通过发展能力而为自己定位的意图。

我们常常没有意识到自己的行为给他人带来的感受，孩子却因此受挫。最常见的现象，就是我们会以孩子还比较弱小为由拒绝他们——这样的态度和行为让孩子感到气馁。

我们对孩子的行为能力缺乏信心，想当然地认为"等他大一点就会了"，传达出的意思就是孩子现在太小、能力不够、不完善、不够好。

那么当孩子犯了错误或者没有达到预期目标时，我们要尽量避免使用那些让孩子觉得他是失败者的言语和行为。我们要学会将事情和人分开——"事情没成功是可以的"、"很遗憾结果没像你想象的那么理想"。我们要清楚地知道，每次的"失败"，只是孩子的经验和技巧还不够，完全与孩子的个人价值无关。真正有勇气的人，不怕犯错误或有缺点，并且他的勇气不会因为错误和缺点而减少。这种"能够接受缺点的勇气"，大人和孩子都需要。没有这样的勇气，就会感到受挫和气馁。

鼓励孩子，一半指的是避免羞辱或过度保护的行为，从而不会令他们气馁。如果我们的行为让孩子感到对自己缺乏信心，就容易造成孩子气馁。另外一半指的是学会鼓励孩子。只要我们表达出对孩子勇气和自我认知信念的支持，我们就鼓励了孩子。如何做到这一点，没有统一的标准答案，这需要家长认真地思考。我们需要细心观察，经常扪心自问："我的这个方式，对我孩子的自我认知有什么影响？"

我们可以从孩子的行为中，判断孩子是否有自信。一个怀疑自己能力和价值的孩子，会表现不端。这样的孩子不是在参与、贡献中寻求自身价值，他心里的气馁会让他的行为转向对他人无益、让他人恼怒。因为他在心里坚信自己不够好，没有能力做出贡献。而不良行为虽然不好，却能够让他得到关注。正所谓"挨打总比被忽视强"，做个出名的"坏孩子"也是与众不同。这样的孩子，心里相信，他无法通过和他人合作而获得成功和价值感。

因此，鼓励孩子是一个持续的过程，重点在于给予孩子自尊和成就感。人类从婴儿期开始，就需要通过成就来找到自己的定位。

七个月大的芭芭拉如果被单独放进游戏床里，就会大发脾气。这么小的宝宝暴躁程度已让妈妈吃惊。芭芭拉会拱着后背，猛踢游戏床，使劲尖叫，脸涨成紫红色。她是五个孩子中的老小，从出生起就经常被抱着。她总是坐在妈妈的腿上吃东西，即使在游戏床里，妈妈也常常在旁边陪着。如果妈妈需要离开一会儿，总会要求兄弟姐妹中的一个来陪她逗她。芭芭拉总是累到不行才睡觉，而睡前习惯哭一小会儿。一听到芭芭拉醒过来的声音，妈妈就会立刻赶过来，然后芭芭拉快乐地和妈妈打招呼。妈妈一直觉得她是个快乐的宝宝。

虽然才七个月，芭芭拉的行为中已经出现了气馁的先兆。只有别人让她高兴，她才能找到自己的家庭定位；如果得不到关注，她就迷失了自己。只有当她成为注意力的焦点时，她才能和家人互动。

有人会问："婴儿能学得会吗？"自给自足是人类成长的基本要求。一个孩子从出生起，就开始学习照顾自己。芭芭拉需要学习如何自娱自乐以及不需要他人持续的关注。妈妈很爱芭芭拉，希望她成为一个快乐宝宝。可是妈妈的行为是对芭芭拉的过分保护，芭芭拉很快发觉，只要哭就能得到自己想要的。妈妈会尽一切努力不让她哭，不让她不高兴，让她快乐开心，可是却在无意识中让芭芭拉失去了自给自足的勇气。妈妈不应该因为芭芭拉大发脾气而妥协。如果她用哭的方式，那就让她哭个够，同时给她玩具，不要去打扰她，让她学习自得其乐。这可以是鼓励芭芭拉的一种方式。另外，还可以每天找出一段特殊时间，让芭芭拉独处，让她学习照顾自己。这个新训练最好是在上午，哥哥姐姐都在学校，妈妈忙着做家务。要对一个大哭大闹的婴儿置若罔闻很不容易，芭芭拉的妈妈可以利用这个机会锻炼自己的勇气，明白爱孩子是为孩子着想。好妈妈不需要满足孩子的所有要求。一个只有得到别人关注才快乐的人，不是真正快乐的人。真正的快乐不需要建立在他人的关注上，而是发自内心，感受到内在的满足。一个家庭中的婴儿非常需要这个认知，因为她最小，她的哥哥姐姐已经能够自己做很多事情了。

三岁的帕蒂想帮妈妈摆晚饭餐桌，她拿起牛奶瓶准备往玻璃杯里面倒牛奶，妈妈抢过牛奶瓶，和蔼地说："别动这个，亲爱的。你还不够大，我来倒牛奶，你可以摆餐巾纸。"帕蒂露出难堪的神情，转身离开了餐厅。

孩子天生具有极大的勇气，并且热切地尝试其他人能做的事情。如果帕蒂真的把牛奶洒在桌子上又能怎样呢？损失牛奶和损失孩子的信心，哪个更严重？帕蒂自己有勇气尝试一个新挑战，妈妈只要信任她，就是给她鼓励。如果牛奶洒了，妈妈只需要不断鼓励帕蒂面对失败，擦掉洒出的牛奶，轻声说："再试一次吧，你做得到。"

五岁的斯坦有点无精打采地在游乐场上玩着沙子。他看起来安静削瘦、闷闷不乐，他慢慢地把沙子从一只手倒入另一只手。他的妈妈坐在旁边的长椅上，斯坦问妈妈："我现在可以去荡秋千吗？"妈妈回答："如果你想去的话，我牵着你的手就好了，这样不会有危险。"斯坦站起来拉住妈妈的手。妈妈一边牵着他向秋千走去，一边解释："我们要小心点，离远点，这样才不会撞到。"斯坦坐上了秋千，妈妈问："我推你好吗？"斯坦问妈妈："我可以上下摆着玩吗？"妈妈说："那你可能会摔下来哦！还是我来推你吧，抓紧哦！"妈妈开始推斯坦，他紧紧地、安静地抓着秋千绳。没一会儿，斯坦就觉得没趣了，从秋千上下来。妈妈又牵起他的手："宝贝，小心，其他荡秋千的人会撞到你哦。"他们经过儿童单杠时，斯坦看到几个孩子挂着翻圈玩，问："妈妈，我能玩这个吗？"妈妈回答："不行的，斯坦，这个太危险了。来滑滑梯吧！上滑梯的时候小心，别摔下来，我在下面等你。"斯坦小心翼翼地爬上滑梯，坐下来抓住扶手准备往下滑，嘴角带着浅浅的微笑。"等一下，等别的小朋友离开以后再滑，不然你们会撞在一起。"妈妈喊道，"现在你可以滑下来了。"滑了几次之后，斯坦说他累了，想回家，然后牵着妈妈的手离开了游乐场。他没有机会大声喊、大声笑，没有机会跑来跑去、乱蹦乱跳。他觉得这里一点也不好玩。

斯坦的妈妈对他过度保护，结果让他失去了勇气。她怕斯坦受伤，所以处处拦着孩子，令他缩手缩脚，不能参加同龄孩子的活动。斯坦无法自己做主，总是先问妈妈能不能。妈妈允许时，他也是漫不经心、没有精神，毫无乐趣可言。他表现出的无精打采和闷闷不乐，正是内心受挫的体现。生活中一定会发生打击和伤害，孩子们要学习怎样面对痛苦，并大步跨越痛苦。受伤的膝盖会痊愈，而挫伤的勇气则会终生留下伤疤。

斯坦的妈妈需要明白，当她努力去保护儿子不受伤，实际如同在对他说："你的能力多弱呀！"同时，这样的行为还会增加斯坦对危险的恐惧感。五岁的孩子，在游乐场上完全有能力照顾自己。虽然不能把他单独留在游乐场上，但他毫无疑问可以在游乐设施之间游刃有余，完全有能力避开摆动的秋千，玩转儿童单杠。这些活动能够让孩子建立信心。

他为什么不能去体验快速下滑的惊险刺激呢？

孩子们需要自由和空间，测试并提高自己应对危险情况的能力。当然，这并不是说我们可以疏忽，我们要准备着，当孩子遇到难度较高的情况时，提供保护和指导。

八岁的苏珊和十岁的伊迪丝拿着成绩单回到家。伊迪丝兴奋地跑向妈妈，而苏珊悄悄地溜进自己的房间。"妈妈看！我全都是A！"妈妈看了伊迪丝的成绩单，显得很高兴。她问伊迪丝："苏珊去哪儿了？我要看看她的成绩单。"伊迪丝耸耸肩："她可不像我，成绩这么好。"接着评判道，"她很笨！"妈妈一眼看到正要出去玩的苏珊，把她叫了回来："苏珊，你的成绩单呢？"苏珊慢吞吞地回答："在我的房间里。""你得了什么成绩？"苏珊不肯回答，站在原地，垂着眼皮盯着地面。妈妈说："我猜你的成绩很差是不是？去把你的成绩单拿出来！"妈妈看到苏珊得了三个D和两个C，一下子气炸了："我真为你感到丢脸，苏珊！你有什么理由考这样的成绩？伊迪丝总是成绩很好，你怎么就不能学学姐姐呢？你总是又懒惰又粗心！真是咱们家的耻辱！你不能出去玩，回到你的房间去！"

苏珊不如姐姐聪明，而伊迪丝为了保持自己聪明的家庭地位，更加往下推妹妹，这又反过来加深了苏珊的挫折感。更甚者，妈妈还通过剥夺她出去玩的权利来惩罚她。

大多数人认为，鼓励会刺激两姐妹竞争更加激烈，而事实并非如此。让两人竞争加剧的，是让受挫的一方觉得更加没有希望，领先的一方产生需要永远保持领先的信念。领先的一方因此可能会产生过度的雄心，为自己树立不现实的目标。她会认为：除非自己一直领先，否则就会成为一个失败者。要想鼓励苏珊，妈妈必须不再把伊迪丝当作她的榜样。所有的比较都是有害的。苏珊只能通过自己产生内在动力，而不是模仿伊迪丝。只有当妈妈表现出对苏珊的信心，才能够真正帮助她。现在，即使苏珊努力，也是在迎合他人的期望。只有重拾真正的信心，苏珊才能改善。妈妈应该避免批评，把注意力转移到苏珊的进步上，别看是小小的进步，这至少是鼓励的开始。

让我们看看同样情形可以怎样不同处理，试试看如何鼓励气馁的孩子。

苏珊和伊迪丝拿着成绩单回到家，苏珊悄悄溜进了自己的房间。"妈妈看，我全是A！"妈妈看了看伊迪丝的成绩单，并签了名，说："真好，我很高兴你对学习这么感兴趣！"（请注意，妈妈评论的重点，不是成绩，而是学习本身。妈妈改变了以前的赞美，而是就事论事。）妈妈也知道苏珊在逃避自己的成绩。她等到和苏珊独处时才说："亲爱的，你需要我在你的成绩单上签名吗？"苏珊很勉强地拿出成绩单。妈妈看过后签了名，对苏珊说："我很高兴看到你对阅读这门课有兴趣（她两个中的一门）。阅读很有趣，是吗？"妈妈抱了抱苏珊，并建议她："你要不要帮我一起摆餐桌？"她们一起摆餐桌时，苏珊有点忐忑，忍不住说："伊迪丝全都是A，而我大部分是D。"妈妈说："你能不能和伊迪丝的成绩一样，这不重要。即使你们成绩不同，你也有可能对学习感兴趣。而且，你会发现你比自己想象的好很多！"

我们能够想象妈妈态度的改变对苏珊会产生什么影响。首先，苏珊会不敢相信。妈妈改变了想法，她不再认为只有伊迪丝才能考好，而苏珊在学习上永远不会有起色。对于苏珊而言，她几乎已经确定，任凭怎么努力，自己都不可能取得出色的成绩了。而她努力在阅读这一门上得了C，这是她的长处。当妈妈对她的努力表示认可时，就给了苏珊重新认知自己地位的机会，她也能重新看待"需要压倒才能赢得竞争"这件事。妈妈的做法激励苏珊进一步努力，让她看到即使是C也是有价值的。她会感觉到："如果得到C是好事（不再觉得没有希望），那也许我能做得更好。"这个小小的希望就成为了苏珊的内在动力，我们可以欣喜地看到苏珊更加努力了。

十岁的乔治在家里和学校都是个浮躁的孩子。他总是虎头蛇尾，成绩平平。他是三个孩子中的老大，大弟弟八岁，小弟弟三岁。乔治喜欢和小弟弟玩，经常和大弟弟吉姆发生冲突。吉姆在学校的成绩很好，虽然不像乔治那么兴趣广泛，但只要开了头的事情，吉姆都会完成。

一天，乔治正在组装一个书架，接近完工。妈妈担心他又半途而废，想给他一些鼓励，便说："这组书架真可爱，乔治，你做得太好了!"完全出乎妈妈的意料,乔治哭喊起来,将书架摔到地上,尖声叫着说:"它们不可爱!它们糟透了!"然后从工作间跑回了房间。

乔治的妈妈用了最明显的方法鼓励他,给他赞美。可是乔治的反应却证明赞美不但没有起到鼓励的作用,反而适得其反,增强了他的气馁。为什么会这样呢?赞美他的成绩就是鼓励他呀,难道不是吗?

这个例子证明,怎样鼓励孩子并没有统一的答案和准则,应该取决于孩子。乔治有过度的雄心:他为自己设立了过高的目标。当妈妈赞美他时,他感到生气,因为他相信,他不可能完美地做完一件事。他反而认为妈妈的赞美是在讥讽他。乔治认为自己要完成的作品应该完美无瑕,但是因为他的技巧不够娴熟(这只有通过不断练习才能获得),他的努力总是达不到自己的理想目标。他企图一步登天,所以对自己做的每件事都不满意。当妈妈给他赞美时,他却认为那离自己的要求还很远。"连妈妈都不了解,那就没有人可以了解,我其实多么失败!"所以乔治听了妈妈的话会生气。

乔治非常需要鼓励。在他眼里,自己做什么事都是个彻头彻尾的失败者。他开始做一件件不同的工作,让人觉得他总是很忙。但他什么工作也不完成，其实他是在逃避自己是个"不完美的失败者"的感觉。他的大弟弟总是成功完成，更是加剧了他的自我贬低。他的过度雄心，就是他认为"吉姆超过了我"想法的结果。他认为除非他超越吉姆，否则没有任何价值，他一定要比弟弟更好。这是一个错误的信念。而当乔治看到想要超过吉姆困难无比，简直不可能，他就认定自己只能是个失败者。无论乔治得到多少赞美，都无济于事。如果妈妈告诉他不必力求完美，这更是徒劳，只能加深他"没有人了解我"的想法。他觉得自己必须做到完美，他做的事情就代表了他这个人。即使偶然他做成功一件事，他也会认为这只是个意外。支持他过度雄心的行为和支持他自行努力失败的举动，都会增强他的挫败感。乔治需要将他的关注从"做出完美的成就感"转移到"做出贡献的满足感"上。对乔治而言，即使做出贡献，这个贡献也必须是完美的，否则他还是会认为自己是个失败者。

乔治需要更多帮助来重新评价自己的价值和家庭地位。乔治的完美主义不是无缘无故产生的，很可能与父母有关。可能父母一方或双方标准过高，他们可能嘴上跟乔治说"不必力求完美"，而自己的行为却否定了这个说法。在这个家庭中，父母需要和孩子们开诚布公地一起讨论：好到什么样是足够好？妈妈与其赞美乔治，不如跟他说"我看到你对组装书架有兴趣"更有效。

五岁的埃塞尔开心地尝试为自己铺床，她忙来忙去把被子左拉拉右拉拉，最后终于铺好了。妈妈走进她的房间，看着铺得并不太整齐的床说："我会帮你铺床的，这床被子对你来说太重了。"

妈妈这样的行为不仅暗示埃塞尔，因为她小所以低人一等，而且又通过熟练铺好床证明了她比埃塞尔优越。埃塞尔难堪地站在旁边，她费了好大劲铺好床带来的喜悦，被妈妈的成绩冲得无影无踪。埃塞尔很快会觉得："我做这些努力有什么必要呢？反正妈妈比我做得好很多。"

如果妈妈看到埃塞尔自己铺床，表现出愉快，例如她可以说"你真能干，能把被子拉起来"，或者"看看我的大姑娘，能自己铺床了呢"！埃塞尔就会感受到成就的光芒，并且想要继续。不管床上有多少皱褶，那毕竟是孩子完成了一件工作，妈妈应该避免显示自己比孩子做得好。她不要指出埃塞尔留下多少皱褶，而是可以等女儿不在场的时候再铺平整。等埃塞尔再自己铺几次床以后，妈妈可以提出建议，以增加鼓励。例如："你想想看，如果把被子先卷起来，再一个角一个角拉平，会怎样？"或者："如果你从这里拉一下，会怎样？"该换床单时，妈妈可以建议和埃塞尔两个人一起铺床，并同时玩说话的游戏——要避免批评，多表达建设性的支持。例如："我们现在各自找一个床垫的角，把一部分床单掖在下面。现在，咱们一起把床单拉到床头。你好，床头先生！"从诸如此类的游戏中，母女俩一起愉快地做事，孩子也能愉快地学习，并且妈妈不会给埃塞尔"你不会"的感受。

四岁的沃利和妈妈一起去邻居家串门。邻居家十八个月大的女儿帕蒂，正在客厅的地板上玩玩具。妈妈建议沃利："去和帕蒂玩吧，乖乖地玩，别捉弄她。"两位妈妈在厨房坐下来喝咖啡，沃利耸耸肩，脱掉外套，冲进客厅。没一会儿，就听到帕蒂的尖叫声。两位妈妈以最快的速度跑到客厅，看到沃利脸上露着扬扬自得的表情站在那里，还紧紧抱着帕蒂的洋娃娃。帕蒂大声地哭着，额头上有个红印。帕蒂的妈妈赶紧过去把她抱起来，搂着她亲吻安抚。沃利的妈妈抓着沃利："你这个调皮的孩子！你对帕蒂干了什么？你抢了她的洋娃娃，还打了她，是不是？你怎么这么没规矩！我现在必须打你的屁股！"她打了沃利两巴掌，沃利哭了起来。"老实说，我真的不知道该拿他怎么办？"她对已经让帕蒂安静下来的帕蒂妈妈说，"他总是欺负比他小的孩子。"沃利闷闷不乐地看着妈妈试图逗帕蒂笑，而帕蒂转过头，把脸埋进妈妈的怀里。帕蒂的妈妈说："我们把咖啡喝完吧，她没事的，我抱着她就好了。"沃利的妈妈又转向沃利："你真是个调皮的孩子，总是欺负比你小的孩子，丢不丢人？你给我老老实实在椅子上坐着，否则我会再打你屁股！"

这件事情里面反映出很多信息，但就本章的目的，我们只谈其中的挫折感。第一个强化沃利"低人一等"想法的，是妈妈已经预设他是"坏"的。每一次我们跟孩子说"要做个好孩子"时，我们都在暗示他有可能是"坏"的，我们对他有自我改善的天性没有信心。然后，妈妈指出沃利的"坏行为"会怎样，告诉他"不要去捉弄帕蒂"。另外，沃利妈妈也没有把沃利的行为和人分开。她认定沃利是个调皮、没规矩的孩子。妈妈的预设、没信心和指责的语言更加强化了沃利的自我价值观。沃利的不良行为，是因为他没有信心凭自己的能力引起妈妈的积极关注。除了做个让人讨厌的孩子，沃利不知道自己还能有什么位置。一个欺侮弱者的孩子，通常是个气馁的孩子。他认定，只有当一个人显得很厉害很权威，才是有价值的。他是气馁，不是没规矩，更不是怀着恶意。我们必须把行为和行为者分开。我们必须理解，不良行为是内心气馁的错误表现。最后，妈妈看起来更加在乎那个小婴儿的笑容，这又使沃利的心灵雪上加霜。

应对这种情况有效的方法是不要做任何令人气馁的评论。那些评论不会"教"任何事。表达出相信沃利有能力和帕蒂玩的态度，比任何言语更能达到效果。"我们到隔壁去，如果你想的话可以和帕蒂玩。"只需要带着这样快乐的期望便足够了。当他们到达时，妈妈可以再次让孩子自己决定，是和帕蒂玩还是坐在妈妈身旁。只要一开始有争执，妈妈可以很快地过去，拉起沃利的手说："儿子，我对你今天感到如此不开心觉得很遗憾。既然你不喜欢在这里玩，我们就回家去吧！"当然，这样一来，妈妈会牺牲了这次的造访。但这样做，可以"教"沃利，如果他愿意控制自己的行为，他可以与妈妈再来。她下回拜访时，可以把沃利托给亲戚或其他邻居一次，这样可以让他反省自己的行为。

如果沃利的妈妈能够避免当面指出沃利的不良行为，那么对沃利自信心的打击会至少减少一半。如果她能接纳虽然沃利有不良行为，但他仍是个宝贝孩子，那她就容易在不纵容他的不良行为的前提下，给予沃利鼓励。当她表示沃利可以犯错误，那么她就同时将"为自己行为负责"的责任心交还给了沃利，并且能够让他学会承担后果。当她建议沃利"准备好了再去串门"时，她同时也表达了对沃利能够改善自己行为的信心，沃利的心情会好转，也会想要再次去拜访邻居。

关于这件事的其他处理方法，我们还会在有关争执的章节中再次讨论。

两位妈妈过分关心帕蒂的举动，也会令帕蒂有受挫感。她额头上的红印，说明帕蒂没有受到很大的伤害，妈妈们不用小题大做。帕蒂从这样的经历中会学到一点疼痛都不能忍受，只要一发生伤害，就需要有人立即安慰。她会愈来愈依赖妈妈，自己的勇气和调适能力会慢慢受损，很容易发展出自己是个容易受到伤害的婴儿的自我认知，时刻需要别人的保护。成人的生活里充满不适和痛苦，这正是生活的一部分。如果孩子们学不会忍受痛苦、挫折、伤害和不适，那么他们今后的生活将会阻力重重。我们无法将孩子保护在真实生活之外，因此，帮助孩子为真实生活做好准备，才是最重要的。替孩子难过，是大人所有态度中对孩子伤害最严重的态度之一，这种态度传递出的是大人对孩子以及他克服困难的能力缺乏信心。

如果帕蒂的妈妈用淡定的态度对待这件事，就能帮助帕蒂学习接受疼痛。这并不意味着我们袖手旁观，不去安慰孩子，那是冷漠无情。我们用不同的方式安慰，会产生不同的效果："看到你很疼，我也有些难过，这很快会好起来的，你能够忍受。"妈妈可以只谈论那个小伤，不用立即抱起帕蒂："宝贝，你会没事的，这只是个小小的伤。"然后就此打住。这时候，帕蒂还不能从当时的情绪中平静下来，如果继续努力安慰她，会让她产生更多被伤害的情绪，让妈妈为自己忙个不停。妈妈说完这些安慰的话，可以静静地帮助帕蒂把玩具收好，这个时间会让帕蒂有机会将关注收回到自己身上，处理自己的问题。帕蒂是受伤的一方，她需要面对和克服的不仅仅是疼痛，还有他人的不友善及自己的弱小。如果妈妈给她空间和机会，并表达对她的信心，那么她就能很快恢复，找到自己的勇气，发展适应困难的能力。

蕾切尔在学刺绣，愉快又专注。她时不时拿起正在绣的这条客用毛巾，欣赏自己的作品。过了一会儿，她带着这个心爱的"作品"去问妈妈一个不太确定的针法。"这里是菊叶绣针法，蕾切尔。"妈妈说，"可是老实说，宝贝，你看看这背后，你可以绣得更好呀，这些针脚太长了，看起来好乱。你拆掉重来一次吧，会好看很多的。"蕾切尔喜悦兴奋的表情暗淡下来。她叹了口气，抿着嘴角轻轻说："我现在不想绣了，我想到外面去。"

对于蕾切尔从自己作品中想得到的满意和自豪，妈妈的话是严重的打击。"你可以绣得更好"，这绝不是鼓励。它暗含了"你做得不够好"的意思。蕾切尔眼中的好看，在妈妈眼里是乱七八糟，这是第二次挫折。妈妈还建议她拆掉重来，这令蕾切尔难以忍受，所以她丢下整件事情，将注意力转向别的。蕾切尔的妈妈从孩子表情的变化，应该能够看出自己的话造成了什么影响。

比较有帮助的一个方法是：妈妈再教蕾切尔一次菊叶绣针法，并分享蕾切尔对自己作品的喜爱，可以说："宝贝，这个很漂亮，这里的针法很可爱。"指出几处蕾切尔绣得好的地方。"等你绣完了，咱们把它挂在浴室里。"这样子，妈妈不但分享了蕾切尔对作品的喜爱，还表达出这个是有用的作品。当妈妈指出蕾切尔绣得好的地方时，这也能够鼓励蕾切尔想要通过努力达到更好。我们要将注意力放在长处而不是短处上面。绣得好的地方是蕾切尔的长处体现，她的注意力也应该被引向那里。

父母放手让孩子进行新体验，有时候需要很大的勇气。

　　七岁的彼得刚从爸爸妈妈那里领到自己的家务工资,他想去商场的模型店买一架心仪已久的飞机模型。妈妈说:"我现在没有时间带你去商场,我们可以明天去。"彼得提议:"我可以自己骑自行车去。"妈妈回答:"彼得,你从来没有自己骑自行车去过中心繁华区,你知道那边有很多车。"彼得说:"我可以照顾自己的,妈妈,很多小朋友都是自己骑自行车去那里的。"妈妈思考了一下,她想到商场外面那长长的一排自行车,自己经常在那里被绊到脚,又想到路上车流的危险。但是她也想到彼得每天自己骑自行车上学,应付自如,确实能够照顾好自己。她回答:"好的,宝贝,你去吧,去买你的飞机模型。"彼得愉快地跑出去。妈妈忍住心里的不安,她想:"他还这么小……但这总是学习的机会。"将近一个小时后,彼得拿着完好无损的飞机模型跑进屋子:"看,妈妈,我买到了!"妈妈高兴地说:"我真高兴,彼得!现在你可以自己买东西了,是不是感觉很棒?!"

　　虽然彼得的妈妈非常忐忑不安,但她明白,彼得需要学习照顾自己。她克服了心里的恐惧,对彼得骑自行车的能力表现出信心。而彼得用行动证明了妈妈的正确,妈妈接着表扬了彼得的成功。最后,妈妈通过给彼得更多独立购物的机会,认可了彼得的独立。

六岁的本尼总是扣错扣子，上下对不齐。妈妈没有立即纠正他，而是让这样的情形持续了一段时间。有一天，她对本尼说："本尼，我有个主意，你要不要试试看，从最下面的一颗扣子往上扣，看看会怎样？这样的方法，能让你看得更清楚。"这个新方法让人高兴，本尼按照妈妈的建议做了，当他整整齐齐地扣完最上面一颗扣子时，他开心地笑了起来。从这次的成功得到了启示，妈妈将这个方法推而广之。本尼往挂钩上挂睡衣时，裤子总因为挤成一团而掉下来。妈妈建议："要不要试试看拿住睡裤的松紧带那里抖一抖，然后挂上去？"本尼捡起地上的睡裤，拿住松紧带，将睡裤抖松，然后稳稳地挂在了挂钩上！他高兴地笑道："哦！这样就行了！"

本尼的妈妈用这样的方式鼓励他，只字不提他的两次失败，而是通过引导他敢于尝试并愿意学习的欲望，让他取得成功。即使不用妈妈指出来，本尼也看到了自己的成功，而且从妈妈的微笑和明亮的眼神里，本尼也感受到了妈妈分享他成功的喜悦。

上述例子向我们展示了鼓励的重要性，并指出一些我们没有意识到的"小陷阱"。鼓励非常重要，本书稍后还会再次提及。当然，我们不能指望只鼓励一次就会产生终生的效果。鼓励是一种持续的行为，能够让心生气馁的孩子最终改变错误的自我认知。

　　作为鼓励的一部分,赞美则要谨慎使用。它可能有危险性,就像乔治的例子那样。如果孩子将赞美看成是给自己的奖赏,那么少了赞美就会让孩子觉得被贬低;如果这个孩子没有在每件事上得到赞美,那么他可能会觉得自己是个失败者。这样的孩子做事情是为了得到赞美,而不是因为自己做出贡献和努力而心生满足。因此,这样的行为容易强化只有得到赞美才有价值的错误观念,导致挫败和气馁。在这种情况里,最好用一些简单的话语鼓励,例如:"我很高兴你会做这件事","真不错","谢谢你所做的","看,你能做到"。

　　父母的爱最好通过不断鼓励孩子学习独立来表现。我们需要从孩子一出生就开始,并贯穿整个童年。我们需要对孩子表达出不间断的信心和信任,这是一种能够帮助孩子克服童年任何问题的态度。孩子们需要发自内心的勇气,让我们帮助孩子们发展这种勇气,并保持终生。

　　在本章的结尾,我们也想给父母们一些鼓励:当你读这本书时,你可能会发现有些方法很有道理;同时,你也会发现,自己犯了和书中父母类似的错误。如果我们没有发现自己的错误,就无法学习和进步。书中指出育儿中出现的失误，并不是要批评和责怪当代的父母。他们也是大环境的产物，而这个大环境超出了他们的控制能力范围。我们所做的，只是尝试提供一些帮助和解决之道，不是要让已经感到手足无措的父母更加沮丧和受挫。

我们再三强调，父母有勇气非常重要。当你感到忐忑、内疚，或者发现自己在想："我的天哪，我完全做错了！"这时，请意识到自己有挫败感了。将自己的注意力转移到"那我怎么做能让事情更好"这样的理智思维上来就好了。当你尝试的新方法管用了，为自己高兴吧；当你又回到旧习惯，也不要责怪自己。你要有的，是增强自己的勇气，改善自己，有勇气接纳自己的不完美；当你失败了，想一想自己曾有的成功，再试一次。总是对自己的错误耿耿于怀，只会削弱你的勇气。请记住，没有人能在脆弱中成长，成长需要力量和坚强。谦虚地承认自己会犯错，这并不影响你的个人价值，这会对你保持勇气非常有帮助。更重要的是，我们要的是进步，而不是完美（not working for perfection but only for improvement）。留心那些小小的进步，就能放松下来，对自己的能力更有信心。本书提到的理念和实践需要时间，不是一夜之间能做到的。每一个小小的进步，都是在向前迈进。每一次向前迈进，又成为鼓励自己的源头。

THE CHILD'S MISTAKEN GOALS

第四章
孩子的错误目标

孩子的不当行为通常是因为他们拥有一个错误的目标。寻求过度关注、权力之争、进行报复、自暴自弃是孩子不当行为的四个错误目标。

妈妈正在写信。三岁的乔伊丝在旁边的地上玩玩具，她突然跳起来，跑向妈妈，希望得到一个拥抱。妈妈回应她后说："你把洋娃娃放在小拖车上，带她'兜兜风'好不好？""妈妈，我要你和我一起玩。""等一下，乔伊丝，我要先把信写完。"乔伊丝慢慢走回去玩玩具。两分钟后，她问："妈妈，你现在可以和我玩了吗？""再等一下，宝贝！"妈妈不经意地回答。安静几分钟之后，乔伊丝又说："妈妈，我要上厕所。""好的，乔伊丝，去吧！""但是我不知道怎么脱连体衣。""你自己会呀。"妈妈回答，然后抬起头看看她说，"好吧，宝贝！过来，这次我帮你。"乔伊丝去了卫生间，妈妈继续写信。乔伊丝很快又跑回来，要求妈妈帮她把连体衣的拉链拉上。妈妈帮完她，继续写信。安静了几分钟，乔伊丝又问："你现在可以和我玩了吗？""再过几分钟，宝贝！"没一会儿，乔伊丝又跑向妈妈，抱着她的膝盖说："我爱你，妈妈。""我也爱你。"妈妈回答，又给了她一个拥抱。乔伊丝回去玩玩具，妈妈写完信后开始陪她玩。

这个故事里，我们看到的似乎是一个有耐心、有爱心的妈妈和女儿有很好的关系。为什么要在这里讨论呢？让我们再仔细看看妈妈和女儿的行为。乔伊丝在做什么？她通过甜美和可爱的方式，在不断地寻求关注。她的行为在说：

"除非你注意我，不然我什么也不是。只有当你为我忙的时候，我才能找到自己的地位。"

孩子天生尽其所能寻找归属感。如果成长健康，孩子保持了内心的勇气，那么他不容易出现问题，能够随遇而安、顺其自然，通过展现能力和积极参与找到归属感。而如果孩子觉得气馁，没有得到鼓励，他的归属感就得不到满足。于是他的重心就会转向通过他人得到归属感和自我认知。他所有的注意力都会转向这个目标，通过恼人的行为或者可爱的行为，总之通过一切方式，在他人身上找到自己的定位。这样的孩子一般通过四个错误的目标来寻求归属感，要想将孩子的错误目标引导至有建设性的健康行为，我们就需要了解这四个错误目标。

感到气馁的孩子的第一个错误目标，是通过得到"过度关注"来寻求归属感。受到这个错误目标和动机的影响，孩子认为只有当自己成为关注的焦点时，才能显示自己的重要性和价值感。因此，他会发展出各种得到关注的技巧，找到各种让别人为自己忙活的方式。可能有的方式可爱有趣、愉快好玩。然而，不论这个方式有多可爱，他的目标是得到关注而不是有所贡献。

在刚才的例子里，乔伊丝看起来是想参与，要妈妈和她一起玩。那我们怎么知道乔伊丝是目标不当呢？非常简单，参与指的是符合情况需要的合作行为。一个有勇气、有健康的自我认知的孩子会注意到，妈妈除了陪她玩以外，还需要做别的事。而乔伊丝不是这样想的，她觉得如果妈妈忙别的事，就意味着忘了她的存在。乔伊丝相信，只有在自己得到关注时，才有价值。

如果用可爱的方式不能得到关注，孩子可能改用令人恼火的方法。他可能会哭哭啼啼、恶作剧、拖拖拉拉、在墙上乱画、打翻牛奶，或是其他能够引起人关注的方法。这样的孩子有一个错误的观念，他认为，当父母因为他的行为而暴跳如雷时，至少他们注意到了他的存在。每次我们对这种要求过分关注的行为妥协或让步时，就是增强了孩子的这个错误观念，更加令孩子相信，只有用这种错误的方式才能找到自己渴望的归属感。

当然，孩子需要我们的关注，他们需要我们的帮助、支持、手把手的训练、感情连接和爱。但是，通过观察自己的感受和行为，如果我们发现自己做出上述举动，是因为孩子不停地需要关注，我们不得已而为之，那我们就能确定这是孩子的错误观念——他通过错误的方式为自己寻求定位。

要想一眼辨认出"适当关注"和"过度关注"之间的

区别,并不太容易。秘诀在于家长有能力了解全局。前面说过的参与(符合情况需要的合作行为),要求家长客观了解、就事论事,而不是以自我为中心。父母可以先在一旁观察孩子的行为,如果孩子的行为不符合情况的需要——例如乔伊丝的例子——那多半这个孩子就是需要过度关注。通过观察自己的反应,我们也能确定孩子潜意识里的动机。由于我们和孩子都是通过自己的潜意识辨认,所以都是做出自然反应。当我们通过观察,培养出理解和解释的能力,上升到有意识的层面,我们就会有方法引导和帮助孩子。

五岁的佩姬正在看电视,妈妈再三提醒她,早已经过了睡觉时间。妈妈提醒时,佩姬哀求妈妈让她晚点睡,让她"看完这个节目"。妈妈看到节目还算有教育意义,于是就顺从了她。节目结束了,妈妈再次提醒,可是佩姬完全不理会妈妈,又换了一个频道,准备看另一个节目。妈妈走过去说:"佩姬,早就过了睡觉的时间。走吧,好孩子,去睡觉吧。"可是佩姬回答:"不要!"妈妈俯下身不高兴地对佩姬说:"我说了,你现在马上去睡觉!快点!"佩姬说:"但是妈妈,我想要看……""你是不是想让我打你的屁股?!"妈妈打断佩姬的话,关了电视。佩姬立刻开始尖叫:"你这个坏老家伙!"她冲向电视,试图打开。妈妈抓住佩姬的手,打了一下，把她强行抱进卧室。"我受够你了，小姑娘！现在你就上床去睡觉，快点！把衣服脱了！"佩姬一边反抗一边尖叫，一下子扑倒在床上。妈妈气得发抖，离开佩姬的卧室。二十分钟后，妈妈回来看佩姬有没有睡觉，结果发现她不但没有脱衣服，而且也没有睡觉，正在看书。妈妈气急了，拉过佩姬打她的屁股，强行脱掉她的衣服，强迫她睡觉。

一开始，佩姬知道该睡觉了，但她采用拖延战术，要求晚点睡，来挑战妈妈的权力。当妈妈允许佩姬晚点睡时，她掉进了女儿的陷阱。佩姬的行为像是在说："能让你按照我的想法做事，我就很重要。"当她哄得妈妈答应她晚点睡时，她得到了自己想要的。这个成功表示她能赢过妈妈。

感到气馁的孩子寻求归属感的第二个错误目标，是"权力之争"。通常出现在父母强行制止孩子要求关注的行为后，孩子会决心用权力之争来击败父母，从拒绝父母的正当要求中得到满足。在这种情况中的孩子会觉得，如果顺从父母，就是屈服于比自己强大的权力，就失去了自己的价值感。对有些孩子来说，被比自己强大的权力打败，让他们不安，结果他们就会通过所有努力展示自己才有更强大的权力。

节目结束时，当佩姬的妈妈坚持要求她上床，这便将两人拖进了权力之争。接下来发生的事情,显示了两人都试图展示自己才是说话算数的那个。妈妈觉得心烦意乱、生气沮丧时,她打佩姬的手掌或屁股,实际是宣布了自己的失败。佩姬用惩罚和疼痛换来的,是实际的胜利:她的行为让妈妈持续受挫。当父母恼羞成怒开始动手时,就像在说:"除了比你个子大、力气大这个优势,我什么优势都没有了。"孩子能感受到父母的情绪,并加以利用。你还记不记得小时候让父母勃然大怒、生气烦躁时,心里那种暗暗的得意(虽然你的外在表现是眼泪和哭叫)?

想要征服争夺权力的孩子是个很大的错误,也会徒劳无功。权力之争持续下去,容易发展成习惯。这会让孩子借此发展更多玩弄权力的技巧,同时也让孩子更加觉得,除非自己有更大的权力,否则自己毫无价值。以这样的方式成长,有可能导致孩子觉得唯一获得满足感的方式,就是恃强凌弱或者成为专制者。

在当今社会,权力之争已经越来越普遍。这是因为当今人人平等的概念也和以前有所不同了。具体内容我们将在第十六章深入讨论。目前在这里,我们已经能够明白:当父母和孩子中的一方想要更有支配权时,权力之争就开始了。

要求"过度关注"和"过分权力"的重要区别在于:

当孩子的行为被大人纠正时，想要得到关注的孩子一受到斥责就会停止自己让人恼火的行为；而想要得到权力的孩子则会加强自己令人恼火的行为。上面例子中的乔伊丝和佩姬的行为，很清楚地展示了这个区别。

妈妈在厨房忙，爸爸在地下室忙，五岁的罗伊和三岁的艾伦在客厅玩。艾伦突然发出疼痛的尖叫。爸爸妈妈急忙冲过去看，发现艾伦缩在客厅角落里正在尖叫，而罗伊手里拿着点着的打火机，在弟弟的胳膊下面晃来晃去。当父母赶到时，罗伊已经"成功地"把弟弟烧伤了。

感到气馁的孩子寻求归属感的第三个错误目标，是报复。当父母和孩子逐渐在权力之争中越陷越深，都想征服对方，就有可能发展出强烈的报复行为。内心沮丧的孩子可能会开始认为只有报复才是体现自己有意义和有价值感的唯一途径。现在他确定自己不被喜欢，也没有足够的权力，那么他的价值感要通过伤害他人来体现，这是为了补偿自己受伤的感情，他的错误目标就是反击和报复（retaliation and revenge）。罗伊在努力得到家庭地位时受了重创，认为自己是个不讨人喜欢的坏孩子。他的行为乖张，大家也自然而然地相信他真的是个坏孩子。这样的孩子很少得到鼓励，而他们恰恰是最需要鼓励的。他需要被人真正理解和接纳，帮助他重新发现自己的价值。如果爸爸妈妈因此惩罚罗伊，就更加证明罗伊是个坏孩子，同时也给了他更多的心理动机，做出更多伤害他人的报复行为。

彻底气馁的孩子会产生的第四个错误目标，表现为自暴自弃。

八岁的杰伊在学校的学业有很大困难。老师告诉杰伊的妈妈，杰伊的阅读能力很低，其他科目也跟不上。不论杰伊多努力，也不论老师如何给他额外辅导，就是没有起色。老师问："杰伊在家里都帮忙做什么？"妈妈回答道："我早就不让他帮忙了，他什么都不想做，即使做了也是笨手笨脚的，搞得一团糟，所以我不让他帮忙了。"

一个彻底气馁的孩子会完全放弃自己。他觉得无论做什么，有用的事儿、没用的事儿，他都没有成功的机会。他觉得非常无助，进而利用这个无助感夸大自己的弱点，有时甚至是夸大自己想象出的弱点，目的是避免去做那些他预料自己会失败的事情，否则会更难堪。看起来笨手笨脚的孩子，通常是个很气馁的孩子。他是在用愚蠢回避努力，仿佛在说："如果我做事情，你就会发现我多么没用，所以别理我。"这样的孩子不会要求家人为他们做任何事，只有放弃。每当妈妈说："我放弃了！让他做什么都不可能。"这时就可以确认，这正是孩子希望妈妈产生的感受。孩子就像在对妈妈说："放弃我吧，妈妈！没有用的，我就是没用又没指望，就由我去吧！"孩子对自己这样的错误观念，来源于一系列挫败的经历。事实上，所有的孩子都有价值！

明白了孩子不良行为背后这四个有可能的错误目标以后，我们就有了行动的心理基础。

在任何情况下，都决不能告诉孩子，我们怀疑他们有这样的错误目标，这样的言行不但不会对任何人有帮助，还会对孩子造成严重的心理伤害。心理学知识是我们行动的基础，而不是对孩子说出一番话来对付他们。孩子对自己的这些目标毫无所知。虽然我们可以训练一个孩子察觉行为背后的错误目标，但这样的心理揭示行为应该由专业人士去做。我们对孩子的错误目标有了意识，就可以了解孩子行为的目的。原来让我们不理解和恼火的行为，现在我们明白了，我们就知道下一步要怎么做了。

如果我们移除孩子行为导致的结果，就会发现他们的这些行为变得毫无用处。当孩子不能达到他们想要达到的目标，那么他们就会重新考虑，选择新的行为方式。

当我们意识到孩子寻求过度关注，我们就可以避免对这个要求妥协。如果妈妈离开现场，那么寻求关注的行为还有什么意思呢？当我们意识到自己和孩子陷入了权力之争，我们可以退出战争。没有敌人的战场，哪里会有胜利可言？当孩子想要通过伤害我们寻求报复，我们要意识到他的感情也受了伤害，我们可以规避孩子的伤害，并且不用责备和惩罚再次伤害孩子。当我们意识到孩子自暴自弃，我们不要让他觉得没有指望，而是安排一些让孩子发现自己能力的事情。如果妈妈无论如何都不相信一个人会没有指望，那么孩子的自我放弃也就没有了目标。

后面的几章将对这四个错误目标进行实例说明，并且讲解让错误目标失效的方法。有一个很重要的理念：这四个错误目标在年纪较小的孩子身上比较明显。童年期孩子的关注点，是努力发展自己和父母以及其他成人的关系，他们明白自己是个生活在成人世界里的小孩子。这个时期，这四个错误目标很容易被察觉。到了青春期，孩子和同伴的关系变得重要，会开始寻求更宽泛的行为模式，目的是寻求自己在同伴中的位置。基于这样的心理原因，青春期孩子的不当行为（通常是为了寻求自我位置而采取的错误目标行为），将不再适用于这四个错误目标。对于青春期孩子甚至成人的不当行为，虽然有时也可以用这四个错误目标来解释，但显然，他们还有其他的错误目标——例如寻找心理刺激、对男性特征过分注意、追求物质成功等——这些不属于四个错误目标的范畴。

还有一个很重要的理念，父母也要牢记在心：我们只能努力激励孩子改善他们的行为，有时尽管我们做得很对，也未必会成功。（没有人可以每次都成功！这样的期望是不可能的。）通常，是孩子自己决定要做什么。在家以外，孩子受到伙伴们很大的影响。如果我们改善他行为的努力貌似无效，那我们必须牢记：孩子是一个独立的个体，可以为自己做选择、做决定。我们不能担负为孩子做决定的责任，这个责任和权利是孩子的。这也是平等理念的一部分。

生活，只有当下的时刻。如果我们在当下做了正确的事情，我们就是在朝着进步的方向迈进。相反，如果我们的行为不是符合当下的需要，或者不知道如何处理当下的情况，那么我们进步的机会就很小了。

很自然，我们的问题常常不是立刻能得到解决的。发生问题的那一刻，只是一系列问题中的一次体现而已。我们和孩子互动的每个时刻，要么能够帮助他得到人际关系的改善，要么相反，让他发展出不良的人生态度和社会归属感。

孩子的许多问题都可以通过一步一步的方法来解决。在这本书中，我们会讲解某些方法对某种问题有害还是有益。对大多数父母遇到的绝大多数情况而言，知道在这个情况中该做什么、不该做什么，就已经足够了。在过去传统社会中，母亲们都拥有这样的知识，这就是所谓的"社会育儿共识"，这些共识一代代传下来。现在，我们要做的，是搞清楚哪些共识适用于当前的民主社会，并借此发展出养育孩子的新方法。

在后面的很多实例中，隐藏在孩子不良行为背后的错误目标非常深远牢固，孩子那些让人生气的行为，不是通过一次正确的回应就能得到解决的。我们可能需要朝着深度改善孩子的前景去努力，重塑孩子的性格特质。因此，详尽地洞察孩子的行为变化非常有必要。这可能需要父母参加育儿研讨会、进行相关心理咨询等，这些都会有帮助，同时也可能需要阅读更多儿童心理学的书籍。我们在这里提供的知识，针对的是日常生活状态，给身心疲惫的妈妈一些帮助。妈妈们会发掘自己的潜力做出改善，进一步影响孩子。如果父母能通过学习改善自己，真正了解孩子，就能够帮助孩子找到正确的人生方向，规划自己的人生蓝图，发展和谐社会需要的性格特质，得到社会归属感，让自己拥有幸福充实的人生。

THE FALLACY OF PUNISHMENT AND REWARD

第五章
对惩罚与奖赏的误解

我们必须意识到，试图将自己的意志强加给孩子是毫无用处的，没有哪种惩罚能得到持久的服从。现在的孩子宁可受到惩罚，也要维护自己的权利。满足感要通过贡献与合作得到。当我们忙着通过奖赏赢得孩子与我们的合作时，事实上我们剥夺了孩子从生活中得到的基本满足感。

　　妈妈很奇怪：怎么这么安静呢？妈妈决定去看看，结果发现两岁半的亚历克斯又在把卫生纸塞进马桶里。为了制止他的这个行为，妈妈已经打过他好几次屁股了。妈妈生气地大喊："我得打你多少次屁股，你才能记住不可以这样？"她抓起亚历克斯，脱掉他的裤子，再次打他的屁股。可是那天傍晚，爸爸发现马桶里又塞满了卫生纸。

　　为什么被打了那么多次屁股，亚历克斯就是不吸取教训呢？是因为他太小不懂事吗？当然不是，亚历克斯非常清楚自己的行为，他在故意重复。当然，他并不知道自己不断重复这个行为的心理动机。他的行为让我们看到，父母越是说"你不可以"，他越是通过行为说："不论怎样，我要证明给你们看，我可以！"

　　如果打屁股这种惩罚能够制止亚历克斯往马桶里塞卫生纸的行为，那应该一次就见效了。可是为什么打了很多次都没有用呢？哪里不对？

　　第一章里，我们讨论了社会思潮的变化，带来了人们对民主生活理念的高度认知。民主包含平等，父母不能独享权威。权威意含支配权——一人高于他人。而平等理念中，没有所谓的支配权。支配权，即压制强迫、权力至上，必须由平等的理念和方法取代，产生同化的影响。

惩罚和奖赏适用于独裁社会体系。这样的社会中，权威者享有支配地位，有给予他人赏罚的特权，能够决定谁有功谁有过，谁该赏谁该罚。而且，因为独裁社会体系的基础是根深蒂固的权力独享，这样的方式已经成为人们生活的一部分，成为了习惯。孩子们就会通过观察、等待，希望将来有一天他们也能成为这样的掌权者。而现在，社会结构已经发生了巨大变化，即使是孩子也得到了和成人相等的社会地位，（理解这个平等理念不太容易，除了已经发生的平等权利的事件及事实外，我们对这个理念的内涵没有以往传承下来的传统认知，这是一个全新理念。尽管特权这个理念已经被历史摒弃，但我们还是习惯地寻求信息，证明孰优孰劣，孰好孰坏。）成人不再享有较优势的地位，不再享有超越孩子的权力。不论我们承不承认，孩子都很清楚这一点。他们不再认为成人拥有"权力优势"。

我们必须意识到，试图将自己的意志强加给孩子是毫无用处的，没有哪种惩罚能得到持久的服从。现在的孩子宁可受到惩罚，也要维护自己的权利。父母们困惑不已但又无可奈何，错误地希望惩罚最后会带来良好的效果，他们不知道，其实这样一点用也没有。惩罚只能给父母带来期望的短期效果。当父母再三使用惩罚措施时，就会很明显地看到，这种做法是无效的。

　　惩罚只能帮孩子发展出更强烈的反抗和挑战。例如前面提到的亚历克斯，在两岁半的小小年纪就已经开始了反抗和不屈的可怕行为。

　　六岁的丽塔一早上都很烦躁。她不吃早饭，结果妈妈为此责备她。丽塔又和四岁的妹妹打架，结果妈妈罚她在自己房间禁闭半个小时。丽塔又把花连根拔起，妈妈生气地责备她，威胁要打她屁股。丽塔又把邻居家的猫绑在晾衣绳上，差点把猫勒死。妈妈便罚丽塔在厨房椅子上坐着不许动。最后，丽塔把牛奶倒了一地，妈妈把丽塔拖进房间，狠狠打了她一顿，罚她整个下午都不许出房间。一个小时之后，丽塔的房间里静悄悄的，妈妈以为丽塔可能睡着了，偷偷看了一下，结果被眼前的景象吓呆了：只要丽塔够得着的窗帘，都被她剪成一条一条的。妈妈很震惊，大喊道："天哪，丽塔！我该拿你怎么办?!"

　　丽塔内心的气馁隐藏在"有胆量"的后面。她的行为在说："至少当我使坏时，你知道我的存在。"然后，当妈妈连续惩罚她之后，丽塔又用行为告诉妈妈："如果你有权伤害我，那我也有同样的权利伤害你！"就此演变成了可怕的报复。妈妈越惩罚，丽塔就越报复，这就是惩罚的结果。不幸的是，孩子可比大人更顽强、更有耐心、办法更多、心思更多，结果就是父母崩溃，摇着头悲惨地大叫："我真不知道该拿你怎么办！"

惩罚，或者说权威的信念——"听我的话，否则你就……"——必须被相互尊重与合作替代。虽然孩子的地位不再像以前那样低于我们，可他们缺乏经验，没有接受过训练，所以需要我们引导。一个好的引导者应该鼓舞他的跟随者，激励他们做出符合情况需要的行为，父母也一样。孩子需要我们的引导，当他们确定我们尊重他们，也尊重他们自己做决定的权利，他们就会接受我们的引导。打孩子是对他们尊严的极大侮辱，而妈妈也没有尊重自己，事后尤其会感到内疚后悔。

父母可以学习有效的方式去激励孩子，让他们自律；可以创造相互尊重、相互理解的家庭氛围，教导孩子学习如何与他人自由快乐地一起生活；营造出尊重自己、尊重孩子的生活状态，在这样的生活中给孩子学习、训练的机会。这些行为要在不使用家长特权的前提下。因为一旦我们动用家长特权，就会激起孩子的反抗，也就和我们教育孩子的初衷背道而驰了。

当我们在学习新的育儿方式时，发现自己因为暴怒而惩罚或者打骂孩子，这时我们需要对自己诚实，承认惩罚及打骂的行为实际是为了缓和或掩饰自己的挫败感。不要自欺欺人地说惩罚打骂孩子是"为了孩子好"。另外，我们也要承认，有时候孩子的目的真的是要被惩罚或打骂。这是因为他这样令人生气的行为背后，有一部分目的是要证明自己就是无可救药的"坏孩子"，或者要体现和大人的"权力之争"，或者是要对先前的不公平进行伤害性的报复。当我们惩罚孩子时，我们的行为就符合孩子的错误目标，掉进了更深的陷阱。上述现象中，其实包含了一个事实：我们是人，是不完美的人。即使我们这些研究教育的专家学者，很多时候言行举止也和普通人一样。当自己犯错时，最好的方式就是一笑了之，然后继续向前，继续更好地充实自己，有接受自己不完美的勇气而不必事后内疚不已，那是一个难以负担的"奢侈品"。当我们内疚的那一刻，我们的感觉像是在辩解："是的，我打了他，我知道这样不对。但是，只要我内疚，那还证明我是个好家长。"有意思的是，一次坦白的承认——"是的，我打了他，这是他自找的。我知道这样的方式对教育他没有用处，但至少现在让我感觉舒服点。现在，我能够收拾残局，找到方法继续向前。"——这样的想法能够立刻为我们自己鼓气，让我们感觉到我们可以应付孩子的各种情形。

妈妈给了八岁的比尔一块钱，两人一起在超市的时候，比尔去旁边面包店买了些面包。回到妈妈身边时，妈妈让他把找的零钱给她。可是比尔生气地喊道："你要那些零钱干吗？！"妈妈很纳闷："干吗？比尔，我需要那些零钱呀。"比尔生气地把零钱塞进妈妈手里，愤怒地大喊："我不明白，我给你帮了忙呀，对吗？"妈妈更纳闷了："是，儿子，你帮了一个大忙。"他们走向车子时，比尔还是充满了怒气。

奖赏孩子和惩罚孩子一样，对他们的人生观都是弊大于利，这两种行为都缺乏尊重。我们会对下级的好行为进行奖赏，而在相互平等和尊重的关系中，人们做完一件事情，是因为这件事情本身需要被完成。这时的满足感来自于和谐的互助与合作，就像比尔去买面包，妈妈买别的东西，两人在合作。可是比尔却不认为他做的事情是对幸福家庭的一点贡献，他关注的是自己。比尔之所以愤怒，是因为他想的是"买面包对我有什么好处"，而结果是"什么都没有"！这太不能让人接受了！由此可见，比尔的人生观很狭隘。他本应有的社会归属感的关注点，被"只有获得，才有价值"的错误价值观掩盖了。他认为自己做事情只有得到回报，自己才有社会归属感。

两个高中一年级学生在一场音乐会中场休息时聊天。其中一个评价说："嘿，梅维丝演奏的德彪西真不错！"另一个接道："嗯，但她其实没有什么动力。你知道吗？她每练一个小时琴，她妈就给她一块钱。""不是吧？你别开玩笑了！""真的，不骗你，梅维丝说她暑假的时候每天练八个小时，就是为了拿到那些钱！""这个练习的理由也不错，难怪她没有真正的动力。其实我练琴的时候，就故意显得很投入，弄出很大的声音，我爸妈受不了了，就喊停了。""对对，我明白你的意思，我自己也常常这样！"

这个例子说明了青春期孩子的洞察力多么敏锐。

一场大雪过后，爸爸要十岁的迈克和八岁的斯坦把门口路上的雪扫干净。迈克问："你给我们多少钱？"爸爸有些犹豫："这个……你们说呢？"迈克开出了条件："每个人1.25美元！"爸爸有点迟疑："那也包括车道？"迈克掂量了一下，不想太过分，谨慎地答应了："是的。"爸爸也同意了："那一言为定！""噢耶！"两个孩子高喊着冲出了屋子。

为什么要给孩子付钱让他们做家务活呢儿？他们在家里住，有食物吃，有干净衣服穿，享受家里的一切，如果他们要追求所谓的平等，那同时也应该有分担劳动的义务。

在奖赏的方式下，迈克和斯坦就会认为不做事情是应该的，只有能得到好处时才做。这样他们就无法培养出责任感。他们的关注点在于"这件事对我有什么好处"。这样下去，大人会渐渐找不出令他们满意的奖赏。因为很不幸，根本没有让别人完全满意的奖赏。

孩子应该分担家务活儿，他们也应该有钱——这通常是他们的零用钱。这些零用钱属于他们，他们有完全的支配权。而家务活儿和零用钱之间不应该有任何关联。孩子做些家务，是因为他们需要对家庭做出贡献；而他们得到零用钱，是因为他们应该共享家庭利益。

妈妈把两个女儿留在停车场的车子里，这样自己购物时就不会受到干扰。她刚打开车门，两个孩子就大哭起来。妈妈说："你们乖乖待在这儿，等会儿我给你们买玩具回来玩。"三岁的女儿问："什么玩具？""呃，我不知道，反正我会给你们买玩具。"妈妈匆忙回答后离开了。(编者注：现在这样单独留下无人照管的孩子是违法行为。)

上面的例子中，妈妈试图用物质利益换取孩子的合作。其实没有必要贿赂孩子，孩子们其实都有想有好行为的愿望。孩子的好行为来自于他们希望通过贡献和合作获得归属感的天性。当我们用贿赂换取孩子的好行为时，其实我们是在表现自己对孩子的不信任，这样的行为会让孩子很气馁。

奖赏不能给孩子归属感。这一次可能父母给了赞美就够了，那下一次呢？有父母的赞美、认可就够了吗？还是需要另一个奖赏？这样的次数越来越多，很快我们就穷尽了奖赏的方式。这时候如果我们不再给孩子奖赏，孩子很可能认为他的努力都白费了。当孩子发现"对我有什么好处"这个问题的答案是"没有"，进而拒绝合作和贡献时，家长就面临了严重的问题。因为孩子已经发展出"除非奖赏让我满意，否则我干吗要合作？如果没有特别回报，我才不贡献"的观念。这样的观念会让孩子的物质价值观急速增长，一直到没有任何奖赏能满足他的胃口。一个错误的价值观就是这样树立起来的，孩子认为这个世界天然欠他的。如果得不到好处，他就会想着"给他们点颜色看看"。例如一个刚拿到驾驶执照的十六岁少年，尽管交通法规是为了保护他的生命安全，可是在他眼里分文不值。他宁愿不顾自己的安全违法飙车。他在想自己为什么要遵守交通法规呢？反正遵守了又没有什么奖赏。我有自己的车，我从自己的惊险刺激中能得到更多乐趣，还能表现我的聪明，比如做了自己想做的事情还没有被警察抓到。再说，即使被处罚也没什么大不了的！惊险、刺激、违抗，为从中获得的乐趣付出点代价远远值得！而且，不管发生什么事，爸爸都会来收拾残局！

这就是奖赏和惩罚的结果：这件事没有给我任何奖赏，那我就违抗他们；如果他们因此惩罚我，我就以牙还牙，让他们知道我的厉害！

满足感要通过贡献与合作得到。当我们忙着通过奖赏赢得孩子与我们的合作时，事实上我们剥夺了孩子从生活中得到的基本满足感。

THE

USE OF NATURAL

AND LOGICAL

CONSEQUENCES

利用自然结果让孩子体验自己行为的后果，我们就给孩子提供了一个真实和诚实的学习机会。使用合理的结果，需要我们转变思维。我们不能再把自己的意愿强加在孩子身上，不能强迫，而是要激发他们的健康行为。

既然惩罚和奖赏无效，那我们应该怎么处理孩子的不良行为呢？嗯，如果妈妈忘了烤箱里的蛋糕，会发生什么？根据正常逻辑，蛋糕会烤焦，这是她健忘的自然结果。如果我们让孩子体验自己行为的后果，我们就给孩子提供了一个真实和诚实的学习机会。

十岁的艾尔弗雷德上学时经常忘记带午饭。每次妈妈发现他忘了，就会赶快把午饭送到学校，并且厉声责备他忘性大，害自己为了给他送饭多跑一趟。而艾尔弗雷德总是以发脾气回应妈妈的指责和说教，同时继续忘记带午饭。

一个人忘记带午饭的自然结果是什么？他会挨饿。妈妈可以告诉艾尔弗雷德，她不再认为让他记得带午饭是她的责任。如果艾尔弗雷德又忘了，妈妈可以不理他的抱怨。事实上，这根本不是妈妈的问题。艾尔弗雷德一定会很生气，因为这时他还会认为妈妈有责任提醒他要记得带午饭。妈妈可以平静地回答："艾尔弗雷德，你忘了带午饭，我也觉得很惋惜。"（这可能也需要跟学校确认，艾尔弗雷德忘记带午饭，不是因为有人会借给他钱让他买午饭。）需要注意的是，如果妈妈加上这样一句"也许这样会给你一个教训"，她立刻把自然结果变成了惩罚。关键是我们措辞的目的，是让孩子感觉到自己有能力克服这个困难，而不是我们替孩子决定，让他做我们想让他做的事。

"让孩子挨饿"这个想法，对很多父母来说很可怕。当然，挨饿的滋味很不好受。但是偶尔少吃一顿午饭，不会对孩子的健康造成伤害，而这次挨饿的滋味却能够有效地激发艾尔弗雷德记得带上自己的午饭，更能减少比挨饿滋味更糟糕的战争和摩擦。我们没有权利替孩子担负责任，也没有权利替他们收拾残局，因为这些都是他们自己的事。

四岁的爱丽丝体重较轻，而且容易感冒，爸爸妈妈都坚信，只要她得到更多营养就能改善体质。爱丽丝坐在餐桌前，津津有味地吃了几口饭，喝了点牛奶。当父母开始交谈时，她就对吃饭失去了兴趣，她把胳膊放在餐桌上，用手撑着头，无聊地开始玩碗里的食物。爸爸这时提醒她："快吃呀，宝贝！快点吃你的晚饭。"爸爸的语气很和蔼，充满疼爱。爱丽丝可爱地笑了一下，又吃了一口。爸爸妈妈又开始聊天，爱丽丝嚼了两下，又不吃了。妈妈停下和爸爸的对话，跟爱丽丝说："宝贝，快点嚼，嚼了咽下去。你想成为一个健康高大的孩子对不对？"爱丽丝使劲嚼了几口。爸爸接着说："这才是我的乖女儿。"然后只要爸爸妈妈一开始说话，爱丽丝就停下来，不吃饭。整顿饭都在爸爸妈妈对爱丽丝不停的哄劝中进行。

爱丽丝不吃饭的目的，是要得到父母的关注。我们稍微观察一下父母的行为，不难发现这一点。

吃东西以维持生命，这是人类的本能。当孩子吃饭出现问题，一定是父母的方式出了问题。吃东西是孩子自己的事，父母做好自己的事就行了，少管孩子的闲事。

引导爱丽丝正常吃饭的最佳方法，就是"允许"她吃饭。如果她拒绝吃饭，父母应保持和善而坚定的态度，完全避免说教。大家都吃完饭以后，就正常收拾。到了下一顿饭的时候正常开饭。如果爱丽丝依旧拖拖拉拉，还是不用说教，只是保持友好和善的氛围，这个态度暗示："如果你想吃，这里就有饭。如果你不吃，说明你不饿。"如果孩子拿着食物玩，就把食物静静地收走。不用恐吓惩罚，也不用奖赏贿赂（比如说吃完饭就可以吃甜点）。爱丽丝可能会在一个小时后抱怨肚子饿，要求吃饼干或喝牛奶。这时妈妈可以友好地回答："你肚子饿，真是抱歉，咱们晚饭六点开始。要等那么久才有东西吃，真糟糕呀。"不论爱丽丝通过什么方式表现出可怜，妈妈都要让她饿着，因为这是不吃东西的自然结果。如果因为不吃饭就打孩子，给孩子带来的是痛苦的惩罚，因为这里面有父母的强迫和干涉。饥饿带来的不舒服，不是大人强加的，而是不吃饭造成的。

为什么父母打孩子的时候，不会因为孩子的疼痛而不安或懊恼，反而会为孩子因自己的行为而体验饥饿忧心？表面上看起来，父母深信给孩子提供食物是自己的重大责任，看着孩子挨饿而什么都不做，这就不是好父母。然而，我们对吃过分注重，对孩子瘦弱和健康焦虑不安，通常都是面具。父母可能选择相信自己这么做是出于责任感，而事实上这是在掩饰控制孩子的想法。"我的孩子应该按照我的想法吃东西。"很多父母受到这种控制欲的驱使，爱丽丝就是为了反抗这样的控制权。当爱丽丝感受到这个权威没有了，她没有了反抗的对象，不吃东西对她没有什么好处，爱丽丝自然就会好好吃饭了。这个改变可能需要花一段时间，而且肯定需要耐心。

当逻辑后果被用于恐吓，或者在家长发怒中使用，那它就不再是逻辑后果，而变成了惩罚。孩子们很快就能感受到两者的不同，他们会回应逻辑后果，反抗惩罚。

爱丽丝的父母决定使用逻辑后果。当爱丽丝又拖拖拉拉不吃饭时，妈妈有些不高兴，但她什么也没说。爸爸妈妈聊天的时候也不开心。他们看到的，是自己面前摆着个大问题，这个孩子心不在焉地玩着食物。爸爸妈妈快吃完时，爸爸对爱丽丝慈爱地说："爱丽丝，快点吃午饭。如果不吃，你知道到不了晚饭的时候你就会肚子饿，而两顿饭之间是没有东西吃的。你不想饿肚子，对不对？"爱丽丝回答："我吃饱了。""好吧，你肚子会饿的。记住，晚饭前没有东西吃哦。"

这不是合理的逻辑后果，依然是惩罚，爱丽丝受到"饥饿的恐吓"。爸爸妈妈还是对她吃饭高度关注，只不过用不像以前那样引人注意的方式表达而已。他们仍然想强迫爱丽丝吃饭。聪明的爱丽丝感受到，自己挨饿时他们会很难过。所以她仍然拒绝吃午饭，要用"挨饿的痛苦"反过来惩罚父母。

这个问题的唯一解决办法，就是爱丽丝的父母发自内心地不在意她吃饭。吃饭是孩子个人的事情，她可以自己解决。她可以选择吃或不吃，她可能会饿或不饿，这都是孩子自己的事情。放手让孩子自己承担这些后果。

当我们说这是个"合理的逻辑结果"时，父母们很容易误认为这是一种对付孩子的新方法，借此对孩子要求更高。孩子们很快就能察觉父母的真实动机，识破这些其实被掩盖了的惩罚。采用这个方法的真谛，在于父母如何运用。父母要在这件事情上放手，给孩子足够的空间，让这个结果发生。这个结果有两种可能，带来不同的意义：不吃饭的自然结果是饥饿和不舒服，而吃饱饭的自然结果是满足和舒服。

每天的午饭时间对妈妈来说都是个头疼的时刻，每天吃午饭的时候，妈妈总要催促六岁的卡萝尔，以便她下午能准时到幼儿园。后来妈妈听说了合理逻辑结果的方法，承认卡萝尔是否准时和自己的颜面有关，如果女儿迟到，妈妈会觉得很没面子。有一天，妈妈决定先教卡萝尔认时间，告诉她长针和短针分别指到哪里，就是离开家上学的时间。然后妈妈和卡萝尔一起坐下来吃午饭。卡萝尔吃得很慢，妈妈吃完了，就离开餐桌去另一个房间看书。(尽管她其实完全看不进去，但至少表面上看起来她是很专注的样子。) 卡萝尔晚了半个小时才去上学。下午卡萝尔回到家，妈妈悄悄观察，没看出迟到对卡萝尔产生什么影响。即便如此，妈妈第二天仍然继续采用这个方式。第三天，妈妈写了张纸条给老师，请老师知悉并配合。那天卡萝尔迟到了四十五分钟。下午回到家，她为自己迟到而大哭。妈妈真诚而温柔地说："你迟到我也很难过，亲爱的宝贝，也许明天你就能更好地掌握时间了。"从那天起，卡萝尔像鹰一样盯着表，妈妈不再为她上学的时间问题而烦恼了。

同样的方式也可以用在早上叫孩子起床上学上。妈妈可以给孩子一个闹钟，向他们说明不再负责叫他们起床和准时送他们到校。（不是妈妈去上学！）妈妈不再催促孩子，放手尊重孩子，如果他们拖延或者忘记课本或作业也不介意。如果孩子没坐上校车，他可以自己走去学校——即使路途遥远。他们有足够的体力，做得到。

很多时候，我们要做的只是多想一下，然后那个合理的自然结果自己就出现了。我们只需要问自己："如果我不插手，会发生什么？"没做作业，老师会生气；玩具坏了，就没的玩；衣服不放进洗衣机，就不会被洗，等等。有的时候，我们也需要巧妙地安排一下这样的结果。

三岁的凯茜在院子里玩的时候，经常不顾来往车辆跑到马路上去。妈妈需要时时刻刻盯着她，把她抱回来。妈妈为此说过她、打过屁股，都不见效。

凯茜的这个行为会有什么自然合理的后果？当然，我们不能任由孩子在马路上玩而被车撞到，这个自然结果我们不能接受。所以，我们可以安排这种不良行为的后果。凯茜第一次跑到马路上玩，妈妈可以镇静温柔地抱着她，问她

"愿不愿意留在院子里玩"。如果她第二次又跑到马路上，妈妈可以把她抱起来，进到房子里："既然你不想在院子里玩，那就在屋子里面玩。等你准备好在院子里玩，我们可以再试试看。"最好房子里有属于凯茜自己的游戏区。当妈妈把凯茜从外面抱进屋里时，不能有生气或控制的企图。当妈妈说"既然你不想在院子里玩……"，妈妈的目的是指出凯茜有自己感受的权利，真的不喜欢在院子里，妈妈不能故意让凯茜喜欢在院子里，然后再把她抱进屋子说这句话。妈妈可以跟凯茜建立界线和后果。凯茜一旦表示愿意再试一次，就可以到院子里去玩。如果她又跑到马路上，就会给带回屋子里，不能出去。经常给孩子第二次机会非常重要，这能让他们感受到自己还有机会，也能感受到妈妈对他们和他们的学习能力有信心。凯茜被带回到屋里，不能按照自己的意愿在马路上玩，可能会反抗。这时候，妈妈要保持冷静和耐心，对孩子的反抗不做回应，一次解决一个问题。

三岁的贝蒂总是不爱刷牙。为让贝蒂刷牙，妈妈每次都要盯着她、催促她。这样的状况妈妈和贝蒂都不喜欢。妈妈想到了一个后果，她告诉贝蒂，如果她不想刷牙就算了，但是因为甜食和糖果会腐蚀牙齿，所以贝蒂如果不刷牙，她也不能吃甜食。从此，妈妈对贝蒂刷牙的事情只字不提。贝蒂整整一周都没有吃过甜食，虽然其他的孩子有糖果和冰激凌。一天下午，贝蒂说她愿意刷牙，同时想吃糖。妈妈说："贝蒂，现在不行，因为早上是刷牙的时间。你可以明天早上刷牙。"贝蒂没有反对，第二天早上，贝蒂自觉地刷了牙。

有时候孩子会做出令我们生气的行为，他们的目的就是让我们生气，然后为他们忙碌。这时候，合理的结果会很有效。

四岁的盖伊经常将鞋子穿反，妈妈为此很生气："上帝呀！盖伊，你什么时候才能学会穿对脚呀！过来，到这里来！"然后，妈妈帮盖伊把鞋子穿对。

盖伊其实知道自己的鞋子没穿对。如果妈妈能客观地观察，就能清楚地发现，儿子这样做的目的是为了通过穿反鞋让妈妈为自己服务。

当妈妈说"你什么时候才能学会……"，她的话语其实暗示了盖伊有多笨。而事实并非如此，如果妈妈和盖伊有一个人是笨的，那这个人肯定不是孩子。妈妈只要不再介意盖伊怎么穿鞋，她就解放了自己和儿子。那是盖伊的脚，不是她的脚。如果妈妈不干涉，盖伊就会很快感受到穿反鞋子带来的不舒服。当盖伊第一次穿对鞋子时，妈妈要留心观察，然后真诚淡定地表达自己的喜悦。这样就够了，既能褒奖盖伊的小成就，又能鼓励他继续努力。

十岁的艾伦把棒球手套忘在了游乐场，等他回去找时已经不在了。他非常伤心地哭了起来，而爸爸责备他说："这是你这个暑假丢的第三双手套了，你以为钱是从树上长出来的吗？"爸爸对艾伦进行了好一番冗长的说教，给他讲了一通要爱护物品的大道理，然后他让艾伦做出承诺，会好好保管下一双手套。然后爸爸说："那好吧，明天我再给你买一双。但你要记住，这是这个暑假的最后一双！"(事实上，艾伦丢第二双手套时，爸爸说过同样的话，连最后的决定都一样。只是爸爸看到艾伦伤心的样子就会不忍心。)

很多时候，父母有很好的机会让孩子体验自己不良行为造成的后果，但因为父母出于对孩子的怜爱，想要去保护他们，结果夺走了让孩子体验的机会，甚至还会用自己的方式夹杂着责骂或说教来惩罚孩子。

艾伦的例子中，爸爸可以对艾伦说："你丢了手套，我真心感到非常遗憾，艾伦。"艾伦可能会发脾气："但是我需要一双新的！""那你有没有钱买一双？""没有，你给我！""等到了你得到零花钱的时候，就会给你钱。""但那些钱不够呀！""对不起，宝贝，这是我能做的，其他的我帮不上忙。"爸爸这时要保持坚定但友善的态度。

使用合理的结果，需要我们转变思维。我们要知道，现在我们不再生活在专制独裁、要控制孩子的社会里，而是一个民主的、要引导孩子的社会里。我们不能再把自己的意愿强加在孩子身上，不能强迫，而是要激发他们的健康行为。我们需要一段时间来练习，直到这种新模式成为我们的第二习惯，而且这个练习的过程并不容易，要求我们进行大量思考，经常练习提前想象后果如何。不需要成人介入而自然发生的事情，就是自然结果。例如孩子睡过头，就会迟到并面对老师的不高兴。我们也可以人为安排，让孩子体验不良行为的后果（这是逻辑结果）。自然结果没有父母的干涉，压力完全来自于现实情况，这样的结果经常有效。相对应的逻辑结果，除非家长非常谨慎并确定，否则不能用在"权力之争"的情况中，因为这样会将逻辑结果演变成对孩子的惩罚或报复。因此，自然结果通常比较有效，而逻辑结果运用不当则会产生相反的效果。

假如鲍比没有倒垃圾，妈妈就不让他看他喜欢的电视，这两者间没有逻辑联系。不论妈妈怎么说教，鲍比听到的都是"你没有倒垃圾，所以我要用不让你看电视来惩罚你"。这种情况下，一种可能的逻辑后果是，妈妈不愿意在有很多垃圾的厨房里做饭。另一方面的可能是，星期六鲍比需要做完家务活，再参加球队训练，那么合理的逻辑就是，他需要做完该做的事才能去练球。

正确地和坚持使用合理后果，会有非常显著的效果，能够令人惊讶地减少和孩子之间的摩擦，增进家庭和谐。孩子能够很快看到这些后果的合理性，通常会非常配合，毫无怨言地欣然接受。父母越少提到"后果"这个词，惩罚的感觉就越小。当然，有的时候我们可能没有即刻的可行后果，那我们需要等待另一个机会。有时候，通过和孩子讨论，征询他们的意见和想法，也能很好地解决问题。

假如父母和孩子陷入"权力之争"，就让后果变成了惩罚，丧失了效果。最重要的是，我们要保持觉察，不让自己落入这个陷阱。我们需要经常提醒自己："我没有权利惩罚一个和我享有同等地位的人，我有责任引导我的孩子。我没有权利强迫他人接受我的意愿，我有义务不对他人的过分要求妥协。"

BE FIRM
WITHOUT
DOMINATING

第七章
坚定而非强硬

妈妈其实可以不用暴力为孩子立规矩：她可以坚定，但
不强硬。怎么做呢？秘诀就在于：知道如何坚定。强
硬，是我们把自己的意愿强加给孩子，我们命令他们怎
么做。坚定，则是做自己应该做的事情。妈妈可以决定
自己应该做什么，并做出来。

有时候我们很难区别坚定和强硬的不同。坚定对孩子很有必要，它提供界限，没有界限会让孩子没有安全感。如果没有界限，孩子就会不断探究父母的极限在哪里。最后容易出现的结果是，他们的行为越来越过分甚至极端，导致受到惩罚，造成所有人的不愉快，破坏了和谐的亲子关系。

妈妈在开车，五岁的双胞胎朱迪和杰里在后座疯玩，他们越来越吵，妈妈越来越烦躁，几次要求他们安静。可是他们只停了几分钟，就又开始大吵大闹，越来越过分。忽然杰里使劲推了朱迪一下，朱迪直接向前撞到了妈妈的头和肩膀。妈妈大喊："立刻给我停下来！"她靠边停车，给了两个紧张恐惧的孩子一人一巴掌。两个孩子吓呆了，因为妈妈极少这样暴力。

妈妈对这对双胞胎十分仁慈，这让两个孩子感到"干什么都可以"。如果我们一会儿容许孩子违反规矩，一会儿又因为他们违反规矩而大发脾气，这就是在教给孩子：只有当我们使用暴力时，他们才需要听我们的话。

不论什么时候，都不可以在开车的时候疯玩。妈妈其实可以不用暴力为孩子立规矩：她可以坚定，但不强硬。怎么做呢？秘诀就在于：知道如何坚定。强硬，是我们把自己的意愿强加给孩子，我们命令他们怎么做。如果妈妈企图将自己的意愿强加给这对双胞胎，那么带来的只能是反抗和不妥协。坚定，则是做自己应该做的事情。妈妈可以决定自己应该做什么，并做出来。例如，她可以在孩子们不守规矩时拒绝开车，每次他们疯玩胡闹时，妈妈就停下车。她可以说："如果你们不守规矩，那我就不开车。"然后她可以静静地坐着，直到孩子们停下来，不用多做任何解释。妈妈的态度就能够表明她的立场和坚定。

事实上，有一个妈妈使用了这个方式，结果她带着一个七岁和一个十岁的孩子轻轻松松地开了两千多英里的车，一路上孩子们没有任何冲突或不守规矩的行为。

不带强硬的坚定态度，需要我们首先学会相互尊重。我们要尊重孩子有决定自己意愿的权利，我们也要学会对自己尊重，不让不良行为的孩子摆布我们。

七岁的艾里克是家里位居中间的孩子，他非常挑食。爸爸做了非常美味的炖牛肉——全家的最爱——而艾里克却蜷在椅子里发脾气："我不喜欢这种东西！"妈妈恳求他："艾里克，吃一口尝尝好不好？"艾里克开始耍赖皮："你知道，我不喜欢吃混在一起的东西，我就是不吃！"妈妈妥协了："那好吧，我给你做个汉堡。"

妈妈做汉堡时，艾里克无聊地玩着他的餐具。爸爸和其他孩子吃饱饭，离开了餐桌。妈妈做好汉堡，和艾里克一起吃饭，并和他谈论起白天在学校的事。

艾里克控制了整个局面，不仅让妈妈为他专门准备特别食物，而且还得到了妈妈的全部关注、妈妈的全套服务。

艾里克有权利不吃炖牛肉，妈妈应该尊重他这个权利。然而她想做个"好妈妈"，结果却扮演了仆人的角色。爸爸和妈妈可以坚定地做自己应该做的正确的事情，让艾里克自己解决问题。我们来看看当父母坚定时会发生什么。

艾里克宣布他不吃炖牛肉。爸爸说："好的，儿子，可以不吃。"一边继续给大家分牛肉，但跳过艾里克。艾里克问："你不打算再给我做点别的吗？"妈妈回答："我们今天晚上吃炖牛肉，如果你不想吃，可以不吃，离开餐桌。"艾里克大喊："可是我不喜欢炖牛肉！""在这件事上我也没办法。"妈妈就此打住。这样，爸爸和妈妈就避免了和艾里克发生争执。他们不再理会艾里克对食物、肚子饿的言语，而是专心吃晚饭。艾里克气呼呼地离开餐桌。晚些时候，艾里克到厨房要求吃些牛奶和饼干。"对不起，艾里克，我不是开餐厅的。咱们只在吃饭的时候供应食物。"艾里克得饿着肚子到下顿饭的时候才有东西吃。妈妈对艾里克的抗议不予争执和回应。接下来，爸爸妈妈成功地保持这样的坚定，艾里克很快就不再挑食了。

尊重孩子的需要和意愿完全必要。我们需要培养出敏锐的洞察力，判断孩子的要求是他的需求还是冒出来的怪念头。我们可以通过观察整体情况做出判断。

三岁的凯茜病了几天，这几天夜里需要大人照顾她。她的病好了，还要求大人晚上继续陪她。陪了几个晚上以后，妈妈决定不再陪了。她和爸爸商量之后做了决定。晚上妈妈跟凯茜亲吻道晚安，告诉她："我和爸爸晚上要睡觉。如果你又叫我们，我们不会过来哦。"当凯茜晚上大叫时，爸爸妈妈都没有做出回应。经过这次以后，凯茜一觉睡到了天亮。

妈妈告诉凯茜她会做什么，然后让凯茜自己决定。当凯茜试探妈妈的底线时，妈妈坚持了她的决定。

妈妈和莎伦从游乐场回家，路上莎伦说她要顺道去姑姑家玩。妈妈说不可以，她们现在需要直接回家了。莎伦开始要赖，妈妈没有回应莎伦的行为，而是继续向前走。莎伦一屁股坐在地上开始尖叫。妈妈保持平静，继续向前走，没有回头看。忽然，莎伦跳起来，跑向妈妈，脸上还带着笑。接下来，俩人快乐地走回了家。

　　妈妈用她的行为清楚地表明，她们要直接回家。她没有和莎伦解释、争执，没有强迫，也没有对她的要求妥协。当孩子看到妈妈果然真的要回家，她尊重了妈妈的决定，和妈妈一起走。坚定就是我们拒绝孩子提出的过分要求，不是孩子要什么就给什么。当我们做出合理的规则和决定时，需要有坚定的态度，孩子很快就会从我们的态度和行为中理解情况。

　　秩序的维持，可能需要一定程度的坚定，甚至一些平静的压力，尤其是对年龄较小的孩子。如果妈妈说了"不"，那么她需要执行相应的限制。责备、恐吓、打骂都没有效。因为任何一个这样的行为都只能暂时阻止孩子的不良行为，却将矛盾的焦点转移到更严重的事情上，增加了孩子的不良行为。只有稳固的坚持才能让孩子学会正确的界限。如果孩子不愿意穿着合适的衣服上学，那妈妈可以不让他上学。如果孩子大吵大闹个不停，妈妈可以要求他离开。但是，这样给孩子压力的行为，必须同时伴随给孩子选择的机会和权利。

例如，"如果你能保持安静，就可以继续留在这里"。如果他还是继续吵闹，妈妈可以让孩子选择是自己出去，还是妈妈陪他出去？要求孩子离开，可能会显得过于强硬和专横，然而如果给了孩子合理的选择，孩子就不会这么认为。

另外，如果父母和孩子的关系友好，孩子会更加乐意响应，而父母就会避免让这样的事情恶化，也不需要冗长的解释和说教。安静地保持坚定的态度，对年纪小的孩子通常非常有必要和奏效。有时候，父母不需要多说话，只有坚定的眼神就够了，孩子就能感受到父母是说话算数的。例如有位妈妈在讨论小组中提到："当我对自己的行为和规定不确定时，芭芭拉通常就能得到她想要的。而当我对自己的语言和行为很确定时，芭芭拉通常反而不会百般乞求和耍赖，她就不再提了，就是这么简单。"

SHOW RESPECT FOR THE CHILD

第八章
对孩子表现尊重

尊重孩子，就是说我们将孩子看作和我们自己一样，是个享有同等决定权的人。但这样的权利，并不代表孩子可以做任何大人能做的事。每个人在家庭中都扮演不同的角色，每个人都有被尊重的权利。

民主的生活方式建立在互相尊重的基础上。如果只有一方被尊重，这就不是平等。我们必须明确表现出对孩子及他的权利的尊重，这需要敏锐的洞察力，才能在期望太高或期望太低之间找到平衡。

爸爸妈妈很以两个月大的格雷戈里骄傲，这是他们的第一个孩子。无论何时，只要机会来了，他们就会把格雷戈里弄醒，向旁边羡慕的朋友们展示一番。

格雷戈里有睡觉的权利。爸爸妈妈忽视他的睡觉权利时，就是在表现对他的不尊重。

格雷戈里经常哭，而且睡眠不太好。每次他一哭，爸爸妈妈就给他喂东西吃，即使一个小时之前刚喂过。

格雷戈里的身体健康和成长需要正常且良好的睡眠及饮食习惯。正常作息中，人类的胃会自动转换消化状态和休息状态，这能够促进吃进去的食物被完全利用，从而形成可以影响一生的基本规律。新生婴儿的生活状态几乎只与吃有关，他最早接触到的生活规律就来自于进食习惯。婴儿和他的胃拥有正常习惯和秩序的权利，甚至婴儿可以参与饮食规律的养成。

不同的儿科医生对喂食时间有不同的建议。遵从按需进食的妈妈，如果状态放松，对自己有信心，很快她就会发现宝宝能够形成一个规律的饮食时间。而如果妈妈充满焦虑，孩子一不安就喂食，她就无法帮助孩子形成进食规律，还会导致孩子容易提出过分要求。不规律的进食时间，是妈妈对孩子需要规律的权利表现出的不尊重。

九岁的彼得是家里唯一的孩子，他非常希望得到父母的欢心。而父母对他的行为和学习的要求也很高，为他安排了很多活动，期待他各方面表现出色。只要不是A，那就是坏成绩。父母要求彼得在童子军中必须是团队领导者，在体育项目中要领先，钢琴演奏要达到可以演出的水准，知道搜集的所有石头的名称，模型飞机做得十全十美，《圣经》段落背诵得一字不差。每时每刻，彼得都需要表现得无懈可击，举止得体。所有认识彼得的人都认为他是个聪敏出众的孩子。可是，他有几个父母怎么也纠正不了的毛病：烦躁地咬指甲，还经常做噩梦，以及神经质地晃肩膀。

彼得的爸爸妈妈没有意识到他们"高标准、高期待"

的残忍。因为彼得希望讨父母欢心，所以会竭尽全力达到父母的期望，再加上他比一般孩子聪明些，又很努力，他也能够达到这些期望，但他内心的反抗和不安全感已经显露出征兆。只有得到父母认可和出类拔萃时，他才觉得自己重要和有价值。他不会公然反抗父母的要求而失去自己在家里的地位，他只能在梦中反抗。彼得的生活正在走向灾难。爸爸妈妈的表现是对彼得的极度不尊重，他们利用他增加自己的声望。如果彼得一生都要为了满足父母让他出类拔萃的愿望，他就无法尊重自己。只有当我们信任孩子、信任他的能力时，才能真正表现出对他的尊重。而这不代表我们可以借此要求孩子努力去实现我们自己未实现的目标。

十八个月的帕姆试图爬上客厅的一把椅子，不小心摔倒了，撞到了下巴，又咬破了自己的嘴唇。妈妈看到他的嘴唇有点流血，但没有惊慌失措，而是鼓励说："再试一次吧，帕姆，你能做到的。"帕姆舔了一下嘴唇上的血，又开始尝试。

这很残忍吗？不是的。如果妈妈对这一点小伤大呼小叫，帕姆很快就会失去勇气。因为妈妈不觉得流点血是个大问题，帕姆就能轻松对待，这是人生非常有价值的一课。

九岁的杰夫搜集了很多化石，他用很珍贵的一块换来了另一块价值较低的化石，但他很喜欢这块新化石。可是当爸爸知道了，却非常生气，因为第一，另外那个孩子已经十四岁了，他很清楚两块石头的价值；第二，杰夫没有预先征询他的意见。后来爸爸"摆平"了这件事，可是却破坏了两个孩子的友谊，更让杰夫觉得自己能力差、被轻视。

化石的交换权在杰夫手里，他的这个权利应该受到尊重。这件事情在处理时，爸爸应该表现出对杰夫的尊重，以保证他的自尊。当杰夫把新化石给爸爸看时，爸爸可以像平时一样表现出感兴趣，只字不提价值的事情。再过几天，爸爸可以帮助杰夫发现新化石的价值，但把交换的内容放在一边。杰夫自己会发现被别人占了便宜，但不会觉得自尊受辱。然而实际情况中，当爸爸"摆平"这件事时，这个行为暗示了杰夫应该很清楚他的交换是个大错误，可是杰夫以前并没有类似的经验，他怎么可能知道？爸爸对杰夫的期望太高了。而且他应该教会孩子，要对自己的决定守信用，而不是出尔反尔。这样的话，本来的冲突就成为了学习的机会，同时还能维持孩子们的友谊。

一家人到游乐场玩,十一岁的罗伯特想再玩一次碰碰车,不断缠着妈妈。九岁的露丝和七岁半的贝蒂想玩投币游戏机,大家朝着游戏机走去。罗伯特还是不停地缠着要妈妈答应玩碰碰车,妈妈生气地拒绝了他。罗伯特着急或紧张时会结巴,听起来像个刚学说话的幼儿。他越缠着妈妈,越说不清楚,越结巴。最后妈妈转过身,故意学他说话。露丝和贝蒂忍不住哈哈大笑,罗伯特一下子紧紧闭上嘴,忍着眼泪,慢慢地跟在大家后面。

不论因为什么,伤害一个孩子的自尊,都是对他的极度不尊重,而且毫无疑问不是在培养孩子的生活技能。事实上,罗伯特有压力的时候会结巴,这已经说明他的生活有问题,学他说话嘲笑他只能更增强他对自己的错误认知,让他觉得自己面对困难时很无能,毫无希望。妈妈这时需要摒弃罗伯特对自己的错误认知,表现出对他的尊重,可以轻声跟他说:“咱们现在去玩游戏机吧,儿子。”这就能够解决罗伯特缠着妈妈玩碰碰车的问题。

在游乐园常常会见到全家人意见不一致的情况,这其实不难解决。离开家之前,大家可以商量好每个人的花销额度是多少。每个人都要清楚，这是个人的全部花费，不会更多。还有，为了人身安全，也可以在离开家之前说清楚，哪些项目可以玩，哪些项目不能玩。如果父母的坚定态度在家里赢得了孩子们的尊重，那么一家人出去玩就会很顺畅愉快。到了目的地以后，孩子们有权利和自由决定自己玩什么，以及一个项目玩多长时间后再去玩下一个项目。这样，孩子就能学会为自己的花销和时间做计划，游乐园的乐趣也会持续很久。如果父母不断在训斥孩子，就会很快转变成冲突、争吵，让全家人失望。

尊重孩子，就是说我们将孩子看作和我们自己一样，是个享有同等决定权的人。但这样的权利并不代表孩子可以做任何大人能做的事。每个人在家庭中都扮演着不同的角色，每个人都有被尊重的权利。

INDUCE
RESPECT FOR
ORDER 第九章
发展对秩序和规律的尊重

孩子生活在这个世界里，需要学习尊重自然法则。孩子必须体会秩序和规则是自由的一部分，如果不守秩序，所有人的自由都会受到影响。

一旦我们为自己的坚定赢得了孩子的尊重，同时也尊重了孩子，就很容易引导孩子发展对秩序和规律的尊重。

如果我们过分保护孩子，他无法体验不尊重规律的后果，那么他就不会尊重秩序和规律。如果他被刀伤过，他就会对刀的锋利产生尊重；如果没有正确使用火，就会被烧伤；如果没学会平衡身体，骑自行车时就会摔倒；如果没学会躲闪，就会被棒球打到。这些现象都表明了秩序和规律是毋庸置疑的事实存在。当他用脚踩自行车时，就表示他遵循地心引力的规律；他会留心棒球飞过来的力度，躲避没有投准的球，这也是遵从秩序。孩子生活在这个世界里，需要学习尊重自然法则。我们无法通过说教让孩子学会怎么保持自行车的平衡，他只能从实际经验中学习。我们给车子加训练轮以帮助孩子，但是掌握平衡技术的是孩子自己。所以，在任何需要尊重秩序和规律的领域，孩子都需要从实践和经验中学习——从行为中，而不是从语言中学习。就像我们会安装自行车训练轮，但是当他们掌握以后，我们会把训练轮卸掉。这就是我们给予孩子合适的训练。

客厅里，九岁的格雷丝坐在书桌前写字，七岁的威尔玛坐在地板上剪纸娃娃，碎纸到处都是。妈妈走过时说："姑娘们，玩完以后收拾干净哦。"威尔玛有点不高兴地大声回答："好的，妈妈！"而她的表情则是"又是这句话"！过了一会儿妈妈再次经过客厅，看到两个孩子在看电视，书桌上乱成一团，地板上也乱成一团。妈妈再次告诫："姑娘们，一定要收拾干净哦！"两姐妹异口同声地说："是的，妈妈！"声音中仍然带着不高兴。又过了一会儿，妈妈发现，两个孩子已经吃完了下午茶，而空杯子在电视机上，饼干屑掉得满地都是。"天哪！你们就不能自己收拾干净吗？！看看你们到处都弄得乱七八糟！"格雷丝愤懑地回答："好啦，妈妈！我们会收拾的！"

没过多久，妈妈发现格雷丝躺在床上看书，威尔玛在外面玩，客厅里仍旧一片凌乱。她大发脾气，把威尔玛叫进来，把格雷丝叫起来："赶快给我收拾好！晚上有客人来吃饭，你们知道的，这里要整齐干净。你俩今天早上不是刚跟着我一起收拾过吗，怎么又弄乱了呢，怎么就学不会做完事情以后清理呢？你们做下一件事之前，必须先把前面用过的东西放好。你们俩很明白这一点！"妈妈一边不停地说教，一边死死盯着姐妹俩，两个小姑娘闷闷不乐地开始收拾。

格雷丝和威尔玛当然知道玩完要收拾，只是她们并不尊重妈妈的话，也不尊重当时的情景。事实上，两个孩子这么大了，妈妈还需要不断提醒她们收拾，这恰恰说明这么多年来，妈妈的唠叨和说教都没用，这两个孩子根本没有把这个规则放在眼里。每次妈妈提醒时，她们俩都用空头承诺敷衍，这个行为也表示了她们的不满。

孩子不遵守规则，是现在父母们最普遍的抱怨。孩子们通常正是用这种反叛形式来对付大人。父母越是要求孩子把东西放好，大多数孩子越是觉得讨厌。妈妈越表现整洁的重要性，越容易受到孩子的反抗，而这种反抗通常都能获得成功。

孩子必须体会秩序和规则是自由的一部分，如果不守秩序，所有人的自由都会受到影响。

这形成相互尊重。尊重女儿们，意思就是妈妈不能强迫她们遵守规则。尊重自己，意思就是不能替她们收拾，不去催她们做自己应该做的事。妈妈可以不用以上的方式，而是引导孩子遵守规则。怎么做呢? 妈妈可以先决定自己要做什么。

当妈妈发现女儿的东西到处都是，她可以收拾好，这不是为了女儿收拾，而是为了自己。因为这些东西妨碍到她了。然而因为是妈妈收拾的，所以只有她知道在哪儿，女儿们没有收拾，当然不可能知道东西在哪儿。妈妈要态度坚定，但也要和善，这么做不带有惩罚的想法。东西用完没有收拾好的自然后果，就是孩子们不知道东西放在了哪里。纸娃娃、纸和笔都找不到了。因为点心盘和喝水杯子没有收好，所以点心不能拿到客厅里。妈妈的这些行为都应该是不带埋怨、愉快地进行的,没有唠叨和说教,没有惩罚和报复。两姐妹还可以不喜欢收拾——在她们自己的房间里。妈妈不用为她们自己房间的不整洁操心。但是妈妈可以让孩子们体验这个行为的后果,她不需要担心被孩子击败,因为她不能强迫孩子整洁。她可以拒绝清理凌乱的房间。很快两姐妹会觉得难以忍受,尤其是当她们找不到袜子或上衣时。同时妈妈还要注意,不要让这种情况给孩子带来压力,让孩子气馁。妈妈可以告诉孩子们,如果她们想让妈妈帮忙,她可以一周帮助她们清理一次房间。当大家一起打扫时,妈妈要避免批评孩子不爱收拾,避免任何这样的评价,比如"看这儿多乱,你们怎么受得了",等等。一起打扫时大家的谈话应该是愉快的。慢慢地,女儿们会发现,自己不爱收拾并不会影响到妈妈,她不和她们玩"看谁赢"的游戏。接着她们就会觉得,有点秩序自己也会舒服。如果她们在家里其他地方乱放东西,有可能会找不到,那么她们就有可能小心地收好东西。

三岁的琼把三轮车留在了车库门口,妈妈要她放回到院子里,琼置若罔闻,只顾着玩沙子。妈妈生气地把琼拉起来,打了一下屁股,走向三轮车:"我跟你说过了,三轮车骑完要放好,我是认真的!"然后妈妈一手提着三轮车,一手提着大哭的女儿,走了回去。

妈妈用这样的暴力方法是不能教会孩子遵守规则的，暴力只会让孩子产生敌意和对抗，安静的坚定态度更有效。妈妈可以把三轮车放到琼够不到的地方，当孩子再要三轮车时，妈妈可以说："琼，很抱歉。上次你骑完三轮车没有放好，这次不能骑了。不过，下午你可以再试试看。"最后的话给了琼鼓励。这样她下次就可能把三轮车放好。或者也可以由妈妈牵着琼的手，两人一起放好。

十一岁的克莱经常不准时回家吃晚饭。他这个年龄的男孩子精力非常旺盛，所以妈妈每次都原谅他。他一到家，妈妈就帮他热饭，一边收拾厨房一边陪他吃完饭。

克莱觉得这样太棒了！妈妈就像他忠诚的仆人，愉快地为他服务。这个额外的服务在他看来理所应当。他完全无视准时吃晚饭的规则，因为没有人要求他遵守。他知道妈妈更加重视他和同伴之间的快乐和友谊，以及他通过活动锻炼出强健的身体。他当然不需要尊重按时吃饭的规则，反正他不管什么时间回来都有饭吃。

克莱的健康和友谊的确很重要，然而他学会遵守规则，并不会让他失去健康和友谊。妈妈可以告诉克莱，以后六点准时开饭，过了这个时间就不会再有食物。如果妈妈对克莱少吃一两顿饭不焦虑，克莱就会开始重视准时回家吃饭这件事。

　　妈妈为了让四岁的多丽丝把自己的东西收拾好而伤透脑筋。家里地方不大，还有十四个月大的凯文。一天，妈妈参加了儿童指导中心的聚会和学习。那天晚上，她和爸爸讨论了她学到的一个新方法，爸爸表示会全力配合。第二天早上，多丽丝像平时一样，把睡衣都扔在地板上，玩具也丢了一地。中午，妈妈问她："你要不要把你的东西收起来？""不要！""好吧！你希望一整天都不用收拾，对吗？""对！太棒了！"多丽丝大声说。"好的，那么我能不能也一样，一整天不收拾东西呢？""当然可以呀！"多丽丝耸耸肩膀回答妈妈。那天，妈妈把东西随手乱扔。如同什么都没发生似的和女儿说话、游戏。妈妈提议和多丽丝把她的衣服都拿出来，看看哪些衣服需要缝补。两人一起做了这件事，不过做完后，妈妈把多丽丝的衣服全留在了她的小床上。弟弟凯文的衣服、玩具、奶瓶也到处乱放。爸爸下班回来，家里一片凌乱。而爸爸视而不见，把外套随手放在儿童推车上，领带挂在台灯罩上，鞋子一脚踢到地板中间，然后像没事人一样坐下来和两个孩子一起玩。妈妈则一边煮晚饭，一边喂凯文。厨房的饭桌上堆满了多丽丝的纸、蜡笔、图画，没有地方放晚饭。于是妈妈走到客厅，开始看杂志。过了一会儿爸爸问："晚饭呢?"妈妈回答："已经煮好了!""那我们该吃了呀!""不行!"妈妈在杂志后面回答。爸爸问："为什么不行?""因为没有地方放。"于是爸爸坐下来开始看报纸。多丽丝说："妈妈，我饿了。"妈妈回答："我也是。"多丽丝观察了一下眼前的情况，走进厨房看了看，又走回客厅。她踢了几脚地上的积木，又回到厨房。爸爸妈妈还在看报纸和杂志，但他们很清楚多丽丝在收拾桌子。不一会儿，多丽丝回来轻声说："妈妈，现在我们有地方吃饭了。"妈妈立即把饭摆上桌子，大家开始愉快地就餐。

当多丽丝上床睡觉时，她找不到睡衣。妈妈说："你找不到睡衣，我也很抱歉，宝贝。"多丽丝问："还有啊，我床上那么多东西，我怎么睡觉呢?""很不方便是不是?"多丽丝开始哭："妈妈，我不喜欢这样!"妈妈问："那我们应该怎么办呢?"女儿回答："我觉得我们应该把东西都收拾走。"

这个方法获得成功有三个原因：第一，妈妈保持了和善及愉快的气氛；第二，妈妈避免了说教，几乎只字不提这件事，而是说其他话题；第三，也是最重要的一点，妈妈明白引导的核心，她的心里并没有半点想强迫多丽丝收拾或和多丽丝干的想法。

然而，像这样的招数不应该经常使用，这种方法的效果，在于让全家人体会到一片杂乱带来的戏剧性影响。如果类似的方法经常使用，就会很快失效。

还有一个应付孩子乱扔东西的方法，是准备一个大箱子。妈妈把乱放的东西都放进大箱子里，但不包括孩子扔在自己房间的东西。不论什么，雨鞋、玩具等，都放进箱子里。因为要想从这样的箱子里找到东西，实在让人有点懊恼。

如果孩子自己的房间很乱，妈妈只要不进去就好了。孩子的衣服洗好晾干以后，妈妈可以把干净衣服放在别的地方，因为她不喜欢杂乱的地方。再说，那么杂乱的屋子，也没地方放干净衣服呀。

运用你的创造力，可以想出很多友善的方法，既能避免强迫孩子遵守秩序，又让孩子体会杂乱的感受，这样来引导他们遵守秩序。

在大多数孩子不遵守秩序的实例中，都能看出是家长和孩子的关系有更深的问题。这样的情况不能只用自然结果这样一种方法来解决，父母要首先想出一个方法和计划，先修复有问题的亲子关系。

INDUCE RESPECT FOR THE RIGHTS OF OTHERS

第十章
发展对他人权利的尊重

崇尚爱和自由的家长有时候会以为所有的权利都在孩子那一边。而事实上，在平等的关系中，每个人都有同样的权利。

六岁的卡里，音乐感知很敏锐，喜欢用自己的播放器放唱片。有一天，妈妈发现卡里在用客厅的唱机播放唱片，而且放的还是她的唱片，因为不太会正确使用唱针，卡里已经把妈妈的珍贵唱片划伤了好几张。妈妈有些不高兴，向卡里解释这些唱片价值不菲，并且对她有重要意义，应该怎样小心对待。可是妈妈说话时，卡里晃来晃去，不太愿意保证不再碰妈妈的唱片。后来终于承诺，可以放妈妈的唱片，但要和妈妈一起。然而第二天，卡里就破坏承诺，又用客厅的唱机放妈妈的唱片。

卡里没有权利放妈妈的唱片，妈妈需要对这一点很明确。上面故事中妈妈所有的解释不但没有什么用处——即使得到了卡里的承诺——而且完全没说到重点。妈妈应该说的只不过是："卡里，这些是我的唱片，我是唯一能播放的人。"下次卡里想用客厅唱机播放妈妈的唱片时，妈妈可以问他是自己离开客厅，还是和妈妈一起离开客厅。这个方式表现了对孩子权利的尊重，他可以自己决定。妈妈的决定是卡里需要离开客厅，而离开的方式可以由他自己选择。这个例子展示了独裁和坚持自己权利这两者之间微妙的界线。两者的不同在于妈妈的目的，妈妈没有强求卡里只能播放他自己的唱片。她只是让卡里明白，她的目的是让他尊重她的权利。

　　四岁的埃伦每次对妈妈做的事不满意，就会打妈妈、踢妈妈，甚至咬妈妈。妈妈不赞成体罚，从未对埃伦体罚过。但她对女儿这个行为感到非常担忧。她试过表现出自己被埃伦伤害了，希望埃伦因为感到抱歉而停止。但结果是埃伦一点感觉也没有。

　　可怜的妈妈！她认为所有的权利都在孩子那一边。而事实上，在平等的关系中，每个人都有同样的权利。如果埃伦有权利踢打妈妈，那妈妈也有相同的权利。妈妈有责任教会埃伦这一点，而关键是教的方式。例如，当埃伦又打妈妈时，也许妈妈可以说："啊，我知道了，你是想玩拍拍打打的游戏。"然后打回埃伦一下——不是攻击她，而是像她那样真的打一下。孩子可能会因此更加愤怒，再打妈妈一下。妈妈仍然保持游戏的态度，再打回去。妈妈继续这个游戏，直到埃伦停止。根据我们的经验，很少有孩子愿意继续玩这样的游戏。可能他们第一次动手打人的时候，是未加思索的本能冲动行为。而当第二次妈妈又说出"拍拍打打游戏"时，他们很快就会停止了。

　　有时候父母应该允许"孩子拥有的特权"，不少情况下这会有令人愉快的结果。例如当妈妈看到六岁的孩子在吸吮手指，她可以什么都不说，也开始吸吮自己的手指。如果孩子相信这个行为只有自己才有特权，他会很讨厌妈妈那样做，因为他认为妈妈没有这个特权。我们看到过，孩子因为妈妈侵犯了自己的特权而放弃了吮手指的习惯（当然我们不能仅仅靠着一个方法）。

每次爸爸妈妈的朋友们来玩桥牌时，七岁的彭妮和五岁的帕特就会变得让人头疼。他们俩穿着睡衣满屋子跑，像两个"人来疯"，表演各种想象出来的举止，而且还不愿意上床睡觉。妈妈和爸爸有时候容忍一会儿，但通常的结果是爸爸打两人一顿，然后生气地把他们"咚"地扔到床上。

爸爸和妈妈有权利享受一个不受孩子干扰的晚上。客人来之前，爸爸妈妈可以告诉孩子："我们不希望你们打扰今晚的聚会，你们俩可以礼貌地和客人问好。然后你们就不要在客厅里玩了。你们可以决定，今晚是去姑姑家玩，或者你们觉得可以自律，留在家里。你们来决定。"不论孩子选择哪个，都应该得到爸爸妈妈的尊重。如果他们决定留在家里，但是不能约束自己的行为，那么爸爸妈妈可以做另一个选择，带他们去姑姑家。下次爸爸妈妈聚会时，还是要给孩子选择。

第七章里，我们讲述了凯茜的父母如何引导凯茜尊重父母睡觉权利的例子。如果没有合适的亲戚家可选择，爸爸妈妈还可以雇一个临时保姆和孩子待在房间里。

ELIMINATE CRITICISM AND MINIMIZE MISTAKES

第十一章
消除批评和减少错误

孩子会犯错误、做错事，这很正常。假如我们抱着批评的态度，就会无意中将好行为中偶然发生的错误单独拎出来，放大了错误的严重性，反而渐渐给孩子培养出永久性的缺点。

八岁的查尔斯给外婆写了一封感谢信,妈妈说要看看。查尔斯勉强把信推过去给妈妈看。"哦,查尔斯,你看看你写得多糟糕,这么歪歪扭扭的,怎么写不整齐呢?而且拼错了三个词哦。过来,照这样抄三遍。你可不能把这么乱七八糟的信寄给外婆!"妈妈把正确的词写在错的上面,让查尔斯重新写。查尔斯从头开始,可是出了更多的错。他一张一张揉了好多张纸。最后,查尔斯气得泪流满面,一把扔掉笔,大叫道:"我写不好!"妈妈又给出建议:"你写的时间太长了,不如干点别的吧,半个小时以后再写。"

我们对错误的强调具有灾难性的后果。查尔斯本来很享受写信的乐趣,不论他的信是否错误连篇,外婆都会很高兴。而现在,查尔斯痛恨写信,这件事给他带来了痛苦。当妈妈的关注点在错误上时,她也将儿子的关注点从正面的"享受写信"转移到了负面的"出现错误"上。查尔斯害怕出现错误,这个恐惧给他更多压力,结果造成更多错误。他真的感觉气馁,而这是个灾难性的后果。如果我们经常关注错误,就容易令孩子丧失勇气。因为任何建设都不应在"弱"的基础上,而只能在"强"的基础上。

假如妈妈刚才赞扬查尔斯给外婆写信的这番心意,他会多么高兴和自豪！这就是个正面强调，会让孩子感到愉悦，会激发他想做更多体贴的行为。除此之外，妈妈还可以找出他写得好的地方，并指给他看："我看到这个C写得很好。真不错，你在不断进步。"这样就可以激励查尔斯书写得更好，因为他对自己的能力有了信心。妈妈可以不去理会那些拼写错误的字词。查尔斯有和妈妈沟通的意愿，这是当下最重要的。指出所有拼写错误，是妈妈对查尔斯的期望过高。

我们和孩子在一起的时间很多，只要一看到孩子犯了错就立刻指正。我们习惯对待孩子的方法，似乎是努力把他们训练成毫无缺点的人。然而，其实我们只要静下心来想一想，就会发现，我们都是在跟着自己的行为习惯走。如果我们的指向是错误的，我们就会朝着这个方向前行。而如果我们的关注点是孩子做得好的地方，并且表现出我们信任他们的能力，并给予孩子们鼓励。他们的错误和缺点反而会因此得到改善。

如今，我们总是担心孩子长大以后不学好，养成坏习惯，出现不良人生观，走上歧途等。于是我们不断监督他们，想尽办法预防有可能犯的错误。我们不停地指出孩子的错误，不停地告诫他们……这样的方式事实上是在表现出我们对孩子没有信心，这会让所有人沮丧和气馁。如果我们的关注点都在负面的事情上，我们怎么可能期望孩子找到通向正面和成功的方向和力量源泉？

由于我们不断对孩子进行指正，不但会让孩子觉得他经常出错，而且还会让孩子变得害怕出错。这样的心理恐惧有可能导致孩子因为怕犯错而不愿意做任何事。孩子会被恐惧压迫着，渐渐失去健康的心理。他可能会觉得，除非我很完美，否则我没有价值。然而事实上没有完美，朝着完美努力，就会很少有进步，反而容易因为绝望而放弃。

每个人都会犯错，但极少有错误会变成大灾难。很多时候，我们并不知道自己的行为是错的，而是直到出现结果时才知道。有的时候，我们必须犯了错以后，才知道那是个错误！我们必须有接受不完美的勇气，同时，我们也允许自己的孩子不完美。只有这样，我们才能进步和成长。如果我们不过多关注错误，而是将孩子的关注引向正面，孩子们就能保持勇气，而这份勇气能够让学习变得更容易。"现在出了错，我们可以做什么呢？"这样的问话，就可以将孩子引向进步的方向，激发孩子的勇气。和学会事后补救的能力相比，犯错并不是什么大不了的事情。

十岁的玛格丽特眼泪汪汪地把烤煳的饼干从烤箱里拿出来。

她不明白，自己完全按照包装盒上的说明做了，可是为什么饼干全烤煳了。妈妈闻到烤煳的味道，走进厨房："宝贝，发生什么事了？"玛格丽特哭着说："我把饼干烤煳了！"妈妈回答："哦，是噢，我看到了。咱们来看看是怎么回事儿，我知道你不是故意烤煳的。哭泣不能解决问题呀，宝贝。我理解你非常难过。那咱们来找找原因吧。"孩子很快停止了哭泣，开始研究。她和妈妈仔细检查了每个步骤，结果发现是因为算错了定时器的时间。玛格丽特说："啊，我知道哪里出问题了。"妈妈说："很好啊，咱们先把这里清理一下吧，然后你可以再试试看。"

　　妈妈就是这样将一场失败转变成了一个让孩子学习的机会。她没有因为损失了食物而严厉训斥孩子，也没有批评孩子犯了错误。她通过自己的行为给孩子展示了一个道理：犯错不可怕，不是世界末日，我们应该做的，是从错误中学习。她对女儿的伤心也没有过分关注，而是通过让女儿参与检查哪里出错，引导女儿走出了伤心。接下来，妈妈立刻鼓励女儿再接再厉。有了妈妈的支持和理解，玛格丽特的挫败感也烟消云散了。

　　很多时候，孩子因为缺少经验或者判断失误，所以犯了错。这时孩子已经为发生的结果懊恼后悔，如果大人再去斥责或批评孩子，就容易对孩子造成情感伤害，雪上加霜。

　　爸爸去工作台拿螺丝刀，却被眼前的景象气得火冒三丈。工作台上放着一架飞机模型，旁边是散落的螺丝、钳子、榔头和扳手。飞机模型和工作台上所有的工具都被喷上了铝银色，一罐铝银色喷漆掉在地板上。大怒的爸爸把十岁的儿子斯坦叫过来，大声呵斥道："看看你把这里搞成什么样子了！你为什么不能保持整洁？你有什么权力把我的工作台弄得这么乱？现在我所有的工具上都是喷漆，你为什么要这样做？说话呀！"斯坦吓得说不出话来，忍着眼泪磕磕巴巴地回答："爸爸，我只是想给飞机模型上色，不知道喷漆会喷得那么远。然后，我也不知道该怎么收拾。""那你为什么不告诉我！非要让我自己发现！"斯坦小声嗫嚅道："我怕你会生气。""是，我当然生气！你知道自己做错了事，就逃跑了！小子，我必须打你一顿！"

　　爸爸这么生气可以理解。可是，即使那些工具被喷上了漆，也还是可以继续使用。盛怒之下的爸爸没有从斯坦的话语中听出他的难受，没有理解孩子这时的窘境和害怕。当爸爸用生气回应时，他恰恰再次证明斯坦的假设是对的，这样他就更不敢找爸爸帮助了。打孩子一顿，并不能让工作台恢复整洁，更不能教会斯坦正确使用喷漆。

那么，怎么做才有帮助呢？

首先，爸爸应该克制住即将爆发的怒气，理解斯坦不是故意为之，这个事实一眼就能看出来。接下来，爸爸可以把这次事件当成一次学习的机会。因为，孩子愿意自己动手，这表示他非常有勇气。

我们假设事情发生了下面的变化：

爸爸把十岁的儿子斯坦叫过来："我能看出来，你刚才在这里遇到了麻烦，能告诉我发生了什么吗？"斯坦羞愧地回答："爸爸，我只是想给飞机模型上色，不知道喷漆会喷得那么远。""所以，现在你知道了，喷漆和刷漆是不一样的，对吗？""是的，我知道了。"斯坦放松了，因为爸爸的态度很友善。"那你想想，下次再用喷漆时该怎么办呢？"孩子开始思考："嗯……我猜，我可以在周围铺上报纸。"爸爸建议道："你觉得，如果把纸箱的一侧撕掉，把飞机模型放在里面，然后从撕开的那一面喷，这个方法怎么样？""嘿！这个主意真棒！""那这些工具要怎么办呢？""哦，天，我不知道。我觉得没关系吧。""你觉得，如果它们都挂在木板各自的位置上，你喷漆的时候会怎样？"斯坦笑了，接受了爸爸这个巧妙的建议："那它们就不会被喷上漆了！""那你现在可以怎么处理这些工具呢?""我猜,我可以用松节油擦干净。""松节油对已经干了的油漆没用,斯坦。""嗯……那要怎么办呢?""我猜,把手部分可以保持铝银色,金属部分用钢丝抛光,就可以将油漆清理干净。""好的,我来试试看。"

斯坦非常乐意去纠正自己的过失。他和爸爸像朋友一样保持了友善的关系。并且,他还从这次错误中学习到了新知识。

妈妈正把意大利面的酱汁倒入大碗里。琼问:"我可以帮忙吗?""哦,琼,我也不知道。你总是笨手笨脚的。嗯……好吧!拿着,看看你能不能端到桌子上不洒出来。要很小心哦!"妈妈把满满一碗酱汁递给琼。她走得很慢,眼睛紧紧盯着碗,小心翼翼。然而她不小心踢到了椅子腿,碗打翻了,酱汁洒在了桌子上、衣服上和地毯上。"琼!你这个笨手笨脚的东西,你在干什么!我不是刚刚跟你说过让你小心吗?你怎么总是这么笨手笨脚呢?"

琼很努力地让自己"不笨手笨脚",不把酱汁洒出来。可是当她踢到椅子,却让自己和妈妈最害怕的事情发生了。如果妈妈可以真心信任琼能把酱汁碗端到桌子上,就不会强调她的笨手笨脚，而是正确告诉她应该怎么端怎么走。而现在，琼对自己笨手笨脚的看法再次被证实、被加强了，她再一次打破了自己的"失败纪录"。

孩子会犯错误、做错事，这很正常。假如我们抱着批评的态度，就会无意中将好行为中偶然发生的错误单独拎出来，放大了错误的严重性，反而渐渐给孩子培养出永久性的缺点。举个例子，很多幼儿都会出现口吃的现象，如果不强化它而是忽略，这个现象就会自然消失。可是，我们觉得自己有极大的责任预防和纠正孩子的不良行为——我们觉得自己总该做点什么吧——于是孩子一有点"错误"，我们就急着插手。而事实上，这样做极少能够纠正孩子的行为，反而增加了我们的困扰。因为可能有些孩子发现口吃这个行为有时反而对他有好处——他会因为这个行为得到家长的特别关注，或者借此行为对家长进行反抗。批评，不是在"教"孩子，而只能刺激孩子们继续甚至强化他们的不当行为。

为了有效引导孩子，我们需要对孩子的行为保持警觉。可以问自己：这个是错误吗？还是孩子有挫折感？或者孩子的判断能力不够？或者是孩子因为缺乏相关知识和经验出现的错误？孩子这个行为背后有没有隐藏着什么目的？例如前面的玛格丽特和斯坦出现的错误，是因为缺乏知识和经验。查尔斯和琼出现的错误，则是因为他们有挫败感。

前两个孩子需要指导，后两个孩子需要鼓励。

妈妈和五岁的莎伦在公园里野餐时，碰到一位朋友。妈妈给朋友介绍莎伦，而莎伦紧紧靠着妈妈，还把指头放进嘴里吮吸。妈妈叫她："别躲着呀，莎伦，别这么害羞，你这孩子！"然后又转向朋友，"我也不知道为什么她这么怕生，家里其他孩子都不这样。"莎伦更加向后退缩。朋友弯下腰，想逗莎伦说话。而莎伦仍然没有一丝笑容，皱着眉头看着妈妈的朋友。朋友只好放弃，和妈妈聊起天来。莎伦站了一会儿，用力拉妈妈，抱住她的大腿，仰着脸要妈妈亲她。

莎伦的害羞背后有着目的。这时候告诉她"别这么害羞"毫无用处，关注她的缺点只能起到强化的效果。莎伦认定自己是孩子中"害羞的那个"，这就给了她自己一个明确的特点。如果我们审视莎伦的害羞行为，会发现当她害羞时，就变成了大家关注的中心，大家都会努力得到她的反应。害羞有好处，很值得，为什么要停止这个行为呢？

如果莎伦害羞时得不到其他人的关注，就没有什么理由继续害羞了。妈妈可以用轻松的口吻向朋友骄傲地介绍自己的女儿。如果莎伦没有反应，妈妈就继续和朋友说话，忽视莎伦的害羞。如果朋友多嘴说："哦，她很怕生呢，是不是呀？"（很多朋友都会这样说。）妈妈可以回答："不，她不是怕生，只是现在不想讲话。等一会儿她准备好了就想讲话了。"

如果我们想让一个人克服他的缺点，我们必须发现他行为背后的目的。然后，对这个目的只字不提，只是通过我们的行为让这个目的失效。很多时候，我们的行为就是避免冲动地对孩子做出反应，应该什么都不做，没有反应。

六岁半的伊索贝尔有个八岁的哥哥弗雷德。弗雷德有趣、无忧无虑、粗枝大叶。而伊索贝尔几乎每天都哭，妈妈、爸爸和哥哥都叫她"小哭孩"。他们说得毫不客气，弗雷德把她弄哭，然后说她是个"小哭孩"，表现出对妹妹爱哭的不屑。有一天，全家人去游泳，下车的时候俩孩子跳下来，伊索贝尔摔了一跤，膝盖有点擦伤，她不开心地哭起来。弗雷德边走边大声说："哦，她就是那么爱哭！"爸爸严厉地说："伊索贝尔，这个伤没什么大不了的，不准再哭了，赶快到游泳池那边去。"伊索贝尔捂住她的擦伤哭道："好疼啊！你帮我擦点药！"爸爸训斥她："不准哭了！你的伤没

有严重到要擦药的地步,你一进游泳池就会忘了的。"妈妈也嫌弃
地说:"别当小哭孩了,伊索贝尔。走吧,咱们去游泳。"伊索贝尔
仍然继续哭,一步也不肯走。伊迪丝阿姨从身边经过,注意到伊
索贝尔在哭,过来问候她。伊索贝尔哭得更厉害了。伊迪丝阿姨
弯腰试图安抚她,但是她还是哭个不停。最后爸爸说:"伊迪丝,
你就是在这儿坐三个小时,同情她安抚她,她还是会不停地哭。
这就是她想要的。她就是个小哭孩。咱们去游泳吧!让她自己在
这儿哭个够。"所有人都跳进了游泳池,只留下伊索贝尔。没过多
久,她决定加入大家。刚开始有点迟疑,但很快就享受起了水里
的乐趣。

　　孩子哭泣通常会得到大人的同情,我们心里会感受孩
子的痛苦。伊索贝尔很早就发现了这一点,并加以利用。问
题是她使用过度,引起了家人的厌恶。尽管如此,哭泣还是
对伊索贝尔有好处,家人都注意到了她的哭泣,只是关注的
方式是批评、责怪等。作为一个"受到虐待的可怜孩子",
伊索贝尔维持了她在家里的地位。每次被叫作"小哭孩",
她对自己的定位就加强了一次。最后家人终于明白,决定都
去游泳,留下她一个人哭。尽管如此,他们还是满足了伊索
贝尔哭泣的动机。

　　如果爸爸妈妈想要帮助伊索贝尔成长，不再做个"小哭孩"，他们需要了解她哭泣背后的目的是要获取过度关注。了解以后，他们可以不再谈论伊索贝尔的哭泣，不再把伊索贝尔和哭联系在一起，忽视她的哭泣行为。刚才的事件中，爸爸或者妈妈（看谁先到达孩子身边）可以简单检查一下她的擦伤，看看严重程度。如果不严重，可以说："我为你受伤感到难过。过几分钟你就会发现不再像现在这么疼了。等你愿意的时候，就到游泳池来吧。"然后其他人都去游泳。只要伊索贝尔发觉哭泣达不到她想要达到的目的，她就会改变行为。以后每次她哭，爸爸妈妈还是采取同样的方式：放松地接纳，她有哭泣的权利。同时告诉她，只要她愿意，可以随时加入家人的活动。这是个忽略缺点和消除结果的技巧，同时也需要在伊索贝尔快乐及合作时，及时给予她关注和鼓励。

　　我们必须尽最大努力将行为和人分开。这在现在的社会环境中尤其重要，我们这个社会制造出很多针对孩子的负面标签，例如"小哭孩"、"小骗子"、"注意力不集中"、"打小报告的人"，等等。我们必须明白，所有的孩子都是好孩子，他们行为不良是因为他们不快乐，或者发现不良行为有好处。当我们给孩子贴标签时，我们就把他们归了类。他们对自己也一样，用标签给自己定位。这更增强了他们的错误认识，会阻止他们向着积极的方向发展。当我们明白不是孩子本身不好，只是他做的事情不好，孩子能够感受到我们的想法，并且会对这样客观的评价有反应。他会感受到我们对他这个人的信心。当我们看轻错误和困难，孩子也会觉得错误和困难变小了。相应地，他克服困难的勇气就会增强。

MAINTAIN ROUTINE 第十二章 保持规律

规律对于孩子来说就像房子的墙，赋予生活的界限和范围。没有哪个孩子能在无法预知和无法期待的生活中过得愉快而安逸。规律让人有安全感。稳定的规律能够赋予孩子清晰感，继而产生真正的自由。当孩子感受到规律的稳固时，他们很少会挑战这个底线。

早饭时爸爸问："彭妮呢？""我想她今天早上会多睡一会儿，亲爱的。""为什么？""嗯，昨天晚上她很晚才睡，因为她想等你回家再睡。""可是我提前告诉你了我会很晚回来呀。""我知道，但是彭妮不明白，所以我就让她等到困了才睡。""那她今天上学怎么办？""哦，没关系，她只是上幼儿园而已，等一下我帮她写个病假条就好了。""这样不太好吧，梅格，我觉得彭妮应该有规律。""哎呀，她这么小，学习规律的时间还长着呢。"

爸爸说得对，彭妮需要学习有规律。规律对于孩子来说就像房子的墙，赋予生活的界限和范围。没有哪个孩子能在无法预知和期待的生活中过得愉快安逸。规律让人有安全感。稳定的规律能够赋予孩子清晰感，继而产生真正的自由。允许彭妮有晚睡的自由，是忽视了她有充分休息的权利。第二天混乱的作息，打乱了生活平衡，也牺牲了她上学求知的权利。这不是自由，而是放纵。妈妈编一个理由告诉学校，又剥夺了彭妮经历自然后果并且运用自己的智慧学习的机会。和很多孩子一样，彭妮也在探索让她有安全感的界限和范围。她会去试探自己能够触到的底线在哪里。孩子会借着想做什么就做什么的权利，想要看看是否能够找到界限。当界限像天空那样无边无际时，她会觉得手足无措。将来如果她已经习惯了这样的环境，忽然有一天她无法无天的行为遭到了反对或惩罚，她会非常惶恐和惊吓。

父母有责任确定让全家人都能正常舒适生活的规律，建立和维持这个日常秩序，帮助孩子养成有规律的习惯。孩子不会因为年龄太小而无法体验规律生活。一旦规律形成，再小的孩子也能感受到，并且由此得知做什么才是应该的。

假设你准备从芝加哥开车到洛杉矶，你不会随便开，见路就走。你会在高速公路上沿着一条既定路线开。养育孩子也是同样的道理，洛杉矶是这次旅行的目标，而融入社会和自律是父母给孩子指引的目标。我们只有按照公路上的指引行进，才能到达目的地。如同到洛杉矶有不同的道路，我们也可以选择建立什么样的规律。规律非常必要，但不应该是死板的、毫无变通的。经常会有一些突发状况，需要我们对规律进行变通以便适应。这样的破例情况在常规之外，不应是父母为了自己的方便或者孩子的突发奇想而网开一面。

放暑假了，金尼和琳恩随心所欲，晚上很晚才睡，想几点起床就几点起床，零食和饮料随便吃喝，该做家务时就会有"和朋友的临时计划"，她们还经常让妈妈忙来忙去开车送她们。到了七月中旬，妈妈常常叹气："如果学校早点开学，一切恢复正常，我会开心极了。"

　　这似乎形成了一种普遍现象，到了暑假，孩子们就被允许从满满的课表中解放出来，自由享受假期。的确，规律应该因为放假而发生变化，但不是无法无天。暑假中对孩子放任，就会给孩子一个印象：学校和工作让人不愉快，从学校和工作中解脱出来才是自由。这是个错误观念。上学是孩子的责任，就像爸爸的责任是工作，妈妈的责任是操持家务。所有的职责都需要有规律，否则就会一片混乱。假期当然有必要，在假期里我们改变日常规律，休养生息，调整生活节奏，但这并不代表放弃所有的规律。暑假和上学时可能会有不同的生活规律，例如睡得晚一点，更多家庭活动，起床的时间根据睡眠需求而调整，吃饭的时间根据活动而调整，等等。很明显，这些事情都从上学的规律变成暑假的规律。但这仍然是有规律的生活。否则，就无法产生合作与和谐。

　　我们回顾第四章乔伊丝的故事。乔伊丝不断要求妈妈关注，如果妈妈帮助乔伊丝建立了一个游戏时间的规律，她就能用这个方式应对孩子的要求。当乔伊丝知道妈妈会有特定时间陪她玩，她也能够更好地接受妈妈的拒绝，明白这个拒绝后面是已经建立的规律。

孩子需要我们的关注，还有什么方法比确定一个稳固的特殊游戏时光更能建立和谐和快乐的关系呢？这是属于孩子的特殊时光，他知道这个时间可以信赖。当妈妈和孩子都享受每天这段快乐的时光时，两个人都会倾向于为了这段时光而不发生冲突。愉快的亲子关系就这样慢慢建立起来了。(也有让人惋惜的少数情况，孩子死活不愿意和父母一起玩，因为在他们眼里，父母不是他们的朋友。)

我们再想想第四章中佩姬的情况，妈妈和佩姬之间的权力之争完全可以避免。如果佩姬强烈地感受到生活规律，并且明白妈妈对规律的坚持，睡觉时间到了就会去睡觉。当孩子感受到规律不可轻易打破，他们很少会挑战这个底线。然而，当权力之争发生时，孩子就把规律作为攻击对象。这时，我们可以将这视为正常，只是平静地和孩子强调规律，不和孩子发生口舌之争，这样父母才能赢得孩子对规律的遵守。毋庸置疑，不论是哪些大家一起参与的活动，为大人和孩子制定规律，能够省掉很多麻烦，比如制定全家人的吃饭时间。家庭成员的职责不同，那么相应的规律也不同。这些不同的规律，对应的是不同的职责，而不是全家人一致的生活部分。比如，一岁的孩子应该比九岁的孩子早睡，而九岁的孩子应该比父母早睡。

再看第九章里克莱的情况。如果妈妈建立了晚餐的时间规律，大家在这个时间一同用餐，那么就能很容易地解决问题。当然，这个规律是方便所有人的时间，没有人会随随便便制定不适合所有人的规律。每个家庭的规律都应该适合全家人，没有哪个规律适用于每一个家庭。通常家里是妈妈根据家庭情况和孩子成长需要而设立常规内容及界限。当孩子违反时，妈妈有责任用沉着平静的态度维持这个规律。只有当父母认为有必要时，规律才可以被打破。

家庭生活的规则，通常也是妈妈建立的，比如起来后铺好床再做其他的事情、爸爸回来前要把客厅收拾好、饭桌上的礼仪、礼拜日的晚餐礼仪、在正式餐厅用餐的行为、节日形式等。这些是我们传给下一代的文化，它们要成为我们生活中的常规。

在一次父母研讨会上，大家发现了一个共同的问题：孩子们的餐桌礼仪都很糟。经过讨论，大家发现原因可能是家人经常在厨房随便吃吃。于是十八位参与的妈妈一致决定尽量在餐厅里吃饭，家里没有餐厅的，则把厨房的用餐区布置得正式一些。下次聚会互相交流结果。两个星期后聚会时，大家都说孩子们的用餐礼仪有了进步。虽然增加了工作量，但却换来了更好的家庭气氛，非常值得。我们建立起这些生活规律，渐渐成为家庭生活的习惯。每天改善一点点，加在一起，就会大大增加生活的乐趣。

TAKE TIME FOR TRAINING

第十三章
花时间训练

孩子的生活中，很多事都需要具体明确的训练。花时间训练孩子的技能，应该成为家庭生活的一个常规内容。愉快的氛围、对每一个小成就的认可，能够让父母和孩子都享受学习的过程。

孩子的生活中，很多事都需要具体明确的训练。孩子当然能够通过观察学习，但我们不能仅仅依靠这一种学习方式。孩子需要通过训练学习穿衣服、绑鞋带、吃饭、洗澡、过马路，再大一点还要通过训练学习做家务。这些不是一次两次的训练，更不是通过没做好就惩罚的方式。花时间训练孩子的技能，应该成为家庭生活的一个常规内容。

每天早上，四岁的温迪都会无助地坐在床上等着妈妈帮她穿衣服。纽扣让她头疼，她还分不清衣服的前后，更别说绑鞋带了。每天早上，妈妈都会为此而责骂她，但最后总是帮她穿好。

温迪发现她的无助很有好处，妈妈会因此而服侍她。而实际上，妈妈需要花一些时间来训练温迪自己穿衣服。

如果我们不花时间训练孩子，那么很快就会发现，我们需要花更多的时间纠正未经过训练的孩子的不当行为。而不断地纠正无法教会孩子技能，因为批评只能让孩子沮丧和愤怒。这样的结果，就是孩子可能决定不再学习了。而且，因为这样的纠正通常没有用处，孩子反而得到了特别关注，会变本加厉。

一个不气馁的孩子，会对事情表现出强烈的好奇和兴趣。父母要察觉这一点，对孩子的尝试给予鼓励，并且要给孩子的探索和学习留出特定的时间。例如匆忙的早上大概不是教孩子绑鞋带的适当时间，时间压力下容易让父母不耐烦，进而引起孩子的反叛。而下午的游戏时间通常是教孩子新技能的理想时间，学习是游戏的一部分。玩具店里有很多辅助训练用品，妈妈也可以自己制作，几个大扣子加上旧衣服上剪下来的扣眼，就可以帮助温迪学习扣扣子。在硬纸板上画鞋子，打几个洞，就可以教孩子穿鞋带绑鞋带。如果孩子参与制作，他们就会更有兴趣。只是看妈妈制作玩具就很有趣了，能参与就更棒了！妈妈也可以借此引导孩子的智能发展，增加创造力。

餐桌礼仪可以通过洋娃娃和茶点派对来教会孩子，让"介绍和欢迎客人"也成为茶点派对的一个环节。火车、汽车、出租车上应有的礼仪，也可以通过坐车的游戏来教导。在游戏中进行角色扮演是极好的训练方式，孩子天生是好演员。

每项技能的训练，都需要通过不断重复直到熟练为止。技巧要一项一项地学习，我们对这个学习过程要有耐心和信心，对孩子说一些鼓励的话，比如"再试一次吧，你能做到"。愉快的氛围、对每一个小成就的认可，能够让父母和孩子都享受学习的过程。另外，有智慧的父母还要训练孩子如何面对不愉快的事情。

格温和博比要做扁桃体切除手术，妈妈觉得让他们提前有所准备比较好。手术前几天，妈妈设计了一个游戏："咱们来假装这个洋娃娃要去医院做扁桃体切除手术，我们首先应该做什么呢？"博比回答："准备一个行李箱！"并且拿来一个玩具行李箱。"里面应该放什么呢？"两个孩子选好了物品，放进行李箱里。洋娃娃穿好了衣服，博比扮演爸爸开车。到了"医院"以后，妈妈、格温、博比和"前台护士"对话，让"病人"顺利入院。接下来妈妈扮演医生，和洋娃娃交谈，她用小推车当作病床，在茶杯的过滤网上套上一只白袜子，假装麻药呼吸器，她对洋娃娃说："贝茨（洋娃娃的名字），现在你会闻到一点怪怪的味道。你只要做几个深呼吸，然后帮我数几个数，很快你就睡着了。"

接下来妈妈巧妙地避开了手术的真正环节，因为孩子们不需要知道睡着以后发生的事情："现在贝茨睡着了，我会把她的扁桃体取出来以后，再把她放回床上去。"妈妈一边说一边把"麻药呼吸器"从洋娃娃脸上摘掉，把她包在毯子里，放回推车上："现在要把她推回病房了。等她醒过来，可以吃点冰激凌。"格温问："她割扁桃体的时候会不会疼？""她什么感觉都没有，格罗根太太。"妈妈继续以医生的角色回答，"你看她睡得多香。""那她醒过来以后会不会疼？""她的喉咙有可能会痛一天，格罗根太太，但是我知道这能够忍受，她不会疼很久的。"然后妈妈问接下来谁要扮演医生？博比愿意，他重复了同样的过程。

第二天，俩孩子相互扮演医生和病人，玩"摘除扁桃体"的游戏。妈妈给了他们一个更大的茶杯过滤网。

当格温和博比真的到了医院，他们表现出了信心和合作。当妈妈说洋娃娃会出现能忍受的喉咙痛时，她坦白承认了这会有疼痛，而她对孩子们忍受疼痛有信心，并且她也轻松地说了疼痛的另一方面：这个疼痛不会持续很久。

怎么训练孩子自娱自乐和获得满足，我们在第三章做了解释。芭芭拉需要学习依靠自己，和自己玩。下面有个不同的例子，在这个例子里，妈妈没有插手现场的情况，以教导孩子自立。很多时候，父母必须站在旁观者的立场上，让孩子自己练习，独立解决问题。

两岁半的简正在气冲冲地尖叫，她的小推车轮子被椅子腿卡住了。妈妈过来查看："简，发生什么事了？"简没有回答妈妈，而是继续使劲跺脚、尖叫。妈妈坐下来，静静地等待。小姑娘使劲拉，可是小推车还是被卡住动不了。妈妈这时建议："除了使劲拉，你还能做什么？"简换了个方向使劲拉，仍然无效。妈妈又建议：
"如果你把推车往后退一下，会怎么样？"简按照妈妈的建议尝
试，推车出来了！她开心地拉着推车跑起来。妈妈说："你自己把
推车拉出来了，不是吗？"

妈妈肯在训练女儿上花时间，这样的训练会持续很多
年。她向女儿展示了克服困难有多种方法。她忍住不帮女儿
把推车拉出来，而是利用这个机会教导女儿，这样训练出她
的独立能力。

妈妈把十个月大的布鲁斯放进沙坑，坐在旁边看着他玩。布
鲁斯把手伸进沙子里，抓起一把，对着妈妈笑，然后把沙子放进
嘴里。妈妈跳起来跑过去："布鲁斯，不可以！不可以！"布鲁斯一
边笑一边在沙坑里乱爬。妈妈抓住布鲁斯，挖出他嘴巴里的沙子，
再把他放回沙坑……这个循环不断重复。

布鲁斯发现了一个好玩的游戏，可以让妈妈为他忙个
不停。当他玩的时候，妈妈不敢看书什么的，因为她必须目
不转睛地盯着他。

妈妈需要花时间训练布鲁斯不随便把东西放进嘴里。

绝大部分婴儿是通过这样的方式感知世界的这个东西什么感觉？尝起来如何？不要以为这是婴儿的自然行为就不用训练他们的自我控制。妈妈可以在布鲁斯把沙子放进嘴里时，把他抱离沙坑，放进推车里。因为布鲁斯不想有规矩地玩沙子，那他就需要离开。布鲁斯可能会反抗、哭闹，妈妈可以看自己的书，让他哭闹，尊重他表达愤怒的权利。等布鲁斯安静下来以后，而不是哭闹的时候，让他再试一次。只要他又把沙子放进嘴里，她就再把他抱起来放进推车。很快，布鲁斯就会明白：沙子放进嘴巴，就要坐在推车里。妈妈不需要对布鲁斯说教，布鲁斯不会听从妈妈的话语，但他会明白妈妈的行为。

当家里孩子增加时，家长容易忽视对幼儿的训练。这样年龄较大的孩子可能会替幼儿做事情。父母需要观察，看较大的孩子是否在利用这个机会建立自己对幼儿的权威控制。每个孩子都应享有平等的训练时间，以发展个人技能和价值感。

不要在客人面前或公共场所训练孩子的新技能，在这样的环境下，孩子会采取最习惯的方式而不是新技能。如果父母希望孩子在公共场合守规矩，则需要在家里训练。如果孩子在公共场合行为失控，较好的解决方法是安静地将孩子带离现场。

WIN

第十四章

赢得合作

CO-OPERATION

在过去的专制社会中，合作的意思是按照命令做。下属要与上级"合作"。民主为这个词赋予了新的意义：我们一起工作，达成情景所需的目标。

八个月大的丽萨换尿布时又踢又翻又扭，几乎让妈妈无法进行。妈妈经常气得轻打她一巴掌，让她安静下来。丽萨则会委屈地哭。

可能我们会吃惊，八个月的婴儿就能用非语言的理解能力发现让妈妈受挫的方式。我们好像从来不愿承认婴儿的智力其实很高，相反，我们似乎更愿意把很聪明的孩子当成傻傻的，认为他们不懂，然后按照这样的想法把他们养成傻傻的成人。任何会观察孩子的妈妈都会发现并承认，婴儿非常聪明。

九个月的诺曼，父母都是聋哑人，而诺曼是正常孩子。有一天他在地上爬的时候磕到了头。他坐在地上转向妈妈，开始哭。他张大嘴巴，脸扭成一团，泪流满面。但让人吃惊的是，他没有发出任何声音！别人继续在旁观察。这时妈妈快速跑向诺曼，把他抱起来安抚。婴儿能够察觉周围的状况，并调整自己加以适应。诺曼没有发出声音，因为他能感受到父母听不到。再大一点的孩子会用使劲跺脚的方式而不是尖叫，向聋哑父母表达自己的愤怒。父母感受到震动，就会做出反应。

在上面的例子里，妈妈需要训练丽萨在换尿布时做她应做的那一部分，妈妈可以赢得合作。首先，妈妈要明白丽萨的目的，以便有行为方向。其次，妈妈可以调整丽萨的生活，增加洗澡穿衣服的次数，由此训练丽萨。再次，每次丽萨乱动不让妈妈给她穿衣服的时候，妈妈可以平静地给她温暖的微笑，用手抓住她说："我的宝贝能学会静静躺着。她是个大姑娘，能做到既可爱又安静……"丽萨能不能听懂每个词并不重要，她能感受到妈妈的意思。妈妈的爱从微笑中传递出来。丽萨能感受得到，并且给予回应。同样，婴儿能从大人紧皱的眉头中感受到愤怒，也会通过更大的力量回应。如果妈妈能做到不动怒，只是用令人愉快的方式坚持，丽萨就会明白。只要丽萨安静下来，妈妈就放开她。如果她再扭动，妈妈就再抓住她。这样就能让丽萨学会合作。

在现在逐渐民主化的社会环境中，我们发现有必要对一些词汇的真正含义进行新的审视。例如"合作"，在过去的专制社会中，合作的意思是按照命令做。下属要与上级"合作"。民主为这个词赋予了新的意义：我们一起工作，达成所需的目标。民主环境有更多的平等和自由，也同样有更多的责任。当专制的情况不再，我们就需要用技巧鼓励孩子合作，而不是要求孩子合作，也不是命令孩子合作。我们需要赢得孩子的合作。

妈妈给四个孩子分配了家务活，每个人早上要铺好自己的床，此外，斯图尔特负责清理卫生间，吉纳维芙负责洗碗，罗伯塔负责打扫客厅，龙妮负责把垃圾和报纸倒掉。每一天，为了让他们做好自己分内的事，妈妈都是先提醒再责骂，最后是大吼和惩罚。她经常对孩子说的话就是："你们最好合作，否则有你们好看。"

很明显，妈妈这句话的意思是："你们要做我让你们做的事，否则有你们好看。"她强制决定每个孩子应做的事，并且"让"他们去做。四个孩子就会对这种压力进行反抗；与此同时，正是这种强制的方式刺激了叛逆和挑战。妈妈分配家务活的态度摆明了她是老板，而孩子的反应则是"来，看看你逼迫我会发生什么"的态度。这就成了权力之争，这不是合作。妈妈是在把自己的意愿强加给孩子，而不是赢得他们的合作，以促成全家共同担负生活的责任。那么妈妈怎么才能鼓励孩子，达成真正的合作呢？她可以找时间和所有家庭成员讨论一下，列出家务活儿清单。然后妈妈先选择她将做哪些工作，再问大家剩下的工作怎么办？爸爸和孩子们选择自己想做的工作。这样妈妈就表现出了她对孩子们的尊重，让他们选择和决定。如果有人没有做自己分内的活儿，妈妈什么也不用说，也不用帮他做。这项工作被荒废一周后，妈妈可以再开一次会："斯图尔特上周选择了打扫客厅，他到现在还没有做。我们应该怎么办呢？"这个"我们"就将责任给了全体人，妈妈不再是权威，而只是一个引领者。每个人的建议都会得到尊重，最终达成大家都接受的解决办法。来自全家的压力是有效的压力，而来自大人的压力则会激发反抗。这种解决问题的方式叫作家庭会议，我们会在后面讨论。

我们想要强调的是，现在的家庭是团队，而不再是一人领导，其他服从，团队会激发每位成员为整体利益而努力。每位成员都会关注家庭的整体需求。合作的意思，就是每个成员各自努力，共同完成对全体最好的事情。

比如四个成员的家庭里，合作就像一辆四轮货车。每个成员是一个轮子，全家人一起就是货车。四个轮子需要同时滚动才能让货车顺利移动。如果一个轮子卡住了，货车就会忽然停下来或者改变方向。如果一个轮子掉了，货车就需要修理，否则无法前行。每个轮子都同等重要，没有哪个格外重要。货车行进的方向，也是由四个轮子一起决定的。如果其中一个脱离，这辆货车就会成为废物。这个道理和家庭成员具体有多少个没有关系，这辆家庭货车可以由任何数量的轮子来支撑。

当我们说训练孩子合作时，我们自己需要率先有合作的态度。这个合作，不是妥协，而是心里有这样的想法：我要跟大家一起，和谐地朝着共同的目标努力。当家庭的和谐氛围被干扰时，我们就知道这个合作被打破了——货车的一个轮子或者更多的轮子被卡住了，我们自己很可能就是被卡住的一个。

家里的每个成员都可以学着思考：怎么做对整个家庭团体最好？"现在这个情况，需要我做什么？"我们要想的，不是要别人做什么，这是我们把自己的意愿强加给别人，是对他人的不尊重。我们也不能为了和气而过分顺从他人，这样是对自己的不尊重。在我们帮助孩子学习合作时，要常常提醒自己合作的真正意义，有基本的共同规则，并且每个人都接受。

父母所做的有害无益的事情中，有一样就是：我们决定多大年龄的孩子才能帮忙做家务。当一个刚学步的孩子想帮忙摆餐具时，我们说："哎呀，不行，你还太小。"等他长到了六岁，我们又要求她摆餐具。这时孩子会觉得，反正父母一直不需要我帮忙，凭什么现在我要帮忙？我们浪费了很多能让孩子出份力的机会。如果孩子很小就得到允许可以出力——不是被要求，而是被允许——他就能体会到其中的乐趣，为自己的小小成就而自豪。

七岁的沃德感冒了一个星期，每天五岁半的唐娜和四岁的洛兰在游戏室玩。星期六早上是全家的大扫除时间，每个人都要出力。这是沃德病愈后的第一个活动。到了打扫游戏室的时候，沃德说："我觉得我不用帮忙，因为这个星期我一直在床上，没有把这里弄乱。"妈妈说："没错，沃德，我知道你没有弄乱这里。我相信如果你问问唐娜和洛兰，她们会需要你的帮助。"沃德想了想，开始帮两个妹妹收拾玩具，妈妈吸尘的时候还帮忙擦桌子。后来沃德又发现最上层的玩具摆得不够整齐，建议大家说："我们一起把玩具摆整齐吧。"三个孩子和妈妈一起开心地打扫。他们做完以后，唐娜开心地大声说："哇，这里看起来真棒！""是啊，真的是这样呢！"沃德非常同意，并且骄傲地补充："而且是咱们一起做好的！"

沃德的想法有道理，而且他的抗议也可以理解。可以看得出这个家庭已经建立起了很好的关系。妈妈用很智慧的方法赢得了沃德的合作，她认同沃德的想法和抗议，并且巧妙地引导沃德将关注点转向当时情况的需要以及他可以给妹妹提供帮助。同时妈妈让沃德感受到作为家里最大的孩子，帮忙是一种光荣，这说到了沃德的心里。当沃德提出大家一起把顶层的玩具摆整齐，他发现自己不但能帮忙，还能引领。大家既完成了必要的工作，又享受了快乐时光。

有的时候，为了赢得孩子的合作，我们可能需要帮助孩子在家庭关系中重新定位。我们回到第二章贝丝的问题。贝丝并没有意识到自己在家里的地位已经发生了变化，她需要引导。妈妈寻求专家帮助，专家告诉妈妈，贝丝认为只有幼小无助的婴儿才重要，并帮助妈妈看到拒绝贝丝对贝丝造成了负面影响，据此他们为贝丝制订了重建价值感的计划。

重建价值感的第一步，就是妈妈让贝丝帮助照顾婴儿。妈妈请贝丝从厨房的保温器中把奶瓶拿过来，可是贝丝却生气地冲出屋子。过了一会儿，贝丝回来了，尿湿了裤子。妈妈意识到，贝丝的问题的确比较严重。但这次她没有大惊小怪，也没有责怪。她把贝丝抱起来，问她是不是想再次成为妈妈的小宝宝？贝丝紧紧抱着妈妈，啜泣起来。妈妈深深体会到贝丝的感受，静静地安抚她。然后，妈妈建议贝丝睡到她曾经用过的婴儿床上，帮她换尿布，用奶瓶给她喂奶喂水，像对待小弟弟一样对待她。第二天早上，贝丝愉快地发现，妈妈先帮她换了尿布才去照顾弟弟。六点钟,她也有享用奶瓶的时间。妈妈还会给她婴儿食物。晚些时候,贝丝想在床上玩玩具,妈妈给了她一个婴儿玩具。她想要蜡笔,妈妈回答:"小宝宝不会涂色,你是我的小宝宝呀。"每次贝丝想要非婴儿物品时,妈妈都温柔并理解地给她这个答复。过了一天,到了中午的时候,贝丝急切地宣布,她是个大孩子,不想当婴儿了。"好的,没问题,宝贝。"妈妈回答,"那你觉得你是不是能够帮助什么都做不了的弟弟呢?"贝丝给了妈妈热切肯定的回应。妈妈接下来鼓励了她"长大的行为",贝丝的婴儿行为就此消失了。

在这个例子中,妈妈将很多孩子难以通过语言理解的事情,用行动让孩子体会。她给贝丝时间,让她自己发现做婴儿并不是她看到的那样,让她自己发现长大的好处。有能力比做个无助的婴儿好很多。通过这些行为,妈妈帮助贝丝重新确立了自己的家庭地位,她是个有能力帮忙的大孩子。

妈妈和五岁的埃迪准备开车去火车站接爸爸。天气非常寒冷,埃迪调皮地把车窗摇了下来。妈妈说:"等你把车窗摇上,我就开车。"埃迪不摇,妈妈平静地坐着。埃迪说:"你一开车我就把车窗摇起来。"妈妈什么都没说，只是继续平静地坐着。埃迪又说："那等你把钥匙插进去我就摇起来。"妈妈还是平静地沉默着，她的态度表现出她不和孩子发生战争。埃迪终于把车窗摇上了。妈妈发动车子，友善地微笑着问埃迪："阳光照在雪上是不是很美？好像很多钻石在闪光。"

妈妈没有命令埃迪"把车窗摇上"，这样避免和孩子卷入权力之争。她清楚及时地表达了自己要做的事情，不带怒气地保持了坚定的态度。但埃迪试图通过其他方式诱使妈妈就范（或者部分就范），妈妈只是平静地等待。当埃迪采取了符合当时情况需要的行为，妈妈用友善的微笑表示感谢，并自然地转移了埃迪的注意力。埃迪自然迅速合作，表示他懂得了尊重。

九岁的帕特和好朋友正在用意大利通心粉做项链，妈妈带着十月的兰迪进来："帕特，帮我照顾一下弟弟。我要去接爸爸。""噢！妈妈，他会把这里弄得乱糟糟的。为什么总要我照顾他？""够了！照我说的做！"妈妈刚走，帕特就狠狠地瞪弟弟，因为弟弟已经朝着他感兴趣的目标爬了过去。帕特使劲把他拽回来，给他一个玩具熊。兰迪把玩具熊丢在一旁，继续朝着放通心粉的盘子爬去。妈妈回到家时，兰迪在尖叫，帕特在大吼。妈妈立刻加入进来:"你怎么就不能好好照顾弟弟十五分钟呢?!"

妈妈说话的态度和急迫的命令，立即激起了帕特的不满。如果妈妈能静下心来想想，就会明白，如果她自己的朋友强迫她，她也会反感。

我们说话的语气和态度，是赢得孩子合作的重要因素。很多时候，我们能够察觉到，孩子之所以反抗，可能是我们提出要求的时间不对，比如上面帕特的例子;也可能是我们要求的是孩子憎恶的事情。不论怎样，发生这些反抗的时候，我们通常会故意提高音量，希望这样可以压过孩子，战胜他们的反抗。而事实上，我们这样反而增强了孩子的反抗程度。

只要有礼貌就能赢得孩子的合作，我们可以用尊重孩子想法的方式，提出我们的要求。"很抱歉，我打扰你一下"，或者"我明白可能你有些不愿意，但这对我来说是帮了个大忙"，或者"如果你认为你能……我将非常感激"。这样可以保持家庭和谐，减少不满，赢得合作。

十岁的阿蒂斯住在郊区，公交车不到那里。她最好的朋友帕特家有点远，走路肯定不行，而现在是冬天，骑自行车太冷。两个小姑娘却想每天黏在一起。阿蒂斯的妈妈只好每天接送女儿，如果有事情不能接送，两个孩子都很失望。这样的情况越来越累人。

这是个需要合作解决的问题。一天晚上，阿蒂斯和妈妈一起洗碗，气氛愉快。妈妈和女儿尝试讨论这个问题。妈妈解释了她的想法：她理解阿蒂斯有权利去看望朋友，与此同时，她觉得每天来回接送非常耗费时间和精力。妈妈接下来问："你想想，我们可以怎么做呢？""嗯……也许我们可以少见面。""那你觉得一周送你去帕特家几次比较公平呢？""嗯……我想，一个星期两次吧。如果帕特每个星期也能来两次，就更公平了。"妈妈回答："好啊，我很愿意每个星期送你两次。"阿蒂斯问："哪两天比较好呢？"妈妈想了想说："星期二晚上和星期六下午我比较有空，这两天怎么样？""我喜欢这个方式，这样我就能很确定地知道什么时候可以去帕特家了。"

通过合作，这个问题解决了。妈妈和女儿都没有觉得被强迫，他们都尊重对方的权利。当然，妈妈要说到做到，在那两天里，除非事先和阿蒂斯商量好，否则不能做其他安排。

十一岁的弗雷德新近丧父。他和妈妈住在郊区，每个星期六到城里上音乐课。弗雷德想把时间改到星期三下午——他唯一有时间的时候——这样他星期六可以参加球队活动。可是妈妈和朋友们每星期三聚会,她对弗雷德的要求感到不满。两人都觉得对方在强迫自己,因而陷入了僵局。妈妈找到我们寻求帮助。

弗雷德向我们表达了他的想法和观点,我们非常理解,但不需要全盘接受。我们没有必要跟他发生冲突,或者以专家的身份强迫他服从妈妈,这样只能让他更受伤害,和妈妈的关系更加恶化。我们跟他说,因为妈妈寻求我们的帮助,我们建议妈妈同意他星期三上音乐课。弗雷德听了难以相信,他一直认为妈妈不会让步——她对这件事非常固执(令人惊讶的是,当父母说孩子很固执时,从未想过孩子也这样想父母)。我们保证妈妈会接受我们的建议。弗雷德忽然表现出很为难,他说他不确定妈妈是否应该让步。"为什么不呢? 你星期六在球队得到的好处,大于妈妈星期三聚会的好处呀。"弗雷德思考着:"不,不是这样。爸爸过世后,那些朋友对妈妈很重要,不让她聚会对她很不好。""哦,那应该怎么办呢?""我想,还是维持原来的样子吧。"

弗雷德为什么忽然做出了让步? 因为当他看到自己的理由被理解,自己的权利被尊重,他就不再觉得被强迫,就能恢复理智,客观地看待当时的情况需要了。

任何人在被强迫时都不会通情达理,把我们的想法强加给别人,是无法赢得合作的。

事实上,所有的人际关系中都有合作的存在,只是我们很少仔细研究。有的时候,父母需要重新调整这个人际关系。第二章中的大卫和乔治,实际上正是以合作的方式来维持他们的人际关系的。当"好大卫"激怒乔治成为"坏孩子"时,乔治就通过自己的行为回应大卫。当"坏乔治"表现出好行为,"好大卫"就会不舒服,觉得自己的地位岌岌可危,于是再次激怒乔治,如此循环。两个孩子通过这样的合作方式,让妈妈忙着表扬大卫、责骂乔治。这个既定的互动合作关系中,如果向任何一个方向转移,都能使情况发生变化。告诉乔治他也能成为好孩子,这没有用,一定要稳定平静地鼓励他改变自己的合作方式。乔治不相信自己可以做"好孩子",何况,当他好的时候,弟弟会加倍努力让他"坏"。这时,妈妈可以通过自己对两个孩子的了解,针对不同孩子做出不同反应,以改变现在的合作关系。首先,当乔治认为自己"坏"的时候,妈妈可以不接受他的自我认识,同时停止关于好和坏的评论。而每次当大卫表现很好时,妈妈可以平静地接受:"好,我很高兴看到你享受其中的乐趣。"而当乔治表现出不良行为时,妈妈可以先拥抱他说:"我理解你。"可能你会说,这太难了。是啊,这不容易,谁说过做父母是件容易事儿呢?

AVOID GIVING UNDUE ATTENTION

第十五章
避免给予过度关注

如果我们发现孩子没有什么正当理由而让我们不停地为他们忙碌，并且我们觉得不高兴或者烦躁时，我们可以确定自己正面临孩子要求过度关注的情况。

　　一家人到度假小屋避暑。爸爸出去钓鱼了，妈妈在厨房忙碌。两岁的希尔达站在门口。"妈咪！""怎么了？""妈咪！""什么事，宝贝？""妈咪！""我听到了，宝贝，什么事？""妈咪！"妈妈放下手里的事情，走过去。"什么事呀？""散步！""等一会儿哦。"妈妈回到厨房继续忙。希尔达仍然站在门口，鼻子贴在纱门上。"妈咪！""又怎么了？"……同样的情况重复了三次。当希尔达第四次重复时，妈妈再次走向她："哦，好吧，希尔达，我们出去散散步，但我等一下要回来做晚饭哦。"妈妈牵起希尔达的手，扶着她下了台阶，两人一起去散步。

　　希尔达没有过去找妈妈，而是让妈妈过来找自己，妈妈的回应是对希尔达寻求过度关注的最终妥协。

　　这个寻求过度关注的孩子并不快乐，她认为当她不能得到关注的时候，她就没有了价值感，没有了家庭地位。她不断寻求确定自己是否重要。因为有这样的自我怀疑，当妈妈注意到她，她就停一下。很快，她又会产生同样的潜意识疑问："妈妈仍然会关注我吗？""我在妈妈心目中有重要位置吗？"这形成了恶性循环，对孩子的性格发展会产生多么可悲的影响，而且妈妈在此时也觉得很无奈。

　　每次希尔达的做法得到妈妈回应时，就是一次成功，这样反而给希尔达渐渐形成了一堵"墙"，这堵"墙"让希尔达没有寻求获得自我价值的其他方式。每次她这样叫妈妈，都会成功。我们假设妈妈停止自己的回应模式，不再回应希尔达的过分要求，希尔达没有得到她习惯的妈妈的回应和妥协，她将会——刚开始会有不满和反抗——寻找不同方式解决她的无聊。这里不是说任由希尔达自己去寻找，这样有可能使希尔达做出破坏性行为，而是妈妈可以提供一些有建设性的帮助。妈妈可以在看到她有恰当行为时，给予她鼓励。就现在的情形而言，妈妈对自己不够尊重，任由女儿把她当成奴仆。同时，妈妈也表现出对希尔达的不尊重，她不相信女儿有独处的能力。

　　妈妈可以不理会希尔达一而再再而三的呼唤，第一次叫她的时候，妈妈可以愉快地回应，告诉女儿她现在很忙，但不用走过去。希尔达又叫妈妈时，她可以不做任何回应。希尔达可能会尖叫，妈妈可以继续忙自己的事情，保持情绪稳定平和。妈妈有权继续工作，也有义务和责任训练孩子学会如何适应环境。希尔达没有权利随心所欲，想出去散步就把妈妈叫出去散步。妈妈不对希尔达忽然兴起的念头让步，可以跟希尔达设定一个散步的时间，让希尔达感受接受规律和顺应环境的好处。如果希尔达走过来要求妈妈去散步，妈妈可以说："现在还没有到散步的时间，宝贝。"然后不再说什么，不论希尔达做什么，妈妈都保持稳定平和的态度继续做她的事情。

下午妈妈的朋友来家里喝咖啡，三个孩子中的老小玛丽跑过来告另一个孩子的状。妈妈说："嗯……我想可能她今天下午有点不舒服吧。"玛丽问："为什么？"妈妈努力向她解释。可是每次妈妈讲完，玛丽又问："为什么？"最后妈妈让玛丽出去玩，好让她和朋友继续聊天。玛丽出去了，没过一会儿又回来问："为什么？"大部分时间都被玛丽这样浪费掉了。妈妈向朋友承认："每次家里来客人，她就用这招儿来引起注意。"

妈妈知道这是玛丽的招数！玛丽是老小，认为自己应该拥有所有的关注，让妈妈为自己忙个不停才能显示自己的重要性，让妈妈的注意力不被朋友占据，比自己和伙伴玩耍及友谊更重要。而妈妈似乎不明白女儿的行为不恰当，屡次原谅她。妈妈明白她的招数，却不明白招数后面的心理含义。一旦认识到女儿让她一刻不得闲是因为如果得不到妈妈的关注，她就会感到不安和迷茫，妈妈就能学会拒绝给予女儿过度关注，这样才是真正帮助她成长，并学会自我满足。

　　当着客人的面训练孩子不容易，玛丽第一次打岔时，妈妈可以说："我明白你的意思，现在家里有客人，你是想继续和伙伴玩先不打扰我们，还是在你自己房间玩更高兴？你来决定吧。"这样给孩子选择，能够提高她的合作意愿。

　　当孩子不停地问"为什么"时，我们可以审视一下当时的情况。孩子是真的想要了解知识信息吗？有时候我们不知道孩子无休止地问"为什么"其实并不是想知道答案，而是要让父母保持对他的关注。当孩子不停地问"为什么"时，他的表情怎样？他是好奇吗？他的问题合理吗？如果我们仔细观察，就会发现，有时候孩子的"为什么"是不合理的问题，是为了让父母为自己忙碌。他利用父母想"教"他的念头，吸引父母的注意力，并不是真的想学习。如果我们停下来，仔细观察一下，就能很容易发现不同。如果孩子反复询问相同的内容，方式也是一遍遍重复，前一个问题还没有得到答案第二个问题就冒了出来，是为了问而问，而不是为了学而问，那我们很有可能掉进了这个陷阱。我们可以笑着给孩子一个会心的微笑："我喜欢这个'为什么游戏'，只是我现在必须去做别的事情了。"或者，只是一个会心的微笑和紧闭的双唇，就能解决这个问题。孩子不喜欢自己的把戏被识破，所以他有可能表现出无辜、生气、愤怒，或者用变本加厉的方式想要得到更多关注，这时候父母不用惊讶，可以平静地暂时离开现场。

约翰五岁，他的妹妹四岁。约翰是个好孩子，只是有一件事让妈妈很抓狂。每次妈妈打电话时，约翰总有事情烦她。他要么让妈妈看什么东西，要么想要出去，要么想邀请朋友来玩，要么想吃东西，要么让妈妈帮忙拿东西，要么想找某个玩具。有时候妈妈会挂断电话帮他，大多数时候妈妈会责备他："我讲完电话之前，不要来烦我！"这时候，约翰就去招惹妹妹，把她弄哭。

约翰平时是个听话的孩子，会多少感到自己不太受到重视，但是他发现了一个绝妙的办法证明自己的重要性。当妈妈为妹妹忙碌时，约翰可能发现要获得妈妈的关注不太可能，而她打电话时，他就能把妈妈从别的大人那里抢过来。

这时候约翰是在需要过度关注，他需要妈妈的全部关注，他只有在这个时候才觉得自己有价值。妈妈需要把他从寻求过度关注中引导出来。首先，妈妈需要了解这个"好孩子"并不太确定自己的家庭位置，平时更多表现出对他的关爱，而不是只在他有过分要求时才关注他。其次，打电话的时候，妈妈可以忽略约翰的过分要求，继续打电话。另外，妈妈可以提前和朋友说好，这样朋友不会觉得突兀或惊讶。妈妈没有必要放弃和朋友的沟通，这样做需要妈妈有很大的毅力。尤其是当约翰招惹妹妹时，相信小一岁的妹妹可以应付。慢慢训练约翰自我满足，而不是时时通过得到他人的关注和认同。这一期待很值得。

当我们不再对孩子要求过度关注给予回应，我们必须在他们合作及表现好时给予恰当的鼓励，这样才能帮助孩子重新审视自己的行为，确立自己的价值。当希尔达自己玩时，妈妈可以说："希尔达，这样真好，你知道怎么照顾自己了。"当玛丽和伙伴玩得愉快时，妈妈可以说："我看到你和朋友玩得很开心。"当约翰不带任何目的，只是表现良好时，妈妈可以高兴地说："大家相处得这么好，咱们都很快乐！"

我们需要给孩子关注，但我们也需要察觉适当关注和过度关注之间有何不同？如果我们发现孩子没有什么正当理由而让我们不停地为他们忙碌，并且我们觉得不高兴或者烦躁时，我们可以确定自己正面临孩子要求过度关注的情况。我们来审视这个情况：孩子要求的是什么？如果我们不介入，孩子自己能否处理？如果我们有所回应，会对孩子的自我认知有什么影响？我们的反应会帮助孩子懂得他是个有能力的人，还是会导致他认为自己无助、无力，需要他人帮助才行？我们要帮助孩子根据不同需求做出自己的贡献，并从生活中获得满足感。我们要进行这样长期的正面影响，而不是获得立竿见影的短期满足。

SIDESTEP THE STRUGGLE FOR POWER

第十六章
避免权力之争

最重要的是坚持——我们自己要做什么，而不是我们要改变孩子做什么。了解、鼓励、合理后果、相互尊重、尊重规律、赢得合作，这些都是解决权力之争的方法。

"把狗盆洗干净!"妈妈对苏琳妮说。"噢,什么? 凭什么要我洗?!""我让你现在把狗盆洗干净,赶紧去洗。""我看不到非得是我洗的原因!""因为我让你去洗!"苏琳妮耸耸肩,不再回应。几个小时后,妈妈发现狗盆还是很脏,爬满了蚂蚁,她大声对女儿说:"几个小时以前,我就告诉你把狗盆洗干净,你怎么不做呢? 你看看,到处都是蚂蚁! 赶紧去洗,现在就洗!"苏琳妮答应了,妈妈回去做她的事,可实际上苏琳妮根本没有洗。过了一会儿,妈妈发现狗盆还是脏的。这次,她打了苏琳妮一下。小姑娘吊着脸,不说话也不哭。妈妈说:"如果你现在不马上洗干净,今天晚上你就不能看电视,而且还得提前上床睡觉! 我还会狠狠揍你一顿! 现在就洗!""好,我会洗的。"苏琳妮弯腰拿起狗盆,妈妈转身离开了。可是那天晚上,妈妈发现狗盆还是脏的。

苏琳妮和妈妈进行着权力之争。妈妈试图强迫女儿按照她的话去做,而女儿则想要表现谁才是真正的老板。

类似权力之争的情况现在正在以惊人的速度增加,越来越多的父母把他们的孩子带到我们中心,这些孩子都热衷于得到很多权力。为什么会这样? 这个社会发生了什么? 现在的孩子对我们做的事,很多是我们对自己父母想都不敢想的,怎么回事?

这是因为现在的社会文化正在发生剧变。孩子们也能体会到现在的民主氛围，对大人给他们强加权威感到厌恶。他们会更加想要反抗，通过反抗我们的强权来展示自己的力量。这就形成了恶性循环：父母通过各种方式显示自己的权力，然后孩子们向父母"宣战"，不愿受到控制或支配。父母所有对孩子的强制或镇压都会无效，孩子们在斗争中灵活无比，他们才不会去想面子问题，或者自己的行为会有什么危险后果。就这样，家庭变成了一个战场，没有合作，没有和谐，只有怒气和争斗。

帕蒂十二岁，妈妈通过各种方式让帕蒂同意用饭盒带午饭去学校，并且到家以后自己把饭盒洗干净。刚开始几天很顺利，可是有一天帕蒂没有洗饭盒，妈妈发现厨房台面上放着帕蒂的饭盒，里面有剩饭和发酸的牛奶，妈妈非常生气。她对帕蒂指责和说教了一番，帕蒂保证会记得洗饭盒。可是几天之后，同样情形又发生了。这次，妈妈想："要用自然结果，不理她。"可是她心里非常生气，想着"要给帕蒂一个教训"！第二天早上，妈妈把帕蒂的午饭装在纸袋里，饭盒还留在厨房台面上。帕蒂一看就知道是怎么回事儿！她不满地想："我绝对不会洗的！"于是，发霉的剩饭继续留在厨房台面上，帕蒂继续用纸袋装午饭。又过了几天，妈妈忍无可忍，对女儿大发了一顿脾气。帕蒂也怒目而视，坚决不洗饭盒。最后，妈妈实在没有办法，把帕蒂拽到厨房，打了她一顿，强迫她把饭盒洗干净。"从现在起，你记不记得要洗饭盒？"妈妈厉声问。"是的，妈妈。"帕蒂回答。可是第二天，帕蒂又留下了脏饭盒。结果是，妈妈彻底绝望了，就此放弃："你不能再用饭盒，只能用纸袋子。""我无所谓，反正我们同学都不用饭盒。"

从帕蒂对洗饭盒开始怠工那天起，权力之争就发生了。妈妈试图强迫帕蒂洗饭盒，虽然她想的是自然结果，实际却是在惩罚——"要给她一个教训"！妈妈隐藏的怒气，帕蒂能感受得到，妈妈并不理解自然结果的真谛。当她把午饭放进纸袋里，并给帕蒂牛奶钱的时候，自然结果就已经失效了：即使女儿没有合作，妈妈仍在继续为她服务。妈妈可以像平时那样准备好午饭，但不装起来，因为没有干净饭盒，就让午饭放在厨房台面上。同时让帕蒂自己决定怎么做。

另外，帕蒂通过行为向妈妈表达她不会洗饭盒的，她宁愿忍受惩罚，也不愿屈服。那么除了让帕蒂自己决定，妈妈还可以怎么处理这件事情呢？

妈妈需要真心不在乎那个饭盒。这是帕蒂的饭盒，如果她不想洗，那她的午饭就没有容器。妈妈只能决定自己的行为：首先，发霉的食物不应该留在厨房，让食物留在厨房是相互的报复。打帕蒂并强迫她洗干净，是使用暴力让权力之争升级。事实也证明尽管帕蒂答应了，但行为却仍在反抗。帕蒂的反抗让妈妈生气，她感到自己无法支配女儿，想要让女儿明白，她不能违抗妈妈。结果越来越糟。如果妈妈能够了解帕蒂如此坚决反抗的缘由，这个权力之争就不会发生了。在这个案例中，帕蒂从一开始就讨厌用饭盒，因为初中生很少有人用饭盒带午饭，小孩子才用饭盒。那为什么帕蒂开始不和妈妈说明白呢？因为一开始妈妈就用各种方式迫使帕蒂答应，结果帕蒂开始利用这件事和妈妈进行权力之争。到了最后，她赢得了战争，妈妈输了。如果妈妈看到女儿没有洗饭盒，和女儿友善地谈一谈，了解女儿对午饭的感受，就能避免这场持续多日、让双方痛苦的权力之争。妈妈可以说："我看到你没有洗饭盒，是不是不喜欢饭盒，希望用纸袋，并且我给你钱买牛奶？"这样简单的询问，权力之争就消失了。

不论什么时候，当我们命令或者强迫孩子做事情，就会导致权力之争。这并不是说我们不要引导和影响孩子发展恰当的言行，而是说我们应该用有效的方式进行。我们需要摒弃过时的、无效的态度和方法。

　　五岁的吉米让妈妈伤透了脑筋。妈妈经常对吉米抱怨，也会当着他的面对其他人抱怨。两人经常为了一些小事发生争执，无论妈妈怎么说，吉米就是屡教不改。如果妈妈体罚吉米，最多能让他好上很短一段时间，很快又开始了战争。比如今天，吉米没有正常大便，妈妈已经花了几年时间训练吉米有规律大便。吃过早饭，妈妈让吉米大便，吉米说他现在没有大便，妈妈让他出去玩。中午，妈妈把衣服收进衣柜时，闻到了一股臭味。她找了很久，发现吉米竟然把大便拉在了爸爸的帽子里。妈妈冲出去找到吉米，把他拽进房间里，质问他关于帽子的事情，狠狠地打了他一顿。吉米立刻又尿了裤子。妈妈认为，这是因为他当时在挨打。可是，那天吉米连续尿裤子，晚上还尿床。

　　吉米还是婴儿时，妈妈就对他的大便规律很在意。她对吉米表达出的是："我要你大便时你就得大便。"而吉米则通过自己的行为表达："我想什么时候在哪里大便，我就什么时候在哪里大便。"他很早就用这个办法击败了强势的妈妈。妈妈和吉米的生活，就是一场权力之争不断持续的状态。除非妈妈明白这个道理，并且知道该怎么做，否则很难改变现状。

很多对训练孩子大小便过度关注的父母，其实都是在给自己制造麻烦。适当的关注和过度关注的区别在于我们的态度。如果我们固执己见地要训练孩子定时大小便，就会招致孩子的反抗。如果我们提前思考，并鼓励孩子适时大小便，就会赢得孩子的合作。

经过一段时间，当我们发现孩子似乎在利用大小便训练获得过度关注或者反抗父母时，我们就要不动声色地停止，让孩子顺其自然地发展吧！只要大小便和权力之争产生联系，我们就应该停止，从容易形成规律的其他方面入手。如果孩子已经够大了，还在故意尿床，妈妈可以让孩子睡在尿湿的床上，或者让他自己换床单。如果他正处在脱掉纸尿裤的年龄，妈妈可以让他穿着方便训练的裤子。如果家里有地毯或者不能被尿湿的家具，妈妈可以让孩子多待在不怕尿湿的地方。这些事情都应本着轻松的态度，本着"家里有些合理的限制，这是你自己的事，你想大小便的时候自己会去"这样的态度。如果不能通过随便大小便得到过度关注或者赢得权力之争，孩子自然会选择放弃让自己不舒服的方式。

读到这里，有些读者可能会困惑，什么时候我们不管，什么时候我们该管？有些时候，关系到孩子生命危险，我们需要用强力；还有的时候，我们需要借由体力优势维持规则。

　　彼得五岁半，患了严重的感冒，不能上学。下午，雪开始融化，彼得想出去玩。妈妈说："儿子，你现在不能出去，你咳嗽还很严重。"彼得生气地噘着嘴。没过一会儿，妈妈听到开门的声音，看到彼得自己穿上棉衣和靴子到了门外。妈妈跟出去，拉住他的手，告诉他现在应该到屋子里去。彼得不愿意，妈妈把他抱起来，进到屋里："彼得，对不起，今天你还不能到外面去玩，再好一点就可以了。"彼得开始大哭大叫。妈妈知道捂得太多对彼得不好，就放下他，平静地脱下他的棉衣。彼得发怒地冲向大门。妈妈静静地站着，把住门，什么也没有说，也没有试图让彼得不要生气。因为用力哭闹尖叫，彼得开始剧烈地咳嗽，并大声叫道："我恨你! 我恨你! "妈妈什么都没有说，只是不让他出去。最后彼得冲进自己的房间，倒在床上。妈妈继续做自己的事情，放心让彼得处理自己的愤怒情绪。

　　如果旁人没有经验，看到这个会觉得这是一场权力之争，彼得想出去，而妈妈强迫他留在屋子里。然而事实上，妈妈并没有加入这场权力之争，她只是在适应情形的需要。我们怎么才能看出不同呢? 那就是妈妈的态度。妈妈有责任坚持和维护当时的需要，她做到了——她没有生气、受挫、专制。在这个具体的情况里，尊重情形就是服从对健康的需要。彼得和妈妈之间发生的情况，不是权力之争，因为这和妈妈的利益没有关系。这是个重要的线索。当我们搞不清是否是权力之争时，我们可以问自己："在这件事中，我个人的好处是什么？"

然而，有很多父母借这个问题自欺欺人，觉得自己是为了孩子好。我们确定吗？问问自己，这是为了孩子好，还是为了维护我们自己的威望？如果孩子顺从，我们是不是得到了个人心理的满足？希望别人都能看到我们的孩子很听我们的话？我们是不是希望自己得到"好家长"或"成功家长"的名号？我们是不是在寻求对孩子的主导权？

另外一个判断是否是权力之争的线索，是看结果。尽管我们对孩子训练了很多，孩子是不是仍然有同样的行为？孩子有没有反抗行为？我们生气吗？愤怒吗？

第三个线索是我们的语气，这是个非常准确的观察点。我们的语气是强硬的、怒气冲冲的还是苛求的？坚定的语气应该是沉着、平静、踏实的，而权力之争的语气则是言辞越来越激烈，越来越愤怒。

彼得因为不能按照自己的意愿出门而大发脾气，而妈妈对他说出的"我恨你"并没有生气，她知道那只是孩子的气话，是他生气的反应。如果妈妈当时做出过激的反应，就会陷入"战争"。

诊所门口，妈妈停好车，可是两岁的姬恩却怎么也不肯下车。妈妈恳求了很多遍，姬恩全都拒绝。"姬恩，已经到了预约的时间，赶快下车，做个好孩子！"姬恩缩在角落里，就是不下车。妈妈转向朋友："我该怎么办？"

妈妈可以沉着从容地把姬恩抱下来，因为当时的情况需要她赶紧下车，但是妈妈不需要生气。只要妈妈保持平和温柔，就不会陷入权力之争。

为了更全面地了解权力之争和应对技巧，我们需要再次仔细审视自己作为父母的地位，必须了解自己的新角色是引领者，彻底打消我们是独裁者的想法。我们没有支配和控制孩子的权力。这一点即使父母不知道，孩子也会清楚地知道。我们不能强迫孩子，必须学习如何引导和激励。下面的两个列表指出我们发展家庭和谐与合作应该有哪些新态度。左边是独裁强权的态度，而右边则是新态度。

当右边的新态度成为我们的第二天性时，我们就不容易和孩子陷入权力之争。我们的关注点就会转移到"这个情况需要什么"而不是"我要让他听我的"，这样我们就能找到激励孩子的方法。不论什么时候，当我们决定"让"孩子做什么事时，他会立刻感受到并反抗。这样的反抗有时体现为苏琳妮逃避清洗狗盆的消极报复，有时体现为吉米把大便拉在爸爸帽子里的积极报复。

强权社会	民主社会
独裁者	博学的引领者
权力	影响力
压力	激励
不容否定的命令	赢得合作
惩罚	合理后果
奖赏	鼓励
强迫	允许自己做主
控制	引导
孩子不能反对	倾听，尊重孩子
照我说的话去做	这是情况需要
个人权力为中心	情景需要为中心
主观的	公平客观的

当孩子违抗我们时，我们的权威受到很大打击。如果这时我们能够顺应情况的需要，把自己受损的权威放在一边，就给了自己一个很大的转变机会。

前面提过的很多规则，都是用于权力之争的。最重要的是坚持——我们自己要做什么，而不是我们要改变孩子做什么。父母要明白当时的环境需求是什么，并且为顺应环境需求而努力，而不是自己的主观想法。了解、鼓励、合理后果、相互尊重、尊重规律、赢得合作，这些都是解决权力之争的方法。当权力之争已经发生，再运用人为的合理后果则几乎不现实，这样的人为后果此时会变成惩罚——父母赢得战争的一个武器而已。

最重要的第一步，是父母要明白自己是权力之争的一方。这不容易做到，它需要父母不断地自我审视，否则就会不自觉地卷入权力之争。它要求父母不断提醒自己："我真心不能强迫孩子做任何事，或者控制他们。我可以尝试书里的方法，但不能预设或强求孩子合作。孩子不能被强迫，只有我赢得他的心才能合作。孩子的恰当行为应该通过我的激励而不是强权来做出。但是我可以通过自己的思考、方法和幽默感，促进他合作的意愿。"这样的想法，给了父母处理问题时更多的选择。发展这些技能也让父母的创造力大大增加。一旦我们明白了这个道理，就很容易触类旁通、举一反三。最重要的是，我们现在知道了：除了强迫孩子，我们还有别的办法。

WITHDRAW FROM THE CONFLICT

第十七章
退出冲突

从战争中退出来，是很重要的一个方法，这个方法的关键点，并不是抛弃孩子。家长心里仍然有对孩子的爱、亲情与友善。发生冲突时退出，实际上是帮助维护与孩子的感情。

　　每次父母和孩子发生不快，肯定是两方面都有问题。战争是两个人冲突的结果。如果其中一方退出战争，另一方就无法继续。如果父母退出，孩子就没有了对手，没有对手或者观众——既没有人需要他击败，也没有人可以用来逞威风。"让他的风，无帆可吹。"(Take the sail out of his wind.)

　　每天晚上七点半，都是妈妈和哈里为了睡觉时间发生冲突的时候。四岁的哈里对此非常娴熟。妈妈轻声说："哈里，来，该睡觉了。""还没到时间呢，妈妈，我不想睡。"妈妈继续哄劝："现在你该上床了。"哈里争辩："等一会儿，我要把这张画涂完色。"妈妈不满地厉声说："你现在就过来，明天再涂。"妈妈想把哈里的东西拿走，哈里开始尖叫，把蜡笔抓过来，夹在胳膊下面不让妈妈拿。妈妈犹豫了一下，不想和他拉扯，就妥协了一步说："好吧，那把这张画涂完。"哈里再次开始涂色，嘴角有微微的笑意。妈妈坐在床上等他，哈里涂得速度越来越慢，妈妈很不耐烦："你这是在胡闹。快点画，赶快画完。"小男孩得意地回答："我要把它画得很漂亮，所以要很仔细。"妈妈不耐烦地又等了一会儿，想把他已经用完的蜡笔收拾起来。哈里提出抗议，而妈妈执意要做。哈里不情愿地让妈妈收拾了一部分蜡笔，但有几个就是不让妈妈收，或者假装有几只蜡笔找不到。终于涂色结束收拾完了，哈里又找更多理由推迟上床，在澡盆里玩个不停，接着又要喝水。最后好不容易上床了，妈妈帮他盖好被子，回到了客厅。没几分钟，哈里又爬起来，要上厕所，然后又要求妈妈再亲一下。已经九点了，哈里还是精力充沛不肯睡觉。妈妈终于失去了耐心，狠狠地给了他一巴掌。哈里尖叫着，爸爸过来指责妈妈："我真搞不懂，为什么每天晚上都要闹一场！哈里，闭嘴，赶紧上床，不许下来！"一切安静了。

哈里的直接目的是权力，他的行为表达了他想做什么就做什么，妈妈和他卷入了这场战争。原本妈妈想强迫他就范，但结果却是一再妥协，这让他更加认为自己有权力。哈里到了睡觉的时间，妈妈却不知道该怎么引导。

妈妈解决这个问题的方式有很多，其中一种方法是从战争中退出。或许可以这样——爸爸妈妈试着提前达成协议，解决这个问题。我们来看看可以怎么做。

下午游戏的时间，妈妈就对哈里说："八点是你上床睡觉的时间。我会提前告诉你该洗澡了，然后我和爸爸会在八点跟你亲吻道晚安，然后我们就不管你做什么了。"到了七点半，妈妈给哈里放洗澡水，叫他洗澡。"我想再玩一会儿！"哈里挑战地回答。"你的

洗澡水已经放好了,宝贝。"说完以后,妈妈回到客厅。到了八点,
爸爸妈妈来到哈里的房间,他还在玩。爸爸抱起他,给他充满爱
的一个大大的拥抱:"晚安,我的小伙子。明天早上见!"妈妈也温
柔甜蜜地亲吻他:"晚安,宝贝,做个甜甜的梦。"然后爸爸妈妈回
到客厅。"可是我还没有洗澡啊!"哈里大叫,跑进客厅。爸爸妈妈
这时表现得好像哈里已经睡着了。哈里爬上妈妈的大腿:"我想洗
澡,妈妈。"他一边嘟囔一边把脸贴到妈妈脸上。"乔治,我们弄点
爆米花吧。"妈妈站起来(这样哈里就无法趴到妈妈腿上)哈里又想了各
种办法,想要得到父母的注意,尖叫、跺脚、拉住爸爸妈妈的脚等,
但都没有效果。最后,他回到自己的房间脱掉衣服,然后又跑出
来,让爸爸妈妈帮他系好连身睡衣。而爸爸妈妈这时聚精会神地
看电视,用行动表现他仿佛已经睡着了。九点半左右,哈里自己爬
上床,哭着睡着了。

爸爸妈妈做到了坚持。他们已经道了晚安,做了该做
的事情。他们从战争中退出,这样战场上就只剩哈里一个
人,就不会有战争了。哈里不顾一切用尽各种办法,想像以
前那样让爸爸妈妈为了自己睡觉的事情而继续战争,但他们
坚定不移。这就是一个新的方法,改变了以前哈里对父母以
及惯例的认识。第二天晚上,哈里会准备好洗澡,还会和妈

妈好好享受这洗澡的半个小时。八点,爸爸妈妈给哈里盖好被子,跟他亲吻道晚安,然后离开。假如几分钟后哈里爬起来要上厕所,或者要求喝水、再亲一下等,爸爸妈妈可以再次表现出如同他已经睡着了,他会自己回到床上。很有可能,一个星期内哈里就会欣然接受一天活动到八点结束,上床睡觉。

还有一个避免权力之争的方法,就是妈妈按时把这个四岁的孩子抱到床上,态度温柔而坚定,并且保持平静的沉默,什么都不用说,按时帮他脱衣服洗澡。如果他调皮耍赖,就保持平静和沉默,妈妈可以退回到自己的房间。

妈妈在做晚饭,三岁半的莎拉跑进厨房。哼哼唧唧带着哭腔说:"妈妈,我要喝水。""莎拉,不要发出这种声音,你不好好说话,就不能得到你想要的东西。"莎拉的哼哼唧唧和哭腔更厉害了:"可是我想喝水嘛!""真受不了你总是哼哼唧唧的,不要再这样子说话了!"莎拉开始唧唧歪歪地哭,抱住妈妈的腿,还把脸埋在双腿之间,"你能不能好好说话?"莎拉一边哭一边要求:"请给我一杯水好吗?""天哪,看在上帝的份上,给你!"妈妈把水递给她。

有人说所有的孩子都要经历哼哼唧唧哭泣的阶段,大人要有耐心，等他们长大了这一阶段就自然消失了。但是，我们其实不用一而再再而三地容忍孩子哼哼唧唧。莎拉用行动表示，她能够为所欲为，无视妈妈的需要。妈妈说"不要再这样讲话了。"可是莎拉继续这样，最终妈妈妥协了。

在这个例子里，妈妈有主观能动性。我们不需要忍耐孩子的哼哼唧唧，我们可以离开一下。如果我们像个靶子一样站在那儿，极有可能最后妥协。妈妈需要花时间冷静一下，她可以关掉炉子，去卫生间待一会儿。

我们把这个技巧称为"卫生间方法"。习惯上，卫生间是家里最私密的地方，是一个让自己撤出冲突的绝佳之地。我们可以在卫生间里放置杂志、报刊、书籍、收音机或者其他音频设备。每次莎拉又哼哼唧唧，妈妈可以到卫生间里先让自己冷静一会儿。很快，莎拉就能改变说话的腔调了。

妈妈听到厨房有响动，过去一看，发现四岁的拉里站在厨房台面上，正伸手拿高处柜子里的糖果。妈妈把他抱下来："拉里，你现在不能吃糖，马上要吃午饭了。"拉里大叫："我就要现在吃糖!""不行，拉里，我现在就开始做午饭。""我要吃糖!"拉里尖叫道。妈妈说："拉里，请注意你的行为。"可是拉里躺在地上尖叫，乱蹬腿要赖。妈妈严厉地说："你是不是想让我揍你?!不准再

222 孩子：挑战

撒野了！""我恨你！我恨你！""拉里，不可以这样说话！"然而拉里更加愤怒，更加撒泼哭闹了。"别再闹了，拉里。给你吧！只能吃一块，不要再叫了！"拉里慢慢平息下来，从妈妈手里拿过糖。

妈妈先是拒绝，但是拉里逼着妈妈最后让步，拉里赢了这场战争，并且再次强化了对自己权力的认知。如果当时妈妈离开现场，就能让拉里这场脾气大爆发失效。在拉里第一次发脾气时，妈妈可以带着糖果到卫生间里。拉里只能对着空气闹，没有了观众的发脾气就失去了意义。

下午，爸爸妈妈带着五岁的艾伦去拜访朋友。当艾伦看到朋友的儿子恰奇每次大发一通脾气就能得到自己想要的，艾伦觉得非常了不起。吃晚饭时，艾伦故意离开饭桌，说自己要上厕所，用来试探妈妈。艾伦家里有个规矩，如果离开了饭桌就表示已经吃完了，不再坐回来。当他离开以后，妈妈简明扼要地告诉爸爸艾伦观察到的和他的想法，让爸爸明白怎么回事，然后妈妈收起了艾伦的盘子。艾伦回来后发现盘子没有了，就学着恰奇躺在地上打滚、蹬腿。而爸爸妈妈却没有被他影响，继续轻松从容地吃完饭。过了一会儿，他们听到艾伦嘟嘟囔囔地说："唉，这个哪里管用？他们一点也不吃这一套。"妈妈强忍住没有笑出来。

　　妈妈在熨衣服，十个月大的艾莉森在地上乱爬。妈妈把她放进游戏床里，她抗议大哭。妈妈想用玩具分散她的注意力，可是她毫不买账，故意把自己摔倒，拱起后背，使劲尖声哭叫。妈妈平静地走进卫生间，过了十分钟出来时，发现艾莉森正在满意地玩着玩具球。

　　十个月大的孩子已经会尝试让他人按照自己的意思做了。妈妈训练艾莉森接受情景需要，同时她尊重艾莉森有发脾气的权利，并把整个战场都留给了她，但没有给她过分的关注和服务。

　　从战争中退出来，是很重要的一个方法，这个方法的关键点，并不是抛弃孩子。家长心里仍然有对孩子的爱、亲情与友善。发生冲突时退出，实际上是帮助维护与孩子的感情。当孩子发脾气时，我们双方都会觉得不再有爱，我们有时会想揍孩子一顿，双方的感情因为敌对而受到了损害。如果我们能够有技巧地退出，那么我们会发现孩子的反应会给我们惊喜。因为孩子需要归属感，当他们发现这场战场只有自己，大多数情况下会有些迷惑和惶恐，而不是继续生气和愤怒。很快，他们就会发现发脾气没有用，进而改变自己的行为。当家里形成了这个习惯，孩子就能感受到界限所在，当他们超过这个界限，父母就会退出现场，孩子也会放弃冲突而选择合作。引导孩子合作，是我们的一大目标，这是我们赢得孩子合作的一个很好的方法。

可能有些人很难赞同这个方法，认为这样是让孩子为所欲为。事实上，当我们仔细观察孩子的动机，会发现大部分情况下孩子是通过这样的方式引起我们的注意，或者想在权力之争中取胜。如果我们让自己卷进去，我们就掉入了陷阱，同时也强化了孩子的错误目的。所以，我们的这些方法针对的是问题的心理根源，而不是问题表象。用说教、讲道理去纠正孩子的不良行为，基本上徒劳无益。如果我们想要孩子朝好的方向发展，我们自己必须先有"引导他改变"的态度，而不是"迫使他改变"。当孩子发现自己为所欲为的结果是一个空无一人的战场，他很快就会朝着别的方向发展，然后他发现，自己合作时能够得到更多。这样，他就会对父母和具体情况产生真正的尊重。

一旦我们在家里实施"从冲突中撤退"的方法，在公共场合处理类似问题也会容易很多。我们可以发展出本质相同的"精神卫生间方法"，也就是虽然没有实际的卫生间，但我们仍然可以选择不卷入战争。孩子非常敏感，能够感受到父母的态度。这样的效果，我们在第七章莎伦的例子中看到，莎伦发脾气时，妈妈只是静静地向前走，没有指责和生气。莎伦能够感受到，很快便放弃了无理取闹，重新走向妈妈。妈妈依旧没有指责，而是温柔迅速地接纳她，两人一起愉快地走回家。

当孩子在公共场合行为不当时，我们面临的挑战更大，我们会感到尴尬和丢脸，因为觉得别人会认为我们是不称职的家长。问题是，孩子如果感受到我们的这个软肋，就更容易在公共场所"失控"。其实，我们可以忽略旁观者，从态度上"退出战争"。再次强调，一旦我们的关注点放在当下环境的需求，而不是个人颜面或权威的需求上，我们就能很快找到解决问题的方法。

ACTION! NOT WORDS

第十八章
用行动，而不是用语言

如果真的想改变孩子们的行为，家长需要用行动，而不是语言。家长应该尊重孩子们，不是强迫他们改变，而是让他们决定自己的行为。

"我跟你们说过多少次了，吃东西前要洗手。现在你们三个都离开桌子，不洗干净手不能回来吃饭！"三张椅子向后退，发出刺耳的声音。三个孩子离开了餐桌。妈妈继续喂一岁的婴儿吃饭。

"我跟你说过多少次……"这句话不知道被多少父母愤怒地说过无数遍，这句话只有一个含义，就是表达父母的怒气，此外没有其他任何用处。事实上，当我们说"多少次"，意味着我们每一次的"告知"都没有达到效果。孩子们学得很快，通常，"告知"就是不允许孩子做某个行为，然而结果常常与这个"告知"相反。于是孩子就学会了，他的行为可以不一致。

为什么三个孩子没洗手就准备吃饭呢？他们隐藏的目的是什么？这样做的其他结果是什么？妈妈做了什么？她因为这个原因发了脾气。本来她的注意力在婴儿身上，现在她看到了脏手，这三个孩子得到了妈妈的关注。他们违反了她的规定，得到了妈妈的关注。妈妈的行为满足了他们的目的。如果他们听话，吃饭前洗手，则会是个笨主意，因为那样根本得不到妈妈的关注。

如果妈妈真的想改变孩子们的行为，她需要用行动，而不是语言。她应该尊重孩子们，不是强迫他们改变，而是决定自己的行为。妈妈可以说："如果你们不洗手，我会选择不和你们一起吃饭。"然后她挪开盘碗，食物只提供给洗了手的人。第二次，当孩子们又不洗手时，妈妈不需要说话，只要行动就可以了。这样，妈妈就不会被孩子们弄得头晕脑涨，孩子们的脏手也不会达到他们想要的目的。

妈妈从厨房窗户看到四个孩子中的老大——八岁的布莱恩，正在用玩具气枪瞄准邻居的窗子，她叫道："布莱恩，过来，宝贝，我有话跟你说。"布莱恩把枪放下，慢慢朝着厨房纱门走过来。妈妈把他带到工作间，让他坐在高脚椅上，自己坐在椅子上。"亲爱的，你知道的，我们给你玩具气枪时教过你，它有危险。而且我们在地下游戏室里专门给你设了一个射击间，在那里玩没问题，不会伤到人或者打破东西。对吗？"布莱恩睁大眼睛看着妈妈，一脸无辜，虽然他看起来对这次谈话很有兴趣，却什么也不回答。妈妈问："你知道玩具气枪可能会打破沃德太太家的窗户吗？"孩子只是扬了扬眉毛。妈妈又说："你想想，宝贝，这些子弹出膛的时候很有力量，如果真的瞄准了，肯定会把窗户打烂。你并不想这样做，不是吗？"布莱恩垂下眼睛，依然不说话。"总之，宝贝，你知道如果你打烂了别人家的窗户，我们就得赔人家钱。你并不希望这样的事情发生，对吧？"布莱恩看了看妈妈，还是什么都不说。"那你现在要不要去地下游戏室的射击间玩？我想那里肯定好玩。"布莱恩点点头，晃悠着双脚说："我想去外面玩。""好的，儿子，但是枪要留在屋子里，好不好？""好吧。"布莱恩不情愿地耸了耸肩。

几天后，妈妈又发现布莱恩在很近的距离射击瓶子和铁罐。她又把他叫进屋，讲了一通道理。妈妈重复了一遍怎样小心用玩具枪、射击的危险等。布莱恩又一次做出认真听的样子。妈妈又一次让他把枪留在屋子里，然后去外面玩。

妈妈本着"和孩子讲道理"的理念，觉得自己不应该惩罚或"镇压"布莱恩，所以她一再地说，而没有付诸任何行动。很多父母都会无休止地说教。孩子的每个行为背后都有目的，在这个例子里，布莱恩没有改变的意愿，他觉得这些交谈很无聊，并且很快对妈妈的说教产生了免疫，成了一个"妈妈的聋子"(mother-deaf)。这样的"耳聋现象"，最后会针对所有对他讲道理的人。很多父母和老师都说过孩子"不听我的话"，而他们却继续采用这个方式，其实都是在白费力气。

语言是用来沟通的。在发生冲突时，孩子不愿意倾听，这时候的语言很有可能变成武器。冲突中几乎无法通过语言来教导孩子，因为这时候他什么也听不进去。不论说什么，都容易变成语言弹药，口舌之争由此开始。有时候即使孩子什么都不说，他仍然在反抗，并通过他的行为表现出来。直接对抗和恶作剧是孩子最常用的方法。

布莱恩表现出听的样子，因为这样可以达到他的目的。实际上他什么也没有听进去，他没有打算按照妈妈说的做。他表现出听话，最后仍然按照自己的想法做，这样做很值得啊。如果妈妈能够真正观察和理解布莱恩的表情，就会明白布莱恩其实根本没把妈妈的话往心里去。

讲道理没用，妈妈也不赞同惩罚，那她能做什么呢？妈妈可以行动——她可以把玩具气枪拿走。"我很遗憾你不愿服从规则，等你愿意时就可以把枪拿回去了。"这样做一两次之后，如果布莱恩仍然阳奉阴违，玩具气枪就应该被收起来，不用多说话。

布莱恩故事的实际结局很让人难过。他继续随心所欲地使用玩具气枪。有一天，他瞄准一个近距离的瓶子射击，结果子弹反弹回来，打进了他的眼睛，把眼睛打瞎了。

"珍妮特，把睡衣提起来，这样子踩着裤脚，你会摔倒的。该上楼睡觉了。"妈妈接着转身对客人解释，"这件睡衣是我昨天买的特价品，对她来说长了点，我本来打算明年再给她穿，但你们知道啦，小孩子就是喜欢新东西，她非穿不可。"大家看着仍然站在楼梯上的小姑娘，她开心地向每个人微笑。她向下瞟了一眼自己被睡衣盖住的双脚，把脚抬起来绕圈，看着睡衣裤脚垂下来跟着绕圈，非常好玩。她脸上带着恶作剧般的笑容，再抬起眼睛看看大家。妈妈又一次命令她："珍妮特，请你把睡衣裤脚提高点，不然你会被绊倒的。快点到楼上去！"小姑娘慢慢转过身，慢慢地走上一级楼梯，又转身，朝着大家看。妈妈这时背对着她，她听了一会儿大人说话，然后坐在楼梯上，伸长两条腿，让睡衣裤脚来回摆动。妈妈看到客人在笑，转过身来："珍妮特！你想摔下来是不是？现在马上提起来，上楼去。卡尔，你来把珍妮特带上楼。"珍妮特一听，立刻转身迅速爬上楼梯，毫不在乎长长的裤脚，在爸爸出现以前进了卧室。

很多时候，我们看到孩子周围有潜在的危险，并警告他们小心。如果他们真的听我们的，不去做，那他们会害怕得寸步难行！妈妈说得太多了，她所做的始终是用语言和危险恐吓孩子。

珍妮特其实知道应该把睡衣怎么办，她故意通过行为表现她不知道危险的存在。睡衣和妈妈都在她的控制之下。她发现了一个让妈妈表现对自己关心的好办法。她知道该上床睡觉了，但她利用这个机会把妈妈的关注从朋友那里拉到了自己身上。对珍妮特而言，这样可以让妈妈不断关注自己。挑战越多，她的胜利也越多。另外，妈妈的反应也都在珍妮特的预料之中。

很多情况下，父母要做的，就是保持沉默。通常，当父母第一次尝试用沉默的方式，会觉得很困难，他们觉得，面临这样的挑战，必须做点什么！其实很快父母就会发现，安静地沉默不但可以减轻当时情形的紧张和压力，还能重新让家庭气氛和谐愉快。然而，有些妈妈闭上了嘴，却没有"安静"，她们的脑子里仍然在大叫。

妈妈可以对珍妮特的睡衣只字不提。她要做的是采取行动，可以让孩子选择自己去睡觉，还是爸爸或妈妈带她去睡觉。

星期日早上，在教堂的主日学校课堂，五岁的特里站在角落里大哭。妈妈又哄又劝又威胁："别哭了，宝贝……如果你再哭，我就走了，你一个人在这儿哭吧。"可是孩子哭得声音更大了。"现在我真的走了。"特里听到，尖叫着跑到门口去追妈妈。妈妈已经走到大门口，但听到特里尖利的哭声，又折返回来："嘿，特里，你需要留在教室里，别哭了。"老师这时介入了："特里妈妈，你尽快离开就好了，特里会没事的。""我怕他离开教堂。我们从家来这里的时候，他就挺麻烦的。""我相信，特里准备好了就会加入我们的。特里，我很乐意看到你和我们一起玩，记得吗？我们是朋友哦。"妈妈离开了，特里很快就不哭了。在角落里待了一会儿后，就决定加入大家。

面对一个尖叫、失控的孩子，妈妈感到非常无助，试图用语言威胁给孩子施压，让孩子听话，而她的行为却与她的语言相反。她想让孩子停止大哭，却不明白自己应该采取行动，离开这个环境。孩子这时的哭只是"泪水压力"而已，不用太过在意。

五岁的乔治爬过超市里的购物车，从栏杆上滑下来，坐在旋转栏杆门上。"乔治，赶快下来！你会受伤的。"乔治不理会妈妈，弯着膝盖，倒挂在栏杆上。"乔治，下来，在你受伤之前赶快下来！"妈妈拉出一辆推车。小男孩直起身子，坐在栏杆上，一位女士因此无法通过。乔治爬下来，又爬上推车。"乔治，走啦！"妈妈说完就去购物了。乔治在栏杆、旋转栅栏门上一直玩到妈妈买完东西准备离开。

家长经常认为，语言本身能够惩罚孩子。而当孩子对家长的话充耳不闻时，家长就此放弃，行为不端、得意扬扬的孩子取得了胜利。这样对训练孩子合作没有什么用处。有些家长虽然对此有些隐约的察觉，但是再发生类似情况时，又会继续讲道理，更加努力地去教孩子，效果仍然一样，周而复始。

要想从这样的困境中走出来，我们必须学会用行动代替语言。我们需要记住一个座右铭：发生冲突时，不用语言，用行动。

乔治在做"妈妈的聋子"，那么妈妈应该什么都不用说，而用行动证明。事实上，她用可能的危险来恐吓乔治，希望他合作。而乔治很清楚自己的身体，他知道这样玩根本没有什么危险。极少有孩子因为爬超市栏杆而受伤。

当妈妈看到她的话不起作用，就对乔治不理不睬了，把胜利留给了得寸进尺的乔治。只是到最后真的要走的时候，她的话才起了作用。很显然，乔治已经把妈妈训练成功，他的话和行为才算数，而不是妈妈训练他。

在超市里孩子出现不良行为司空见惯，几乎成了正常现象。而事实上，超市不是游乐场，孩子们应该明白这一点，应该表现出恰当的行为。

在他们去超市之前，妈妈可以说："乔治，超市不是游乐场，你可以和我一起到货架上找东西。"当乔治爬过推车时，妈妈可以温柔而坚定地牵起他的手，一起到自己的车里："对不起，如果你不能在超市里行为恰当，那你可以在车里等我回来。"（注：这样的方法在现代社会很可能不合法。）

用这样的坚定行为，妈妈可以向乔治表达她的认真态度。下次去超市，如果乔治认为自己准备好了，妈妈可以继续带他去超市。但必须忍住不说那些恐吓的话，例如："如果你表现不好，就必须留在车里。你不想这样，对吧？所以你要乖，记住了啊？"不要说这样的话，因为说了也没用。

妈妈刚在花园里种了花，四岁的约翰尼在里面跑来跑去。"约翰尼，不要乱踩我的花圃！"小男孩根本不听，继续来回跑。"约翰尼！不要踩我的花圃，你把我刚种的东西都踩坏了！"孩子还是继续跑。妈妈又对他喊了四遍。最后他跑累了才停下来，大笑着跑进树丛里，在荫凉地休息。妈妈看了约翰尼一眼，继续干活。

几天后，约翰尼跑到了邻居家的花圃里，故意在刚种了花种的地方使劲踩。邻居生气地拉起他的手，把他带到院子篱笆门口："你看着这里！这个地方不欢迎你，你不要再来了！"邻居抬头看到约翰尼妈妈正朝这边走过来，知道她也听到了刚才的话。约翰尼妈妈问："他踩坏什么东西了吗？"邻居生气地说："是的。他还小，控制不了自己不去踩花圃，那么我希望从现在起，他不要再到我家院子来了。"妈妈也不高兴地回答："哦，真对不起。"邻居继续说："他根本不听我的，就像他也根本不听你的话一样。所以他最好不要出现在我家院子里。"约翰尼哭了起来。妈妈安慰他说：

"我可怜的宝贝！"把他抱起来，抱着趴在肩膀上哭泣的约翰尼一边走回自己家院子，一边骂邻居是个"小气的老女人"。

约翰尼是个被误导的孩子，他觉得只有当自己为所欲为的时候，才能找到自己的位置，才有价值感。他是个"小霸王"，他想做的事，什么人都不能阻止，至少语言阻止不了他。只有当他激怒并击败妈妈的心理被满足后，他才不再踩妈妈的花圃。妈妈说了那么多，都进了聋子的耳朵。妈妈就是不停地唠叨，但什么行动也没有采取。约翰尼依然为所欲为。

相反，邻居有行动，她把约翰尼带出了院子。当然，她表达怒气的方式是指责约翰尼太小和不听话，这让约翰尼妈妈觉得孩子受到了攻击，所以立即对他表示同情。邻居和妈妈的做法都是不应该的。如果约翰尼做出诸如此类让人生气的不友好行为，他应该为自己的行为负责——让他经历被拒绝，而不是用不恰当的同情对他过分保护。妈妈可怜他的举动，更加强化了他要扮演"小霸王"的角色。现在他知道，不但能在家里为所欲为，在外面不论他做什么，妈妈都会保护他，不会让他为自己的行为承担责任。"小霸王"无法在社会中生存。而事实上，约翰尼希望有归属感，他在成人的世界里感到孤独。这个小生命一直是个受宠的孩子，他的父母像仆人一样不断满足他的需求。结果，他们扼杀了他正面积极努力地寻求归属感的天性，误导和鼓励了他的错误目的，让他觉得自己只有在挫败成人时才有归属感。

为了帮助约翰尼摒弃这个偏颇的自我认知，他的父母需要先了解自己表达爱的方式发生了偏差，需要纠正。然后用行动来表达，而不是说说了事。

当约翰尼乱踩妈妈的花圃时，妈妈可以拉着他的手走进屋。"对不起，你不遵守约定，那么等你愿意的时候，才可以去外面玩。"约翰尼将会对妈妈的这个行为印象非常深刻，妈妈也不用多做解释。约翰尼其实知道不应该在刚播种的花圃上乱踩。然而因为约翰尼已经习惯了"小霸王"行为，妈妈这样的新行为可能会招致他激烈的反抗。当他再次乱踩花圃时，妈妈可以重复刚才的行为，再说一次："等你愿意遵守规定时，才可以到外面玩。"要再给约翰尼一次机会。而当他又胡闹时，就再带回屋子里。这个过程中，只要妈妈保持冷静、沉着的态度，尊重孩子，尊重自己要维持约定的权力，就不会和孩子发生权力之争。

她的态度孩子能够感受到，并且，妈妈的新行为能够言传身教地让约翰尼学会尊重。这是约翰尼非常需要的，这样的教导结果需要通过行动来实现，而不是语言。

DON'T SHOO FLIES

第十九章
不要"赶苍蝇"

语言不是沟通的唯一方式，但经常是最无效的一种。如果我们真的想改变孩子的行为，我们需要先注意自己的行为。我们的行为是真的为达到养育孩子的长期效果，还是只不过不想让"苍蝇"烦扰我们？

妈妈用推车推着两岁的康妮，孩子伸着脚尖，用鞋子一直磨着路面。"康妮，不要这样！"康妮把脚收回来。可是几分钟后，她又这样做。每次这样，妈妈就说："康妮，不要这样！"最后，妈妈发火了，停下推车，挥手打了一下康妮的脚，大声呵斥："我说了不要这样！"从这一刻起，康妮才一直把脚留在推车里。

"哈里，快点，你要迟到啦！"妈妈一边喊着七岁的儿子，一边准备早饭。几分钟后，她又叫："哈里，快点！"连叫了好几次。最后，她冲进儿子房间，大声说："你现在马上给我出来！"哈里赶紧跳起来，去吃早饭。

"不要再吸鼻子了，斯科特！"爸爸再次警告感染了花粉过敏症的八岁儿子。一家人正在看电视，斯科特专心地在看电视，又吸了一下鼻子。爸爸很生气，要求他不要再吸了。没一会儿，他又开始不停地吸，爸爸终于忍不住了，要求他："你能不能用纸巾擦一下！不要再吸鼻子了！"斯科特很不情愿地站起来去拿纸巾。

上面的例子中，孩子们都通过自己的行为刺激家长发怒，家长的反应就像在说："苍蝇别来烦我！"当我们被别人的行为激怒，我们很自然地使用"不要"、"停止这样"、"不"、"快点"、"安静下来"这样的话，想要让这些行为从我们的世界里消失，就像赶走苍蝇。上面的每个例子中，家长最后的反应都很强烈。这是自然反应，却是无效的训练方法，或者更确切地说，我们在训练孩子：在我们大发雷霆或者使用暴力之前，他们不用听我们的。这不是我们想要的。当我们被孩子的行为困扰时，我们应该留心自己在做什么。我们"赶苍蝇"的行为，是对孩子的回应。我们随意的责骂，则对孩子无效，对我们也没有积极意义。我们不想把自己的关注点放在孩子的不良行为上。如果我们想让孩子停止不良行为，或者要求孩子遵守规则，我们需要从一开始就专心在事情上而不是个人权威上，并且有始有终。

这是个关于花时间训练孩子的问题。康妮的妈妈可以在她伸出脚时，停下推车，什么都不用说。康妮很快就明白，如果她想继续被推着走，就要把脚收好。妈妈的沉默和坚定，比起不断大喊"不要这样"和最后那一巴掌更有效。

运用合理后果也会比较有效。哈里的妈妈可以告诉他，她不会再追着他让他准时吃早饭，他要开始自己负责。当以前的再三催促和最后爆发不再，哈里很快就明白妈妈说话算数：准时过来吃早饭是你自己的事，否则你就得饿着肚子上学。妈妈不能用唠叨改变哈里的行为，那样会让他变成"妈妈的聋子"。

斯科特由于对花粉过敏，当他不断吸鼻子，就可以让家人不断记得他和他的状况。还有，谁愿意在专注看电视的时候走开去拿纸巾？爸爸明白，这样的行为很可能会变成一个坏习惯，而他不想看到斯科特养成这个坏习惯，所以他要"赶苍蝇"。当斯科特继续吸鼻子时，爸爸可以将全部注意力从电视转到儿子身上，安静地叫一声"斯科特"，然后平静地看着他。斯科特能迅速感受到爸爸的态度和意思，起身去拿纸巾。爸爸可以通过沉默来影响孩子。语言不是沟通的唯一方式，但经常是最无效的一种。如果我们真的想改变孩子的行为，我们需要先注意自己的行为。我们的行为是真的为达到养育孩子的长期效果，还是只不过不想让"苍蝇"烦扰我们？

USE CARE IN PLEASING: HAVE THE COURAGE TO SAY "NO"

第二十章
不轻易取悦：有说"不"的勇气

想让孩子高兴是我们的天性，我们会很自然地想要满足孩子的愿望。然而，如果我们通过牺牲规则来换取孩子的高兴，或者出于害怕而对孩子妥协，这时就需要提高警觉了。

"妈妈，给我买个新的塑料游泳池。"史蒂夫要求道。"为什么？""我不喜欢现在这个了，你现在就去给我买个新的！""史蒂夫，我太累了，咱们明天再去买。"孩子使劲地跺脚："现在就去！""拜托，史蒂夫，我们今天出去很多次了。先去游泳，又去上你的骑马课，然后又去游泳。你就不能等到明天再买吗？""我现在就要去！"妈妈继续强调她很累，而小男孩大哭大叫、尖叫咒骂，甚至最后还踢妈妈。结果，妈妈让步了，开车带儿子买了一个新的更大的塑料游泳池。

妈妈一直对史蒂夫有深深的内疚感，因为她和史蒂夫的爸爸离婚了。为了弥补，她努力让史蒂夫得到尽可能多的好处。史蒂夫能感受到妈妈的心态，并用在所有自己想要的东西上。如果妈妈对史蒂夫的不合理要求说"不"，他就会表现出很失望。而妈妈觉得，单亲生活已经够史蒂夫难受的了，不应该再"剥夺"他的其他要求。

如果妈妈确定她能永远满足史蒂夫突然兴起的念头，那她总是满足他也就没什么要担心的了。如果妈妈能确定永远守在史蒂夫旁边保护他，不让他受挫，那史蒂夫就不用学习如何应对困难了。妈妈没有意识到，这是不可能的。他们的生活里，妈妈扮演着可怜的奴仆，容忍不被尊重，任由她的"小霸王"儿子踢她，容忍他破坏规则，对她无礼，让史蒂夫认为自己是个有极大权力的人，可以随心所欲，为所欲为，甚至还发展出用发脾气控制别人。

"妈妈，求求你了，今天晚上我和琳达一起去看演出可以吗？"卡拉给妈妈打电话问，"她妈妈会送我们。""不行，卡拉，你知道上学的日子，晚上不能去。""可是妈妈，这是个很特别的演出，到星期五就不演了。""有什么特别的？""是个特别好的关于一只狗的真实故事，你知道的，妈妈，你知道那本书，你看过广告呀。拜托啦，就这一次，我保证明天不会很累的。"妈妈想，我不想阻止她这件事，这件事非常有意义，而且她那么喜欢动物，这又是个好故事。就一次应该问题不大。再说，我要不让她去，她很可能整晚都吊着脸不高兴，让我难受。于是妈妈说："好吧，但是看完以后要立刻回家。"卡拉挂了电话以后，学着狗叫的声音说："她说我可以去！"

卡拉把妈妈训练得很好。她的要求听起来很合理，说得又很让人高兴。而且她知道妈妈不想让她生气，如果妈妈拒绝她，她就会吊着脸摆出不高兴的样子，让妈妈难受。卡拉可以想做什么就做什么，不守规则，当妈妈没有说"不"

时，她表现出的是对自己、对卡拉、对卡拉的健康需要以及对规则和规律的不尊重。如果妈妈做一下记录，她会惊讶地发现，这样的"就这一次"其实有多少！每次听到这个的时候，卡拉总能说得很合理。但妈妈应该思考一下，卡拉这样的"经常胜利"其实暗暗传达出隐约的恐吓，让她的要求越来越过分。

觉得自己有义务让孩子高兴，这是个错误，这样容易造成家长卑微的心态，容易造成孩子以自我为中心。卡拉会认为，人生的意义在于自己想怎样就怎样——或者完全相反。她关注的是自己以及自己的欲望，而不是情景所需。她应该被培养的合作能力受到了损害。当她达不到自己的目的时，她会让每个人都不好过。卡拉被宠坏了，受到挫折她就会不知所措，她不会有尊严地接受"不"并且坦然面对。这样下去，当生活中没人去讨好她时，卡拉可能会遇到严重的挫折。

当我们使得孩子高兴的时候，通常会给家里带来短暂的和谐，我们容易只注重这个短期效果，而对孩子随心所欲的要求做出让步，结果我们就会很难看到让步妥协带给孩子的长期影响。因此，当我们取悦孩子时，我们要非常小心谨慎。孩子需要学会如何面对挫折，因为成人的世界里有很多挫折。"孩子长大了自然就有能力面对挫折了"，这是无稽之谈。这些应该从小培养的技能，长大了怎会突然拥有，除非是用魔法！取悦孩子和不取悦孩子之间的平衡非常微妙，要小心把握。如果家里的规定和惯例是上学的日子晚上不能出门，而且妈妈有勇气说"不"，那么卡拉就能学会面对失望，而这正是她非常需要的。

四岁的保罗带着一支装满水的水枪和妈妈一起去买东西。妈妈一转身，正好看到他把水射到一位女士脸上。妈妈说："保罗，你羞不羞呀？你知道这么做不对的，赶快把那个玩具收起来。"孩子把水枪垂下来，做出准备放进套子里的样子，噘着小嘴，低头看着地板。过了几分钟，保罗又看到那位女士，又用水射她的脸，吓得妈妈一把抢过枪，让保罗道歉。可是保罗又尖叫又跺脚，其他人都转身看他们。妈妈赶忙把枪还给他："好了，好了，咱们走吧。"

妈妈缺乏说"不"的勇气，她不愿让旁人看到她的孩子在尖叫哭闹。妈妈已经把保罗训练成了"我要什么都应该"，以及"不管我的要求多无理，妈妈都会答应我"。而对保罗而言，他已经把妈妈训练得只要他发脾气，妈妈随时妥协。

很多孩子在要求被拒绝时，会用很强烈的方式表达自己的怒气。尽管如此，妈妈还是有义务维护规则。保罗的妈妈不能让保罗用水射人。因为保罗不愿意约束自己的行为，所以妈妈不能让他再拿着水枪："如果你愿意用套子套住枪，到了家再拿出来，你就可以把水枪拿回去。"妈妈必须尊重保罗表达怒气的权利，也必须尊重自己说"不"的权利，言出必行。被别人注视确实不舒服，但孩子人生技能的发展更重要。我们应该学会关注客观而不是关注别人怎么想。这个时候，妈妈需要在面子（反正已经受损了）和"妈妈的义务"之间做出正确的选择。

三岁的威利站在商店玩具架前，哼哼唧唧。"威利，你要干吗？"威利指着一个玩具手风琴："那个！""不行，威利，那个东西太吵了，不能买，我给你买个小汽车。"威利开始哭："我不要汽车，我要那个！"妈妈没理他，继续看别的架子上的货品。威利过来紧紧抱着妈妈的腿大哭起来："我要那个！我要那个！我要那个！""天哪！看在上帝的份上，好吧，我给你买。"当收银员把东西包好交给妈妈，威利伸手要拿。妈妈说："我们到家再玩，在店里玩太吵了。"威利又放声大哭："就要现在玩！现在！现在！""你可以拿着盒子，但不要拿出来。"可是威利立刻把玩具包装打开玩，妈妈则一脸无可奈何。威利来回拉玩具手风琴，发出刺耳的噪音。"好了，威利，现在你知道这是什么声音了吧？回到家再玩，不然我就拿走了啊？"可是威利就是不听，妈妈拿起手风琴，威利又开始尖叫，妈妈只好还给他。威利又开始拉，妈妈越来越生气。"你就不能等到我们出了商店再玩吗？"威利完全不理妈妈。最后妈妈把威利推到商店外面："你怎么就不能等到出来再玩呢？你太让我生气了！"

妈妈没有勇气说"不"和面对威利的懊恼，而是用尽办法去取悦和满足他。威利的妈妈完全在威利的掌控之下。

我们不应该给孩子买所有他想要的玩具，也没有理由每次我们买东西的时候，都要给孩子买点东西，这样做是在纵容孩子的任性，而且让他觉得他有权利让我们给他买东西。"如果妈妈不给我买东西，她就不爱我。"威利并不是特别喜爱那个玩具，而又想要看到妈妈对他的不断付出。可能很快那个玩具手风琴就会被丢弃了，迫使妈妈买，才是整个事情的重点。

买玩具应该有恰当的用途，或者符合购买、给予的需要，应该是特别的日子或者合乎季节特性，例如春天买跳绳，夏天买棒球手套或戏水玩具，冬天买室内玩具，等等，不应盲目购物。我们带着孩子购物，也是教给孩子金钱和购买的概念的时候。如果我们无限制地满足孩子的要求，会让孩子认为金钱的来源也没有限制，会发展出不健康的物质观。

如果威利的妈妈对取悦孩子很谨慎，有对孩子随意买东西说"不"的态度，她就能够表现出对孩子健康的爱，关心他的身心发展。而在这个例子中，威利的妈妈没有办法给孩子设立界限，因为她缺乏勇气，害怕孩子愤怒和报复，所以她没有办法说"不"。

"劳拉，我们今天要买早餐麦片，你要不要来选？"六岁的劳拉听到妈妈的话，高兴地仔细浏览货架上的麦片，选了一盒放进购物车，妈妈欣然接受。然后劳拉跑到糖果货架前，又拿了她想要的糖给妈妈。"劳拉，不行，我们今天不买糖，家里已经有很多糖了。""可是今天我想买这个。"妈妈平静地笑了笑："下一次我们来购物时，你可以买这个糖。来吧，帮忙挑一些橙子。"劳拉把糖果放了回去，去帮妈妈挑水果。

妈妈让劳拉选麦片，很合理地满足了孩子的愿望，恰如其分地取悦了孩子，并让孩子承担了责任。而当劳拉提出一个不合理要求时，妈妈用平静和善的态度说了"不"，并且提议了一个未来的时间来满足孩子的愿望。更重要的是，她还提出了另一个劳拉现在就可以帮忙的事情，赢得了劳拉的合作。劳拉也学会了有目的、合理地购物。

　　想让孩子高兴是我们的天性，我们会很自然地想要满足孩子的愿望。然而，如果我们通过牺牲规则来换取孩子的高兴，或者出于害怕而对孩子妥协，这时就需要提高警觉了。我们并不是说要随意拒绝孩子的所有要求，而是说当孩子的欲望、要求和规则相抵触，或者不符合情势，我们必须有判断能力，以及有说"不"的勇气。

AVOID THAT FIRST IMPULSE: DO THE UNEXPECTED

第二十一章
避免冲动：
采取孩子预设以外的行动

如果孩子的行为破坏规则、不合作，那么他就是在用错误的方法达到自己的目的，而大人不假思索的冲动反应，则会强化孩子的这些错误方法和目的。

爸爸和八岁的贝文、六岁的玛丽以及三岁的莎拉一起堆雪人。贝文失去了兴趣，开始自己玩，从雪堆上往下滑。当爸爸放雪人脑袋的时候，贝文正滑向他，一下子把爸爸手里的雪人脑袋撞掉了。他漫不经心地说："啊，爸爸，对不起，我不是故意的。"爸爸有点不高兴："嗯，下次小心点！"可是没过几分钟，贝文又故意滑向玛丽，把她撞倒在地。玛丽的双脚正好插进了雪人身体里，雪人轰然坍塌，玛丽大哭起来。爸爸说："贝文，到屋子里去，我们不要你在这里！"

爸爸这个不假思索的冲动反应正是贝文想要的。两个妹妹的出生夺去了本来戴在他头上的"皇冠"，他认为自己在家里没有地位，这正是他对和妹妹一起玩的群体活动没有兴趣的原因。他又用自己的行为证明了他的想法是对的，尽管他自己并没有自主的意识。

他成功地让自己再次被全家人拒绝，他看到事实再次证明，他不可爱，难怪爸爸和妹妹都不喜欢跟他在一起。

贝文需要别人的理解和帮助。如果爸爸理解贝文对自己的家庭地位非常困惑，也了解他让自己被大家拒绝的心理动机，爸爸就能克制住自己命令贝文离开的冲动，就不会陷入和贝文的恶性循环关系（当然，孩子挑衅时还能保持冷静很不容易）。

　　如果爸爸的表现和以往不同，不是贝文预想的那样，整个情况就会不同。既然贝文想滑雪，爸爸可以真诚热心地建议大家先暂停堆雪人而改为滑雪："贝文，要不然你来带头，咱们一起踏出一条宽宽的滑雪道，这样咱们就可以一起滑雪了，好不好？"贝文会很乐意合作。爸爸这样做就能消除贝文让自己被拒绝的心理动机，并且将他转成为一个领导者，同时增加了家庭的欢乐。贝文本来恼人的行为，因此而转向了积极正面，具有了建设性。

　　"你的喉咙疼了多久了，罗伯特？"护士问这个四岁的孩子。妈妈替他回答："昨天早上开始的。"八岁的贝琪这时插嘴："他经常喉咙疼。"护士再次转向罗伯特问："你觉得发烧吗？"妈妈又抢着回答："今天早上他好像没有发烧。""你吃了早饭吗？""他喝了一点牛奶。""妈妈经常替你回答问题吗？"妈妈讪笑着："不是经常。至少我努力不这样做。只是姐姐每次都抢着替他回答，真让我受不了。"

　　罗伯特是老小，没有机会为自己讲话。他从一开始就觉得很气馁，他感到自己一句话都不用说，可以没有任何反应地做个旁观者，甚至连面部表情都不需要，只要让这两个能干的、会说话的女性讲就好了。也许他不喜欢这样，但是我们再仔细观察，就不难发现，他同时也通过这样的行为培养出让别人一次次为自己服务的习惯。这样看起来，他像个主人，而那两个人是他的奴仆。

如果妈妈想让罗伯特成长，那么她要学会闭嘴。克制自己想替孩子说话的冲动，同时她不用理会贝琪替罗伯特回答。贝琪通过这样的行为表现自己具有超过弟弟的优越，而弟弟则通过这样的行为表现自己对姐姐的差遣。妈妈对此不需理会。

"罗伯特，你喜欢哪种谷物早餐？"罗伯特能回答，但他故意不回答，等着别人替他说。果然，贝琪大声说："他喜欢玉米片。"妈妈这时可以不搭理贝琪，等到罗伯特说出自己的选择再给他。

每次我们对孩子的行为做出冲动反应时，我们几乎都可以确定，自己的冲动行为就是孩子想要的反应，虽然孩子自己对这一点没有清楚的主观意识。例如，我们在打电话时，孩子在旁边吵闹，我们这时如果做出反应，正好满足了孩子想要关注的目的。再比如，孩子满脚泥踩脏了刚擦干净的地板，我们生气地责骂，那很有可能我们陷入了孩子熟悉的权力之争。又或者因为孩子不会扣外套扣子，我们就帮他扣好，这也是在肯定他已经认为自己无能、需要大人服务的想法。孩子虽然外表柔弱，但他们通过别的方式体现自己的力量。

六岁的查尔斯放学回家后，看到晚餐的饭后甜点———一个大布丁，正放在厨房窗台上。他用手指挖着舔，被妈妈发现了！"查尔斯，今天晚饭你不能吃布丁！"晚饭时，妈妈给每个人分了布丁，唯独没有给查尔斯。爸爸问怎么回事，妈妈告诉了爸爸。查尔斯低着头，脸上带着非常悲伤的表情。爸爸说："你就给他一点布丁吧。""不行，我说了他晚饭不能吃布丁，这是对他的惩罚。""不用这么严厉吧！毕竟他不过是想尝尝而已。"爸爸一再坚持，妈妈妥协了，让查尔斯吃了布丁。

爸爸觉得悲伤的查尔斯很可怜，所以站到了他那边，一起对抗"那个不讲理又小气的女人"。查尔斯多聪明！他一个表情就让爸爸跟他一伙了，让妈妈因为惩罚他而尴尬。这真是个很巧妙的计划，狡猾地报复了妈妈。爸爸的行为是冲动反应，结果是强化了查尔斯通过表现可怜来达到目的的想法。爸爸应该按捺住自己的冲动反应，这件事情中，他不需要插手，做好自己的事情就好了。这场冲突的双方是查尔斯和妈妈的，与爸爸无关。

"弥尔顿，回来把你的脏衣服捡起来，我说过多少次了，上学前要把房间收拾好！快把脏衣服放到洗衣篮里，鞋子放在衣橱架子上，外套挂起来。天哪！你都九岁了，怎么不知道保持房间整洁呀？我真不懂，你怎么搞得这么脏、这么乱，桌子上怎么有这么多垃圾！"

妈妈这一番话，恰恰证明了她想通过语言来让弥尔顿学会整洁的想法是失败的。弥尔顿就是要用脏乱来反抗妈妈的要求，每次他的房间脏乱，就把妈妈拖进跟他的权力之争。而妈妈的冲动反应恰恰是弥尔顿想要的——发生冲突，这样他就能赢了妈妈。虽然最后有可能弥尔顿会不情愿地把衣服捡起来，但明天肯定又是一场同样的战争。

这个案例中，有几件妈妈可以做的事，都会超出弥尔顿的预设。他不会想到，妈妈会主动退出权力之争。妈妈可以找一个大家都平静的时刻，跟弥尔顿说："弥尔顿，我不再关注你的房间是什么样子，你可以随便放你的东西。毕竟那是你的房间，不是我的房间。"这样的话不能在弥尔顿上学前说，那样会让他认为妈妈要用一个新招数对付他，对事情的好转没有用。另外，妈妈说这些话必须发自内心，是真心话。这本来就是弥尔顿自己的事情，就交给他自己解决吧。妈妈只需要洗洗衣篮里的衣服，其他的顺其自然就好了，不用多说任何话。大扫除的时候，妈妈可以问弥尔顿，需不需要妈妈帮忙清理他的房间，然后尊重并接受他的回答。对弥尔顿房间脏乱，妈妈要能做到闭口不提，不批评不生气。这个很不容易，然而如果妈妈不想再和孩子发生权力之争，想要鼓励孩子养成好习惯，这个非常必要。如果妈妈更加努力，用各种方法让弥尔顿保持房间整洁，那么只能使自己更深地卷入权力之争。最终失败的是自己，也无法赢得孩子的合作。

从婴儿时起，孩子们就开始了探索自己个人价值的旅程。一旦他们发现了找到个人价值的方法，不论被责备或惩罚多少次，他们都不会放弃。只要他们的方法达到了他们的目的，他们就会继续坚持，不会因为父母不高兴而减弱或消失。用这些方法，孩子们取得他们想要的关注或权力。

孩子并不会觉察上述的心理动机和目的，通常大部分家长也不了解这是孩子试图找到价值感和归属感的一种方式。如果孩子的行为破坏规则、不合作，那么他就是在用错误的方法达到自己的目的，而大人不假思索的冲动反应，则会强化孩子的这些错误方法和目的。结果，孩子的内心会越来越气馁，认为自己没有别的方式。当我们留意自己的行为反应，就很容易发现对孩子的影响。当我们不再像以前那样冲动反应，孩子的错误努力就会失效，就有可能找出更好的方式。尤其当我们用心地给予孩子正确的关注，就能帮助孩子用积极的、建设性的方法，找到自己的价值感和归属感。

REFRAIN FROM OVERPROTECTION

第二十二章
避免过度保护

我们做不到一辈子保护孩子，我们也不想这样做。我们有责任和义务训练和培养孩子自己有勇气、有力量面对生活的起起伏伏。家长能够给予的最好的帮助和鼓励，就是承认并相信孩子有能力应付。

"约翰尼！约翰尼！"妈妈站在门口，呼唤正在半条街外玩耍的儿子。约翰尼没有反应。妈妈走到约翰尼面前："约翰尼，你穿上毛衣吧，今天早上有点冷哦。""没有，一点也不冷，妈妈。我觉得很暖和。""我觉得你应该穿上毛衣，我去给你拿。"妈妈走回家里，拿出毛衣，走回去，给约翰尼穿上。

这个过度保护的妈妈是在扮演高度权威的角色，她决定约翰尼是不是热、是不是冷，约翰尼只要接受她的决定就好了。长此以往，约翰尼就有可能发展出让妈妈不停为自己忙碌的"技巧"。妈妈其实在提供没有必要的服务。妈妈认为约翰尼需要穿毛衣，而约翰尼也不抵抗，动都不用动，只需站在原地。结果是妈妈走过来，走回家，再走过来，再走回家，来回忙碌。而妈妈完全不清楚这个状况，还以为自己掌控了一切。

"嗨，妈妈，我们俩能不能去一趟商店买些东西？我们想摆个卖柠檬水饮料的小摊儿。""吉米，不行，我看不能让你们自己去商店。""拜托，妈妈，商店只不过走四个路口而已。"七岁的吉米乞求妈妈。五岁的马尔文也帮忙恳请："妈妈，拜托啦，让我们去吧！天气这么热，我们的柠檬水肯定能卖得好。""我现在没空，你们又太小了，不能自己去。而且你们需要买的东西太多了：纸杯、柠檬，还有好多东西。再说了，你们要把小摊儿摆在哪儿呢？""院子前面，肯定会有好多人来买的。""不行，我不同意。"妈妈设法让孩子们打消了这个念头。当俩孩子转身离开时，吉米用嘲弄的口气说："哼，她就是怕这怕那。"马尔文点头同意。

妈妈的确害怕，她担心儿子们一脱离她的视线就会出危险。她想保护他们不受任何伤害，这样的担心和恐惧很自然很正常，但是妈妈的行为过分了，在她眼里，到处都潜伏着危险，结果造成了她对孩子的过度保护。

我们做不到一辈子保护孩子，我们也不想这样做。我们有责任和义务，训练和培养孩子自己有勇气、有力量面对生活的起起伏伏。妈妈想要保护孩子不受到任何伤害，这个愿望却有可能让孩子对自己产生气馁和无助的感觉，觉得自己必须依靠妈妈。这样的愿望，是妈妈错误态度的线索之一。

在"为他们好"的借口下，我们这样的态度造成孩子停留在无助和依赖的状态中，在我们自己和孩子眼中，我们表现出来的是，只有大人才具有权威和能力去保护孩子。我们把自己放在占有优势的支配者地位，让孩子顺从。然而事实是，在当代越发民主的社会中，孩子不会忍受这样的地位，他们迟早会反抗。

还有一个我们过度保护的原因，是我们对自己处理问题的能力不自信。因此，我们对年幼孩子的能力更没有信心。

吉米和马尔文暂时被妈妈说服了，接受了妈妈的决定，但他们接受的态度是轻蔑而不是尊重。他们看到妈妈的胆怯，并因此对妈妈不满。

孩子对待过度保护的父母有什么态度，取决于孩子的目的。最危险的态度，是前面说过的错误目的中的第四种——自卑。孩子会对自己完全气馁、绝望放弃，期望自己一辈子被保护，无法面对任何困难。

两个月前，六岁的乔被检查出患有糖尿病，每天都需要口服胰岛素。乔不知道自己的病况，妈妈说那些胰岛素是维生素。妈妈对自己行为的辩解是，她不想让乔成为特殊的孩子。妈妈从不当着乔的面和医生探讨病情。她每天提醒乔，必须吃妈妈为他准备好的食物，只有这样维生素才能产生效果。

妈妈的顾虑很有道理，当孩子患上功能疾病时，我们会要力求保持生活常态。而事实上，逃避和谎言却很难达到这个效果。妈妈对乔过度保护，她想控制这个状况，并担负起替他选择食物的责任。

但是到最后，乔必须知道自己的身体情况，因为最终他需要自己面对和处理。如果乔患上的是麻疹（而不是不容易看到的糖尿病），妈妈就会告诉他，并且全心照顾他直到痊愈。妈妈会觉得，像糖尿病这一类终身疾病不太容易跟孩子解释。而其实六岁的孩子已经足够大了，能够了解他患了病，需要药物帮助自己的身体正常运行。

妈妈可以一开始就用轻松的态度对待这件事，帮助孩子形成健康的心态："你的身体里有一个胰腺不能正常工作，我们需要用这个叫作胰岛素的药物帮助它。如果你给胰腺太多食物，也就是太多工作，那么胰岛素就没办法帮助它。所以我们需要很小心，注意你吃了多少。"这样帮助乔慢慢对他的身体失调有所认识，相信他能够面对，并且保持生活正常。这是乔的生活和问题，他需要帮助，并得到鼓励自己面对。而家长能够给予的最好的帮助和鼓励，就是承认并相信孩子有能力应付。等乔再长大一点，懂得更多的身体知识，会对自己的身体失调问题更加了解。这时妈妈可以解释："你之所以需要频繁地做尿液检验，是因为我们要检查你的胰腺有没有得到足够的帮助。"如果妈妈能够轻松应对这个压力，她就能教给乔处理方式，以及面对困难的能力。而如果妈妈不让孩子面对问题，她就是在忽视并且不尊重孩子的权利，孩子有权利学习如何克服困难。

不论对孩子还是对我们自己，被别人决定自己的生活非常让人郁闷和生气。我们不能安排命运，也不能控制命运。当我们竭尽全力去控制时，势必让自己的生活充满困扰和痛苦。孩子从我们的行为中学到的是：明知道结果是不可避免的，还是要继续斗争，不论怎样都要继续。最后当一切努力都无用，孩子会非常容易产生愤怒和怨恨——不仅对父母，也对生活本身，对生活不能按照自己的意愿发展而愤怒和怨恨。被宠坏的小孩就是因为生活不如意而发怒的孩子。让生活顺从自己的意愿，这是个多么可怜而注定无效的意愿！更加不幸的是，当孩子长大成人，不能再做被宠坏的小孩，这种态度却已经成为他们的基本生活观。当我们对孩子溺爱，试图保护他们一辈子的时候，我们其实是在送给他们一件"性格礼物"：认为生活令人愤怒，而自己只能无助地暴躁。

为了避免给孩子带来这样可悲的错误，我们必须明白，我们不是全知全能的，但我们有责任和义务引导孩子用合适的方法和态度面对生活。步骤是：首先，我们要审视自己面临的情况是什么。然后，找出答案："这个问题可以怎么解决？"即使年龄很小的孩子，也可以通过这样的引导，对让人不安的情况进行理性分析。孩子们的脑力其实非常发达，我们引导他们好好使用吧！

"妈妈，乔治把我的书撕坏了！"布鲁斯看到还是婴儿的小弟弟撕了自己的书，暴怒地尖叫。

布鲁斯已经说了自己的问题，也表现了对这个问题的反应。他想让妈妈为他解决问题，并且做点什么，最好是惩罚乔治。

"哦，亲爱的，你的书被撕坏了，我也很难过。书已经被撕坏了，但是你有什么办法让乔治不会撕坏你的另一本书吗？""我不知道！"布鲁斯愤怒地大叫，"你应该做点什么，让他不要再这样！"布鲁斯一脸怒气，但妈妈依旧保持了平静："你想想看，你能做什么？布鲁斯，咱们先等一等，一会儿再继续讨论这件事。我现在要先去一下卫生间。"妈妈去了卫生间。过了一会儿，布鲁斯平静了，妈妈再次把问题提出来和他讨论。布鲁斯再次声称，这样"不公平"，并且表现出对弟弟的敌意。但妈妈避开了他的敌意："我们没有办法让乔治不撕东西, 布鲁斯, 这个你也知道。那么, 我们能做些什么让你的书不被乔治撕掉呢?"妈妈很智慧地提问, 慢慢引导, 最后布鲁斯想出了好主意: 自己把书放到乔治拿不到的地方。

如果我们自己心里有优越感, 认为自己比孩子有能力, 就会认为他们太小, 解决不了问题, 或者承受不了挫折。这种不正确的观念, 必须被信任孩子、信任孩子的能力这样的新观念取代, 然后给予孩子合理的引导。当然, 我们不会对孩子完全撒手不管, 更不会让孩子忽然面对生活的所有打击。我们要运用自己的智慧, 不应该只是一味地保护孩子, 而是让自己成为"过滤器", 过滤出孩子可以面对、应付的情况, 然后有意识地退后, 让孩子去经历、去成长。随时准备好, 在他实在无法解决时给予帮助。从孩子出生那一天起, 我们就可以开始这样的行为。慢慢地, 通过观察和引导, 将生活以及生活中的困难、挑战和问题解决后的满足感、成就感, 都交还给孩子。

STIMULATE INDEPENDENCE

第二十三章
激发独立

极少有父母会故意不让孩子发展独立和自立的能力，我们都希望孩子拥有这些。因此，我们必须对过度保护有意识，并且对能够培养孩子独立的各种机会保持敏感。我们向后退一步，给孩子空间，给孩子鼓励，但不插手。

绝对不要替孩子做他自己能做的事情。

这个规则非常重要，所以必须要一再重复。

五岁的玛丽是妈妈的心肝宝贝，她漂亮又可爱。妈妈总是给她穿漂亮的衣服，很尽心地打扮她。妈妈每天都给她洗澡、穿衣服、系鞋带、梳头发。玛丽像个迷人、可爱、充满魅力的洋娃娃。她不会扣扣子、穿袜子，分不清衣服的前后，也不会分辨鞋的左右脚。

一天晚上，在"妈妈研讨小组"的聚会中，大家提到这一点：绝对不能替孩子做他自己能做的事情。玛丽的妈妈恼火地说："但是我就是想为玛丽做每一件事，我只是喜欢照顾她而已，她是我的一切！"

如果玛丽的妈妈真的了解自己的行为对孩子的影响，她会被吓到。事实上，她对女儿的爱很自私。她认为自己是个很慈爱的妈妈，她把全部都奉献给了孩子，为孩子鞠躬尽瘁。可是这件事的另一面是，玛丽被妈妈教养成为无助、依赖、能力低下、无用的孩子。玛丽会觉得，只有让妈妈帮她做每件事，她才有地位和价值。她没有什么能力做出实际贡献，她唯一能做的，就是像花瓶一样，展现自己的漂亮。

再过一年，玛丽就要上学了，那时候妈妈不可能再亦步亦趋，替她做每件事。而玛丽则很可能会惊慌失措。她的勇气会受到挫折和打击，她会更加无助。她完全没有为新生活准备好，这将给她带来心理危机。

当我们替孩子做他自己能做的事情时，其实是在展示我们比他大、比他好、比他有能力、比他有经验、比他更重要，会更加强化我们比孩子优、孩子比我们差的想法。最后，我们自己还不明白，为什么孩子会觉得自己很无能。

替孩子做他能做的事情，让他非常气馁，这样剥夺了孩子体会自己能力的机会。我们表达出来的，是对他的能力和勇气完全没有信心。结果孩子无法了解自己是否有面对问题、解决问题的能力，更加无法从能力增长中发展出安全感。我们这样做，是忽视他发展自我能力的权利，而只是维护了自己“不可或缺”的形象。所以，我们表达的，是对孩子的极端不尊重，不尊重他是个独立的个体。

四岁的琼、快三岁的温迪和妈妈穿上外套，准备到外面去玩雪。这是俩孩子最喜欢的事情，因为妈妈喜欢跟她们玩，会跟她们一起用雪堆出各种东西。琼穿衣服又快又好，靴子也穿好了。可是温迪噘着嘴，磨磨蹭蹭，看着自己的外套一动不动，完全没有自己穿的想法。妈妈一边穿外套一边说：“温迪，快点呀，穿上外套。"温迪开始吸吮自己的大拇指，显得非常无助。"天，看在上帝的份上，温迪，你怎么回事？坐下来，按我教你的方法穿衣服。"温迪抽抽噎噎地回答："我不会。你帮我穿。""唉，好吧，过来！"妈妈不耐烦地帮温迪穿好衣服，而琼在旁边看着，一脸很满意的表情。

温迪还是个"婴儿"，学会了用无能和无助来得到妈妈的关注和帮助。姐姐那么有能力，这让温迪觉得很气馁，而琼对温迪的无助很满意，这样她就可以继续保持自己的优越地位了。而妈妈没有耐心，为此急躁，这反而强化了两个孩子的信念。她对温迪妥协，替她做了她自己能做的事情。妈妈的态度不耐烦、急躁，想要省事，结果失去了培养温迪独立的机会。

温迪需要很多鼓励，她需要对自己的价值有新的认识，她需要用新的方式为自己找到家庭位置。而她不需要的是妈妈的服务。这需要时间和耐心。妈妈已经教给温迪怎么穿衣服了，她知道温迪会。现在妈妈需要往后退一步，给温迪空间和时间。比较明智的方法，是妈妈给温迪更充裕的穿衣服的时间，让她早点开始准备，然后以从容的态度耐心地鼓励她："温迪，你能做到的。你是个大姑娘了。"当温迪说自己不会时，妈妈可以不接受她这样的自我评价，而是继续给她鼓励："我相信你可以的，再试试看吧。等你穿好了，就到外面来找我们。"有可能温迪第一次会表现出彻底放弃，哭得非常可怜，就是不尝试。可能这次她甚至不出去玩。妈妈要克制想要帮助她的冲动，不要最后还是帮她穿上衣服然后带她出去玩。当温迪发现自己错过了这么大的乐趣，而且没有人再怜悯她，她就会改变想法，开始思考自己解决问题了。

　　妈妈在熨衣服，三岁的贝丝安在妈妈腿边玩："妈妈，我要你不熨衣服！""宝贝，我还有两件衬衣要熨哦，熨完就好了。"贝丝安抽抽噎噎地说："可是我要上厕所！"妈妈温和地回答："你可以自己去的。""不行，妈妈，我不会！我要你和我一起去！""对不起，我正在熨衣服。""可是我自己不会！"妈妈没有再说话，只是平静地对着女儿微笑。贝丝安往地上一躺，开始打滚撒泼。妈妈还是没有说话。没一会儿，贝丝安想了一下，站起来，自己去上厕所了。

　　贝丝安的妈妈接受过家长指导中心的指导。贝丝安是独生女，妈妈只照顾她一个孩子。现在妈妈不再和孩子纠缠她提出的过分要求，而是培养她的独立意识。现在的经历让贝丝安明白，即使她发脾气也不会达到目的。这就是她闹了一下又重新思考的原因。当妈妈没有答应贝丝安的第一个要求时，贝丝安试图显得很无助，让妈妈用别的方式为自己服务。妈妈沉静温和地再次拒绝她，让她做自己能做的事情，并且没有和孩子陷入话语争辩。接下来贝丝安的反应，体现了她开始发展独立和自足意识。

妈妈和三岁半的姬蒂走进大楼电梯。姬蒂用尽全力伸长手臂，按了五楼的按钮。旁边一位乘客干笑了一下："看来，我们得在五楼停一下啦。""噢，不是的。她按的就是我们要去的楼层。"妈妈说道。这位先生吃惊地问："哦，是吗？"姬蒂在旁边高兴地接过话："是的，正是。"

虽然姬蒂还小，但是妈妈经常寻找各种机会让她做力所能及的事情，让她学会独立。姬蒂对自己能够按到正确的电梯按钮非常自豪，她能够感受到，自己可以做很多事。当她看到自己能够让电梯这个庞然大物正确地上升并停下来，会充满了成就感。

从婴儿期开始，孩子就想要自己做事。婴儿伸手抓勺子，是因为他想自己吃东西。而我们经常因为怕脏怕乱而阻止孩子，结果导致孩子觉得自己能力不足，感到气馁，对自己形成错误的认知。真可惜！事后把孩子洗干净，可比当他失去信心以后再去重建要容易得多。只要孩子表达出他想要自己做什么事，我们就应该抓住这样的机会，尽量让他们尝试。我们会发现，能够让孩子自己动手和帮助他人的机会，比我们想象的要多得多。孩子可能会在自己动手的过程中需要我们的协助、指导、鼓励和手把手的训练，这些我们必须做。我们没有权利为孩子做每件事，更不能阻止孩子想要做出贡献的想法和热情。

孩子小小的，样子让人心疼。看到他想做事情，却遇到麻烦，我们会忍不住想要伸手帮忙。然而我们需要克制住这样的冲动，我们经常在还没有完全了解状况时，对孩子给予没有必要的帮助，我们甚至养成了这样的习惯。慢慢地，孩子喜欢看到别人为自己把所有的事情都做好，享受被服务带来的权力感。而事实上，孩子有机会帮忙，能体会到快乐。孩子长大了，他就会养成自然的行为倾向，为自己、为他人做出更多贡献。这样的自然行为倾向却经常容易被父母的担心、害怕、保护和服务压制下去。很快孩子会觉得气馁，看到的都是自己的弱点。他会预设自己没有能力，低人一等，然后他发现被人服务的好处，并加以利用，让自己本来就糟糕的自立和自信遭到更多破坏。

意识程度高的父母，可以按照本章开始提到的原则来预防孩子的自立和自信遭到破坏。这听起来很简单，然而当我们着急或者旧习惯根深蒂固时，做起来会觉得很难。我们连孩子是不是有能力都不清楚。要不然就是，我们经常低估孩子的能力。我们容易产生贬低孩子有能力，扩大孩子无能力的思想倾向。我们需要培养敏锐的分辨能力，分辨出"对孩子期望过高"（我们强加给孩子的）和"对孩子的能力有信心"（对孩子的尊重）两者间细微的区别。

琼是女童子军成员，按照计划她需要采访当地一位兽医。"妈妈，拜托帮我给他打电话。""亲爱的，为什么要我打给他呢？""因为我不知道该说什么？""嗯，那么你想从他那里知道什么呢？""我有份计划书，我想问他几个关于马匹健康的问题。""哦，那你就这样跟他说吧。""可是我不会！"琼哭了起来。"亲爱的，我相信你会知道怎么做的。"琼乞求："妈妈，你帮我给他打电话采访嘛！""但我不想知道马匹健康的问题呀。琼，这不是我的计划书。你能做得到，试试看。"琼闷闷不乐地转身离开，但还是不愿打电话。妈妈什么都没有说。女童子军聚会时，队长问琼采访的情况，琼很羞愧，说她没有打电话。"下个星期你觉得能够完成这个任务吗，琼？采访完你的计划书就能完成了。"那天傍晚，琼又让妈妈帮她打电话采访，妈妈再次拒绝了女儿的要求。琼想了想说："但是我不知道他的号码。"妈妈带着关爱的微笑，将号码本递给女儿。"打吧，亲爱的。你做得到。"琼花了很长时间找到号码，盯着电话站了很久，最后鼓起勇气，开始拨号。妈妈看到这里，离开了房间。过了一会儿，琼跑进妈妈的房间，脸上充满了喜悦："天哪！妈妈，他非常友好和气，跟我讲了很多，现在我可以完成计划书了！"妈妈笑着给了琼一个很大的拥抱："我很高兴看到你愿意自己完成。"

妈妈其实察觉到了琼要面对陌生人还要提问的紧张和惶恐。她的第一冲动反应是帮琼做，但她立刻意识到女儿需要成长，这是个让琼自己解决问题的好机会。她心里清楚，琼心里有足够的动力要完成计划书，获得女童子军奖。同时，她也对琼的能力有信心，没有逼迫和勉强她。妈妈退后一步，让琼有了成长的空间。她拒绝了琼，没有替她做。琼因此获得了渐渐增强的独立和自信。妈妈也从这次有效的激励中获得满足和成就感。

这样的情况，需要妈妈对形势有足够的敏感。我们应该意识到不用说太多，同时，也需要我们了解孩子的能力。妈妈坚信，琼能做到，这样的态度传达出对琼的支持，增强了她的勇气。当琼开始拨号时，妈妈离开了房间。这样琼就不会分心、紧张和担心，妈妈给了琼采访的时间、空间和自由。

极少有父母会故意不让孩子发展独立和自立的能力，我们都希望孩子拥有这些。因此，我们必须对过度保护有意识，并且对能够培养孩子独立的各种机会保持敏感。

每位妈妈都记得在孩子身旁看着他迈出第一步时的那种激动和骄傲，我们用视频和照片记录下这个时刻。当父母对孩子生活的其他发展和成长有足够的敏感和意识，同样的激动和骄傲会感受无数次。引导孩子迈出第一步的方法和态度，可以在孩子生活中的很多时刻再次使用。妈妈退后一步，和孩子保持一段距离，伸出手——在孩子差一点能够到的地方。这样，妈妈鼓励了孩子，也给予了孩子足够的空间。孩子开始尝试，当他成功走向妈妈时，他的脸上带着兴奋的光芒，而妈妈也会为孩子的成就激动开心。这也适合孩子生活的其他内容，我们向后退一步，给孩子空间，给孩子鼓励，但不插手。

STAY OUT
OF FIGHTS!

第二十四章
不参与战争

不论孩子们发生冲突的原因是什么，父母试着帮孩子们扯平或进行决断只会让问题更严重。当父母干预孩子之间的冲突时，其实是在剥夺他们自己学习解决冲突的好机会。我们每个人都经历过大大小小的冲突和争执，要想培养出应对冲突的技能，就必须从日常生活中学习。

　　孩子们之间发生冲突，很多父母都会很关切，他们每个孩子都爱，看着自己的孩子们相互伤害，家长会难受心痛。家长们花了很多时间去调停孩子之间的争执，教孩子们和平相处。有些孩子长大以后，不会再和手足发生冲突，而是相互关爱和保护。而有些孩子长大以后彼此还是有敌意，手足之间从没有和平相处过。说教、讲道理，对减少兄弟姐妹间的冲突没有任何效果。很多父母用了各种办法，想制止孩子们之间的战争，可结果是战争照旧。手足之争非常普遍，甚至被认为是有多个孩子的家庭的常态。然而，我们不能因为这些现象频繁发生，就觉得这很正常。孩子们可以学会不争执，不发生冲突的多子女家庭有可能存在。当孩子们发生冲突时，说明他们的关系发生了偏差。没有人和别人发生战争时还觉得愉快高兴。如果孩子们一而再、再而三地发生战争，那表明他们通过战争能够达到某种目的，不是通过战争的过程，而是通过战争的结果。

　　这样说的前提，是我们明白：行为都具有目的。因此，我们不同意对"战争"的普通解释：战争的起因是侵略，或者占有，或者遗传，等等。我们认为，需要了解孩子会在什么情况下发生冲突和战争，目的是什么？

妈妈在准备晚饭，八岁的露西亚和五岁的卡尔文在看电视。
卡尔文故意挤露西亚，露西亚让开了。卡尔文又把脚放在她脚上，
露西亚把他推开。卡尔文又把整个身体靠在露西亚身上。露西亚
轻声说了句"别闹了"，有点不高兴，但心思还在电视上。卡尔文
也在看电视，但没有露西亚那么专心，他用手指头描画姐姐衣服
上的花纹。露西亚挥起一拳，把弟弟的手打开："我说别闹了！"
卡尔文咯咯地笑，伸长手臂，又开始用手指划姐姐的耳朵。露西
亚抓过弟弟的手臂，咬了一口。"啊！"卡尔文尖叫，大哭起来。妈
妈冲过来，气急败坏地问："到底怎么回事儿?!"她看到卡尔文表
情痛苦，抱着胳膊，于是把卡尔文抱起来，搂在怀里。卡尔文伸出
胳膊，上面还能看到牙印。妈妈大叫："露西亚！""哼！他一直闹
我！""我不管他做了什么，你没有权利这样伤害弟弟！"

这场战争中两个孩子的目的是什么？结果是什么？

卡尔文这个小"婴儿"想要妈妈的保护。所以，他通
过自己的行为，引发一个能够得到妈妈保护的状况。而露西
亚觉得被卡尔文虐待，她也知道妈妈会保护卡尔文，妈妈的
强势言语会增强她被虐待的想法。所以她做了妈妈最不喜欢
看到的事情——报复卡尔文。她知道妈妈会保护卡尔文并责
骂她，会和弟弟一起对抗本来就已经很气愤的她，所以她更

要报复。如果露西亚没有报复弟弟，妈妈可能也不会站在卡尔文那边，就有可能明白，其实是卡尔文在捣蛋。

妈妈应该怎么做呢？首先她可以克制住听到尖叫就赶过去的冲动。当然，这对妈妈们来说很难。但如果妈妈可以先停下来想一下：突然的尖叫一下子吸引了妈妈的注意力，是有什么激烈的坏事发生了吗？然而只有孩子的一声尖叫，没有别的人或者东西发出声音。没有房子坍塌的声音，没有电视机爆炸的声音，只有卡尔文的哭声。哦，那就是姐弟俩发生了冲突，而且卡尔文受了伤。嗯……这是他们俩的冲突，我不应该介入。

妈妈要想做到这样，需要有不插手孩子之间冲突的经验，这需要积累。我们可以这样想象，这个还没有经验的妈妈凭着本能的冲动跑过去看发生了什么。现在她可以提醒和训练自己，不被牙印吓到。她发现是姐弟俩的冲突导致卡尔文尖叫，接下来可以什么都不说，回到厨房。毕竟，卡尔文并不喜欢被咬，他被姐姐咬了，结果会是卡尔文停止划姐姐耳朵的挑衅行为。这样，妈妈就通过"回到厨房"把两个孩子之间的责任还给他们，让他们自己去解决问题。我们没有权利安排孩子之间应该是什么样的关系，但我们可以用行动影响孩子们。如果我们的行动让他们原来那种争执的结果不

孩子:挑战

复存在，孩子们就能发展出新的关系。为了做到这一点，妈妈需要知道"行为背后的目的"，就能了解孩子的心理动机。

"看在老天爷的份上，你们俩不要吵了！我要被你们烦死了！"妈妈在另一个房间大喊。基斯回应道："盖尔不让我看我喜欢的电视节目！"盖尔也生气地喊道："我有权利看我喜欢的节目！"妈妈疲惫地叹口气，来到客厅试图平息冲突。

妈妈的行为能够给我们一个线索，发现孩子们这场冲突背后的目的。"我要被你们烦死了！"妈妈这样说。可能很难相信，这就是孩子们冲突的目的——让妈妈抓狂。事实证明了，这样的方法能够立刻吸引妈妈的关注，妈妈马上以法官的身份参与进来。兄弟俩的争吵让她狂躁，她放下自己的事情，去解决他们的问题。而结果是，妈妈给予了过度关注和没必要的服务。

妈妈要明白，两兄弟之间的冲突，她其实可以什么都不做，那就不会生气了。

我们愤怒，常常是因为我们觉得自己对孩子的利益肩负极大的责任。结果是，我们无法让自己从问题中脱身，无法客观看待情况。盖尔和基斯因看电视引发的冲突是他们自己的事，妈妈不用干涉。只要妈妈明白这一点，她就不会再觉得恼火。她只需要继续做自己的事，让兄弟俩自己解决问题。接下来，当孩子们看到妈妈没有干预，可能会有一个孩子来找妈妈，要求妈妈做主。妈妈可以真诚地说："我很同情你们碰到这个难题，但是我相信你们俩可以解决。"她把责任还给孩子们，不让自己卷入和自己无关的事情。这样，同时也消除了孩子希望用争吵得到妈妈关注的预期结果。

不论孩子们发生冲突的原因是什么，父母试着帮孩子们扯平或进行决断只会让问题更严重。当父母干预孩子之间的冲突时，其实是在剥夺他们自己学习解决冲突的好机会。我们每个人都经历过大大小小的冲突和争执，要想培养出应对冲突的技能，就必须从日常生活中学习。

每次妈妈决定两兄弟看什么电视节目，就是在为自己树立权威，而孩子们就无法学会合作、相互适应和寻找公平。当我们为孩子做事时，他们就无法学会自己做事。这个道理同样适用于冲突事件。当孩子们每次发生冲突都由大人解决时，孩子就学不会如何解决困难，将来，当他遇到不高兴或者不顺心的情况时，就会无所适从。

对很多父母来说，接受"孩子之间的争执不关我的事"确实很难。我们相信，教孩子不发生冲突是我们的职责所在。这个想法没错，我们的确需要教孩子不发生冲突，然而难点是如何成功地教会孩子。干预和评判无法成功教会孩子。这只能让孩子暂时停止冲突，但不能让他们学会怎么不再发生冲突，或者用不同的方式解决冲突。我们一干预，孩子就能达到他们的目的，他们当然不会停止！试想想，假如一场战争的唯一结果是青紫的淤痕或者流血的鼻子（这些都会痊愈），没有其他结果，那么下次孩子不就倾向于换个方式（而不用打架）解决问题了吗？假如受伤的那个孩子除了伤痛之外得不到其他的结果，下次他不就会非常小心地避免受伤吗？这样，孩子们还有可能发展出对手足的责任感。（当然，妈妈会很自然地帮助孩子们处理伤口，但记住不要站在任何一方评判谁对谁错，只要说"你在冲突中受了伤，我也很难过"就足够了。）

下面是"家长辅导小组"中一位妈妈的实例报告。

我和丈夫开始尝试对孩子们之间的冲突不再干预。以前，只要一个孩子跑过来告状，我和丈夫会立刻介入，找出到底是谁的错。那真是个让人头疼的过程，我们高声训斥过，也打过孩子。每次这么闹腾一番，影响得我一整天都不高兴。后来，我学着告诉他们："我相信你们自己可以处理。"不论孩子再说什么，我都保持沉默，不再干预。很快，我发现自己能够做到对孩子的事情放手。同时，孩子们也几乎不再来找我告状。有一天，我听到小的跟大的说："看你干的好事，我要去告诉妈妈！"大的回答："你去告状也没有用，她会说：你自己可以处理。"当我听到这个对话，我简直难以用语言来描述这个新行为给我们带来的改变：我不用再殚精竭虑地想我要站在谁那边，我也不再生气愤怒。我现在真正明白了，他们之间的大部分冲突是为了引起我的关注；我也明白了那个小的比我想象的更有能力照顾自己。我现在非常坚定地相信，父母不用干预孩子间的冲突。不但是为了孩子们好，也能减少90%没必要的家庭紧张。

妈妈坐在门廊上和邻居聊天，四岁的玛吉走进屋，后面跟着弟弟博比。博比爬台阶比较慢，等他爬上来的时候，玛吉已经走进门了。博比走到门口，玛吉却小心地关上了门，玛吉看起来严肃、强硬。博比开始尖叫。妈妈冲过去把门推开，拉过玛吉就打："你这样子对弟弟是想干什么?!你关门的时候会夹到他的手指头，你知不知道？现在你给我待在屋子里，等你愿意规规矩矩的时候再出来！"妈妈转身抱起博比，回到椅子上坐下来，让博比坐在她腿上。没几分钟，博比从妈妈腿上爬下来，自己玩了起来。这时，屋子里传来低低的啜泣声，持续了好几分钟。最后，妈妈走到玛吉身边："你现在愿意做个好孩子了吗？"玛吉不说话，继续哭。妈妈又把玛吉抱起来，她把头靠在妈妈的肩膀上。妈妈抱着她走到外面，让她坐在自己腿上："好了，好了，你现在又是妈妈的好女儿了，我知道你不会再淘气了。"

孩子之间的战争并不总表现为肢体和语言冲突。"婴儿"博比得到妈妈很多的保护和关注。能力较强的玛吉被博比夺去了家里的地位，本来就心怀不满，妈妈保护博比的时候，玛吉就更加不满。每隔一段时间，玛吉就会淘气，她渴望得到妈妈的关注，这意味着妈妈爱她。结果她发现了一个规律，被妈妈惩罚以后，她就能得到妈妈的关注和爱。如果妈妈留心观察，就会发现玛吉关门的时候很小心，并不会夹到弟弟的手指。这说明，她这样做是要得到妈妈的关注，而不是报复和伤害弟弟。如果是报复和伤害，玛吉会真的夹伤弟弟。她是想要妈妈介入，先激怒妈妈，得到妈妈的惩罚，然后再得到妈妈的关爱。这个计划是不是很完美？

大多数时候，如果孩子之间发生冲突的结果，是小的那个孩子受到虐待，那么家长基本可以确定，大孩子并不是真的想伤害弟弟妹妹，而是想引起混乱以得到关注。

下面是辅导小组的另一位妈妈的实例报告。

妈妈经过游戏室门口时，正好看到四岁的凯瑞举着一辆玩具卡车，对着十一个月大的琳迪的头，看起来好像要打她。琳迪开始尖叫。妈妈想起来辅导小组给她的忠告，不要介入孩子的冲突。于是她鼓起勇气走开了，然后她从另一个地方偷偷进行观察。结果让她非常吃惊，凯瑞看到妈妈没有进来，他小心地拿着玩具卡车，掠过琳迪的头，完全没有碰到她。

现在妈妈完全相信了大家的话：凯瑞和琳迪都希望妈妈介入他们之间的冲突。虽然琳迪只有十一个月大，但她也知道如果自己尖叫，妈妈就会跑过来，凯瑞就会有麻烦。而凯瑞也知道，如果他让琳迪尖叫，妈妈就会跑过来。两个孩子都希望妈妈为自己忙碌。

一个孩子用某个危险的物品吓唬另一个孩子，妈妈可以静静地过去把东西拿开。但要记住很重要的一点，要保持沉着，不要紧张或激动，不用多说话，更不要大惊小怪。孩子就是想要看到家长大惊小怪。

晚饭时爸爸妈妈的谈话不断被打断。家里有四个孩子，四岁的罗丝和六岁的比利是妈妈前一次婚姻的孩子；五岁的卡尔和七岁的玛丽莲是爸爸前一次婚姻的孩子。罗丝使劲踢卡尔，卡尔立

刻抱怨:"爸爸,罗丝踢我!"妈妈赶紧介入:"罗丝,不要乱踢,
注意你的行为!"罗丝安静下来开始吃东西。这时玛丽莲又抱怨:
"爸爸,比利不给我盐。"妈妈告诉比利:"比利,把盐递过去!"
比利把盐递给玛丽莲。可他也加入了抱怨的行列:"妈妈,卡尔一
直碰我的胳膊!"这时爸爸介入了:"把胳膊放好,卡尔!"罗丝说:
"妈妈,玛丽莲拿了我的餐巾纸!"爸爸命令:"玛丽莲,把餐巾纸
还给她!"孩子们相互骚扰,抱怨不断,一个接一个。"受害者"
总是在寻求"正义"。最后爸爸发脾气了:"你们这些孩子,什么时
候才能不再闹了?!我们就不能安安静静吃顿饭吗?我受够你们这
样闹腾了!现在开始,谁不守规矩,我就揍谁一顿!"直到晚饭结
束,孩子们都是安安静静的,没有任何冲突,但每个人都很不高
兴,气氛非常紧张。

孩子们吵吵闹闹,让父母头昏脑涨,这是有意图的。
为了这个意图,孩子们愿意放弃进餐的愉快。仔细观察就
会注意到,每个孩子都在向自己的亲生父亲或母亲抱怨,
而不守规矩的孩子的亲生父亲或母亲就会忙着纠正孩子的
行为。而每个孩子也都在向继父或继母的孩子挑衅,因为
这个方法肯定会立刻奏效。爸爸和妈妈太容易把关注点全
放在这个孩子不安、那个孩子不安、这里不公平、那里不

公平这些表面现象上了。结果，孩子们继续激怒继父或继母的孩子，让亲生父亲或母亲为自己不停地忙碌。这个计划进行得很顺利，不是吗？

有些家庭中，父母保护自己的孩子；有些家庭中，父母保护对方的孩子。不论是哪种情况，孩子们都知道激怒谁最容易得到反应。

当孩子们被爸爸恐吓后，就停止了吵闹。这说明他们刚才闹腾是为了得到父母的关注。否则，爸爸的恐吓会让孩子觉得不公平而闹得更厉害。他们没有继续闹，说明之前的行为已经达到了目的，就此作罢。每个孩子都成功地得到了自己想要的关注，这证明了刚才所谓的冲突不过是希望得到关注的小争斗而已。

爸爸妈妈要同时停止对孩子们的过度关注，让孩子们自己解决问题，这样就能真正帮助孩子成长。如果孩子们的行为扰乱了全家的和谐气氛，爸爸妈妈可以表示：如果他们愿意一起愉快用餐，就可以一起留下来。一旦发生争执，四个孩子必须离开餐桌。这样，孩子们就能够慢慢学会和平用餐了。要求孩子们离开餐桌时，父母不要介入孩子们之间的冲突，不要评判，只要表现出温柔而坚定的态度即可。

　　六岁的苏珊坐在九岁的哥哥哈里身旁，哈里正在搭积木，七岁半的埃伦在帮哈里。本来大家都很安静和谐，然而苏珊开始偷偷用脚后跟碰哈里。当她又这样时，哈里大喊："别闹了，苏珊！"苏珊假装无辜的样子："怎么了？"她表现出只是随便伸了伸腿，正好哈里挡住了她的脚。没一会儿，同样的情况又发生了，哈里挥起拳头打了苏珊。苏珊哭着跳起来，跑到窗户那里往外看，然后又跑到房子侧面的窗户往外看，然后又跑到后面的卧室，在这里她找到了妈妈，妈妈正在玫瑰花圃里干活。看到妈妈，苏珊立刻发出尖利的叫声，泪流满面。"妈妈！"她对着窗户大叫，"哈里打我！打得好狠！"

　　妈妈停下手里的事情，走进屋里，看到苏珊的手臂上红了一块。妈妈开始安慰苏珊，走进儿子的房间："哈里，你为什么打苏珊？"哈里为自己辩解："是她先开始的！"苏珊尖叫："我没有！你打了我！我什么都没有做！是你！"哈里也大喊："你先踢我好几次！""妈妈，我没有踢他，我只是动了动脚，不小心碰到他。我没有踢他。"哈里非常愤怒："你这个'大婴儿'！"妈妈赶紧插手："哈里，你应该感到害臊，你是老大，苏珊是最小的，你应该做个好榜样。打比自己小的人，就是欺负人。你现在立刻给妹妹道歉！以后不许再打她。"妈妈责骂哈里时，埃伦在一旁观看，这时他提醒妈妈："妈妈，我没有打苏珊。""我知道，宝贝，你是好孩子。哈里，你怎么总惹我生气呢？你怎么就不能管管你自己呢？现在，立刻道歉！"

　　苏珊的眼泪已经干了，站在那儿饶有兴趣地看着哈里。她故意低着头，从眉毛下面观察，嘴角带着不易察觉的微笑。哈里很不情愿地说："对不起。"眼睛盯着地板。妈妈说："现在你们好好玩，听妈妈说，你们是兄妹，要相亲相爱，不应该打打闹闹。"妈妈离开了，哈里继续搭积木，他咬牙切齿地说："就会打小报告！"苏珊有点得意："妈妈说你要对我好，因为我最小。""你有病！少碰我的东西，这是我的，我不要你碰！"苏珊在屋子里晃悠了一会儿，走了出去。哈里在后面嘲笑她："再去打小报告呀！'大婴儿'！"苏珊在厨房里找到妈妈，哭着说："妈妈，哈里不让我跟他玩，还嘲笑我。"妈妈又来到儿子们的房间："天哪，哈里，你到底要干吗？为什么不让苏珊跟你一起玩？"哈里怒目相向："她就会捣乱！""哈里，你太淘气了，现在就到厨房椅子上坐着去，等你愿意跟妹妹玩的时候才能起来。"妈妈抓着哈里的胳膊，带他去厨房，苏珊在旁边看着，脸上一副正义得到伸张的表情。妈妈强迫哈里坐在厨房的椅子上。哈里双眼盯着地板，嘴巴倔强地紧紧抿着，充满了反抗的神情。苏珊满意地转向埃伦："埃伦，我们到外面去玩吧。""好啊！咱们可以去帐篷里玩。"兄妹俩走到屋外，使劲关上了纱门。

　　我们要是背后长了眼睛该多好！在这个例子中，如果妈妈观察孩子们说话的表情，就能看出端倪：身为老大的哈里身上的负担很重，在"总是很规矩的弟弟"和"婴儿妹妹"之间，他难以找到平衡。三个孩子的关系中充满了竞争，充满了火药味。妈妈竭尽全力调解孩子们的争端，苦口婆心地劝说他们相亲相爱，结果却是让情况越来越糟。她站在老小苏珊的一边，保护她不受哥哥的"欺负"。可是她的过分保护强化了苏珊是个"婴儿"的信念，她因此要求妈妈的特殊关注。苏珊六岁了，完全可以照顾自己。即使面对年纪和个头比她大的孩子，她也有能力保护自己。妈妈落入了苏珊的圈套，被苏珊当成了打败哈里的武器，让哈里永远都是错的一方。

　　当家长偏袒一方时，这个"冲突跷跷板"就失去了平衡，会不停地摇摆。没有得到偏袒的孩子，会向得胜的一方实施报复。最后，一个争端的结束，其实是另一个争端的开始。只要父母偏袒，就会出现胜利者和失败者。有一点可以确定，那个胜利者、那个尽力向父母证明自己无辜的人，通常是始作俑者或曾通过狡猾的举动激怒过对手。比起激怒哥哥、被哥哥打，赢得宠爱、赢得父母对自己的支持更划算。战争的背后其实就是手足之争。明白了这一点，也就明白了对孩子们说教"要相亲相爱"怎么可能奏效？尤其是这些话是向着所谓受害方的时候，更加无效。这样的说教只会让情况更差，因为说教里面充满了"应该"，结果孩子们会觉得自己没做到，感到更加紧张和不满。

其实妈妈只要观察一下苏珊，就能对孩子们的关系有新的认识。没有受到责骂的孩子脸上通常会看到满意，而被责骂的孩子则失宠了——再次失宠！虽然苏珊自己并不明白为什么，但她是有意激起这次冲突的。给哈里制造麻烦让她兴奋，再次强化她对自己的认知。

事实上，苏珊看到妈妈以后才开始哭，这就是个破绽。而埃伦借这个机会提醒大家"看我多好"。哈里则再次发现自己说什么都无济于事，他甚至认为自己无可救药，不会想着还有其他方式避免和苏珊发生冲突。哈里知道，不管怎样，肯定是自己不对。当妈妈介入他们的争端时，她是在强化每个孩子错误的自我认知。妈妈不但没有成功解决冲突，反而导致了相反的结果。

如果妈妈对整件事情不插手，只是表现出对苏珊的信心，相信她有能力照顾自己，让孩子们自己解决，这样的冲突很快就会失去意义。苏珊尖利的哭叫是她的武器，不是被打的结果。如果妈妈对这个武器不理睬，那苏珊就会舍弃不用。

　　还有一件很自然的事情是，孩子会模仿爸爸妈妈的冲突。当孩子们看到爸爸妈妈发生分歧时就会有战争出现，他们也会用同样的方式来解决冲突。这样，孩子们就会发展出"用战争解决分歧"的家庭价值观。当然，如果一个孩子很反叛，他日后也会发展出完全相反的价值观。

　　冲突中肯定有权力之争。平等的关系中，不会有"我要占有优势"的冲动念头，而是不需要胜败也能解决问题。发生冲突时，如果有一方觉得自己的地位受到另一方的威胁，那么上述的冲动念头就会变成竞争行为，这一方就会变得很有敌意，忘记礼貌，忘记体谅，而去竭尽全力恢复自己失去的地位，即使是让对手付出巨大的代价。当我们站在所谓"最小"的一方，帮助他们反抗"最大"的一方，这其实增强了他们弱小卑下的感受，也是在教他们利用无助和软弱得到特别关注，对解决难题有弊无利。让孩子们自己解决，孩子们就能建立起更加平等和公正的人际关系。他们会从实际行为中学会礼貌、平等、遵守规则、相互体谅和尊重等精神，这些恰恰就是我们希望孩子们学会的人生性格和技能。我们对孩子最大的帮助，就是退出战争，给孩子们足够的发展空间。

我们可以，也应该，友好地讨论"战争和冲突"，只是这个讨论不带任何指责和说教的意味。我们可以，也应该，和孩子们一起找出解决冲突的方法，只是这不应该在发生冲突时进行，而是在那之后。发生冲突时，我们的说教、讲道理或者插手帮忙，只会变成战争的武器而已。

BE UNIMPRESSED BY FEARS

第二十五章
不受恐惧的影响

如果我们的孩子觉得生活中充满了恐惧，他们就无法面对和解决困难。恐惧不但不能提高克服困难的能力，反而会降低这样的能力。一个人越担心害怕，就越容易招致困难和危险。然而恐惧却能很成功地引起他人的注意，让别人为自己服务。

"唉，我五点以前必须到家。"妈妈跟朋友说。"为什么呢？""因为我答应了贝蒂。她肯定会一直从窗户往外看呀看。如果我没有准时回去，她会非常害怕的，撕心裂肺地哭。"

贝蒂把妈妈训练得真好，就好像贝蒂一拿起套圈，妈妈就会跳进去。她用恐惧来操纵妈妈。当然，贝蒂不是假装恐惧，她的恐惧是真实的，而且很有杀伤力。因为这样的恐惧，贝蒂生活得很不快乐。而妈妈当然不希望让孩子更难过。两人的状态怎么会变成这样？

人类天生具有情感，情感是"行动燃炉"的燃料。少了情感，我们就无法做决定，就会软弱，没有方向。我们需要这样的燃料，给自己的行动助推。贝蒂的情况里，不是恐惧拥有她，不是恐惧像个恶魔一样伸出手来抓住了她，而是贝蒂拥有恐惧，而且利用自己的恐惧来操纵妈妈。虽然这个恐惧是贝蒂自己给自己造成的，但这恐惧确实是真的，不是贝蒂装的，是完全真实的恐惧。

恐惧可以当作一种达到自己目的的工具，这可能是贝蒂无意中发现的。当她察觉到这个工具能给自己带来好处，就会自然而然地开始使用。而现在，贝蒂陷入了自己织就的恐惧之网。同时，妈妈也要为这个结果承担责任，是她让自己受到贝蒂的恐惧的影响，让贝蒂利用恐惧取得了成功。

我们都经历过恐惧，我们知道，当人们害怕时，没有办法正常思考和行动。所以，看起来，恐惧就像奢侈品一样，是我们无法负担的。而事实证明，人类在面临危险的时候，并不会感受到恐惧。恐惧发生在事前或者事后，当我们开始想"将会怎么样"或者"可能会出现什么结果"的时候，才会产生担心、害怕、恐惧的感觉。假如一个人发生了交通事故，他的脑子会忙于处理眼前的情况，根本没有精力感受恐惧。危险结束以后，他才会害怕、发抖、心有余悸。通过这个，我们明白了：我们不需要感受恐惧，从而避免发生危险。事实上，恐惧经常增加危险发生的可能性。恐惧意味着我们无法控制情况，我们害怕自己控制不了、做不到。当我们害怕时，我们就使自己的思考和行为"瘫痪"，没有办法正常思考和行动，反而真的做不到了。

我们有必要区别一下"惊吓"和"恐惧"。一个年幼的孩子突然听到一声巨响或者摔倒了，他会受到惊吓，这是个很短暂的瞬间反应。而恐惧是第一次受到惊吓体验的延续。只有当父母也被同样的事情惊吓，并且无法摆脱自己受到的惊吓，孩子"受到惊吓"的体验才会发展成恐惧。也就是说，如果父母当时保持冷静和从容，那么"受到惊吓"就仅仅是一次经历，而不会发展成孩子的恐惧。

一个孩子忽然面对一个陌生的、他觉得害怕的环境，这时他有几个选择，他可以停下来看看大人怎么做，可以撤退或逃避，也可以利用恐惧。

妈妈带十六个月大的马克去拜访朋友时，马克第一次见到了狗。看到这个奇怪的会动的东西，马克抓着妈妈的衣服不撒手。旁边所有的大人都围过来，七嘴八舌地忙着对马克说："马克，不要害怕，它不会伤害你。马克，过来。马克，轻轻摸它，它喜欢你。马克，不要害怕。"

马克感受并评估当时的状况，当他不确定该怎么做时，他会观察大人的反应，选择用大人的反应去代替他的困惑。如果大人们继续小题大做，很可能就开启了他利用恐惧的旅程。大人讲话的语气、对这件事情的反应，引导着恐惧是否继续发展。大人们表现出过度焦虑，为了小事情忙碌，七嘴八舌，于是马可发现"害怕"能够引起成人这么大的反应，这多么令人惊讶！而这只是个开始，接下来有可能是更多的害怕、更大的反应，甚至是过分的关注，以及被抱起来的各种安慰。一次很普通的迟疑，就这样被演变成了恐惧，而这个恐惧能够很有效地引起大人的剧烈反应。

孩子是天生的演员，只要有观众，他们就会不断表演。因为不能理智地预知自己的行为结果，所以他们反而不给自己任何限制。孩子从一次一次的经历中发展出表演模式，最后渐渐演变为成年人的行为习惯。我们成人的一些行为和企图，自己都不愿承认，因为我们知道不符合社会标准。而孩子们才不会考虑所谓的社会标准，他们就是凭本能直接反应，他们的感受都会通过言行表现出来。当他们遇到一个新情况，他们会停一下，感受和评估这个情况，从大人的反应中寻找线索。上面的例子中，大人们的行为表现出他们都认定马克肯定害怕狗狗，所以马克就会借着这个行为和预设让大人为自己服务。

妈妈可以对马克表示出信任，相信他可以应对这个新情况，妈妈可以退一步，给马克时间和空间去面对新情况和他的迟疑。最重要的是，她不要假设马克会害怕，不预设他接下来的反应和行为，让马克自己去面对。如果接下来马克表现出害怕，妈妈只要保持平静镇定，就能帮助马克。在上面的情况中，其实是妈妈担心马克会害怕，结果反倒让"马可害怕狗"成为了现实。即使马克真的害怕，而妈妈不受影响，那么很快，马克的害怕就会消失。

　　有时候，恐惧可以用来达到非常惊人的效果。

　　五岁的玛莎并不怕蚱蜢。有一天，一只很大的蚱蜢跳到她身上，让她很意外，玛莎轻轻叫了一声，想用手捉住蚱蜢。结果蚱蜢跳进玛莎的衣服里，这个感觉可不太好，她大叫了一声。她九岁的哥哥在旁边像看戏似的，肚皮都快笑破了。玛莎手忙脚乱地赶蚱蜢的动作，让哥哥笑得更厉害了。而哥哥的反应让玛莎很生气，结果她叫的声音更大了。妈妈被尖叫声吓坏了，赶紧冲出来查看究竟。

　　同一天傍晚，哥哥握着拳头走到玛莎面前："我有东西给你。""什么呀？"他把手张开，一只蚱蜢一下子跳了出来。玛莎立刻发出凄厉的尖叫，爸爸妈妈都跑了过来。他们严厉地惩罚了哥哥，也数落玛莎太笨。从那以后，每次玛莎看到蚱蜢都会尖叫。但心底深处玛莎知道，自己并不是那么害怕蚱蜢，她只是发现自己的恐惧能够带来非常惊人的效果。

　　玛莎的父母责备玛莎很笨，这是最大的败笔，这样会让玛莎越来越强化自己容易被惊吓的念头。如果当时爸爸妈妈能够不被玛莎的尖叫影响，他们就消除了玛莎用恐惧制造惊人效果的动机。

四岁的本尼坐在圣诞树下，玩他的电动火车。忽然，他往后一跳，叫了一声。原来，一个接头松了，他被轻微地电了一下。妈妈坐在旁边，看到了这个情况，她把本尼抱起来安慰道："宝贝，你没事，只是被电了一下。这个火车发生了点状况，爸爸回来以后会修好的。"

那天晚上，爸爸修好了火车。但是本尼不想继续玩了，他一个劲往后退，看起来被吓坏了。每次爸爸鼓励他去按开关时，他就把头埋在妈妈的双腿中间。妈妈和爸爸相互看了一眼，妈妈很轻地摇了摇头，爸爸点了一下头表示同意。然后爸爸把火车留在地板上，自己看报纸去了。没有人再对火车发表任何言论，本尼还是不愿意玩。两天后，爸爸按照计划把圣诞树和火车都拆开，仔细地装进了箱子里。本尼在旁边认真地看着，什么都没说。然而，晚上睡觉时，本尼嘟着嘴说："爸爸，我想玩我的火车。""我们很快就可以拿出来。本尼，今晚你想听什么故事？"

本尼不愿去玩火车，只是如此不愉快的经历之后的自然反应，爸爸妈妈了解这一点。但当本尼不断抗拒，不接受爸爸已经修好火车的事实，并想让他们介入他可怕的惊吓时，妈妈和爸爸就不再提这件事了，并"让他的风，无帆可吹"。他们知道，本尼太小，无法明白电的原理，就没有试图给他解释以帮助他克服恐惧。所以，本尼没有从自己的恐惧中得到好处。火车被收起来以后，本尼发现自己其实很想玩。爸爸妈妈避免了不明智的说教，也没有责备本尼，这样他的恐惧就没有机会变成一个工具。爸爸接受孩子当时的感受，而当本尼又要求玩火车时，爸爸也很平静地承诺会很快给他，并改变了话题，不再继续纠缠。

妈妈试图帮助三岁的马西娅克服对黑暗的恐惧。她帮马西娅盖好被子，打开走廊的灯，然后关掉了马西娅卧室的灯。马西娅开始害怕地尖叫："妈咪！妈咪！"妈妈安慰她："宝贝，没事的，我不会离开。你看，真的没有什么吓人的东西。妈妈在这里。""可是我想开着灯睡觉，我怕黑。""走廊的灯开着呀，宝贝，而且妈妈也在这里陪着你啊。""你不会离开吗？""不会的，我会在这里一直坐着，直到你睡着为止。"过了好久，马西娅才睡着。后来她还惊醒了好几次，每次都要确定妈妈在身边。

妈妈以为让灯光离马西娅越来越远，就能慢慢帮她克服对黑暗的恐惧。但她没有看到，马西娅在利用自己的恐惧让妈妈陪着她，让妈妈为她服务。

当孩子表现出恐惧，这对我们很有力量，他们看起来那么小、那么无助，而且生活中确实有让他们恐惧的东西。然而，如果我们能够了解孩子行为背后的目的，我们就会发现，自己的反应并不能真正帮助孩子，反而促成他们将恐惧作为工具和武器。

妈妈可以关掉卧室的灯，打开走廊的灯，帮马西娅盖好被子。不要对她的恐惧表达做出回应，而只是真心鼓励她，表达对她的信任："宝贝，你能学会不害怕。"当马西娅尖叫时，妈妈可以不闻不问。

这需要妈妈摒弃传统的理念——认为不理睬孩子这时的恐惧和痛苦是残忍。如果妈妈不肯这样做，那么马西娅害怕黑暗的问题就永远无法解决。我们通常认为，当孩子经受苦难时，我们必须去安慰他。而实际上，我们这样做是在增加孩子的痛苦，孩子将继续保持自己的恐惧，以得到我们的同情和关注。当我们明白了这一点，我们就能够有效地不让孩子再恐惧。

如果我们的孩子觉得生活中充满了恐惧，他们就无法面对和解决困难。恐惧不但不能提高克服困难的能力，反而会降低这样的能力。一个人越担心害怕，就越容易招致困难和危险。然而恐惧却能很成功地引起他人的注意，让别人为自己服务。

我们有义务和必要教给孩子对可能发生的危险多加小心。小心和恐惧截然不同。前者是合理的，理智并勇敢地面对可能的危险；而后者则让人丧失勇气，逃避撤退。我们需要教给孩子小心过马路，不接近陌生人，枪是致命武器而不是玩具，游泳时考虑自己的水平和水的深浅，等等。这些内容是让孩子明白能力极限、出现危险或困难应该怎么办，给孩子增加勇气，而不是要给孩子造成心理恐惧。恐惧让人觉得危险，让人丧失勇气。而孩子有可能将恐惧作为工具。如果父母能够不理会恐惧，那么孩子就不会发展出恐惧感，最后孩子和父母都不会被恐惧攫获，生活中也不会产生恐惧带来的痛苦。

曼弗雷德从记事起，就经常听到妈妈诉说生孩子时遭受的痛苦，手术如何疼痛，等等。三个月前，曼弗雷德的腿上长了一个瘤子，需要动手术。当得知这件事时，他吓坏了，不断尖叫和大哭。接下来的三个月里，他不断反抗、哀求、歇斯底里，无论如何不愿意做手术。

妈妈用了各种办法安慰他，可是毫无用处。到了手术这天，最大的难题不是手术本身，而是控制住曼弗雷德。孩子心里巨大的恐惧感，甚至连术前的镇静剂都没起多大作用。

疼痛是生活的一部分，没有人可以逃避疼痛。妈妈讲述自己的分娩经历，只是想告诉大家她受过多大的痛苦。而曼弗雷德没有真正经历过疼痛，他对疼痛的想法都建立在妈妈的讲述以及讲述造成的想象上，和实际相去甚远。和妈妈表现自己经历痛苦还很勇敢的企图相反，曼弗雷德没有想成为这样一个"英雄"。面对如此吓人的疼痛，没有人教过曼弗雷德该如何面对和接受。另外，妈妈又对他的恐惧表现出极大的同情，这里面也基于她自己经历过的对手术的恐惧。结果她不但没能帮助孩子走出恐惧，反而在一次次的安慰中强化和激发了更多的恐惧。

没有哪个父母愿意看到自己的孩子受苦，但我们必须明白，疼痛和苦难不可避免。事实上，勇敢的孩子所受的痛苦会更少。恐惧让痛苦增加、扩大，恐惧让当事人实际遭受的痛苦更加严重和剧烈。我们需要帮助孩子面对及接受疼痛和苦难。当我们被孩子的恐惧影响时，我们就会让孩子变得更加胆小。

一位有三个"莽骑兵"[莽骑兵 (Rough Rider)：1898年美西战争时，罗斯福总统组织了一支名为"莽骑兵"的志愿骑兵队，以勇敢刚毅、骁勇善战闻名。] 儿子的爸爸是个牛仔，他有一套增强儿子勇气的训练方式。当孩子们擦伤、碰破皮、被撞到，并让他看时，他会说："嗯，嗯，我猜有点疼，是吧？不过不用担心，肯定会好的。"一天，六岁的儿子被一匹正在接受训练但还不成熟的小马驹从马背上摔了下来。孩子先是愣了一下，然后坐在地上，疼得直摇头。爸爸看到了，从栅栏上跳下来，轻松地走过来查看儿子的伤势。孩子想要站起来，但是痛得缩成一团，抱着自己的两个胳膊。很显然，孩子的胳膊骨折了。"儿子，看来你的胳膊骨折了。""爸爸，别担心，会好的。只是现在非常疼。"摔下马背那一刻的惊吓现在已经过去了，孩子因为疼痛忍不住哭起来。"儿子，我知道这很疼，疼得让你掉眼泪。来吧，咱们把胳膊放在这个吊腕带里，一起去看医生吧。"爸爸用自己的围巾做了一个吊腕带，轻轻地把儿子受伤的胳膊裹起来。当爸爸碰到孩子的胳膊时，孩子疼得叫了出来。"是的，我猜这个胳膊疼得非常厉害。"他扶着儿子站起来，没走几步，孩子身子一歪，晕了过去。爸爸抱起儿子继续走。过了几分钟，孩子醒过来，哽咽着对爸爸说："爸爸，好疼啊。不过会好的，对吗？""一定会好的，儿子。而且不会永远这么疼下去的，疼痛只是一阵子而已。现在，你是个真正的'莽骑兵'了，对吧，儿子？"

MIND YOUR OWN BUSINESS

第二十六章
做自己的事

开诚布公的讨论，不会引起孩子本能的反抗。多提出各种可能性，即使有些可能出现的情况我们不能接受，也要提出来让孩子思考。这种客观、全面的处理方式，是培养孩子理性思考和判断的重要前提。通过这样的方式，我们和孩子都会发现，孩子能够形成对他现在和将来最好的能力和价值观。

亚瑟跑进厨房，非常伤心地大哭起来："妈妈，爸爸打我！"妈妈放下手上的事情，抱着儿子安慰道："到底怎么了？""他说我很野蛮，然后打了我一巴掌。""好的，宝贝，我会处理这件事的。现在别哭了。"亚瑟不再哭了，妈妈来到车库找到正在忙碌的爸爸。接下来爸爸妈妈发生了激烈的争吵。妈妈再次申明（第一百次了）她不赞成体罚。爸爸则声称，亚瑟也是他的儿子，当他让亚瑟把自行车放好时，他不想听到这孩子出口不逊。亚瑟站在旁边，把这一切都看在了眼里。

两个人的关系是这两个人的事。亚瑟和爸爸的关系是他们俩的事，妈妈没有权利控制他们俩的关系。当亚瑟找妈妈告状时，妈妈可以说："宝贝，我也感到难过。你不喜欢爸爸打你，那你能不能想出什么好办法，让这样的事情不再发生？"等一会儿以后，当这场冲突冷却下来，妈妈可以和亚瑟一起讨论，引导亚瑟明白，怎么样才不会再被打。如果妈妈希望教育孩子，她就不能偏袒。

在刚才的情况中，亚瑟其实很享受家里三个人的关系，三个人的"合作"其实也很完美。我们来看看这是怎么回事。

亚瑟很擅长让父母发生冲突。很明显，妈妈是家里的

"老板"，而且她和儿子站在一边联手对抗爸爸。亚瑟巧妙地利用父母之间的争执来确保妈妈始终支持他、维护他，帮助他反对爸爸的意见。当亚瑟用这样的方式操纵父母达到自己的目的时，他的心理发展是不健康的，他通过让别人敌对来保护自己，而不是思考怎样面对和解决问题。妈妈不明白亚瑟的心理活动以及对自我认知的损害，掉入了这个陷阱。而爸爸决定要消除妈妈对亚瑟的纵容，所以亚瑟一不听话，爸爸就揍他。然后妈妈更加坚定要让孩子生活的环境里没有体罚，通过怒斥和争吵强迫爸爸接受她的想法。看，亚瑟取得了全面胜利。母子俩合作，让爸爸受到责备；然后父子俩又合作，让妈妈生气；再然后父母又合作，发生争吵以表现谁才是支配者。

虽然是合作，但这是不健康、不和谐的合作氛围和家庭氛围，不能教会亚瑟尊重他人，尤其是尊重自己的父亲。当然，亚瑟不喜欢被爸爸打，但实际情况中，亚瑟用被爸爸打来换取妈妈的支持和让爸爸威信扫地。而妈妈认为亚瑟被打是体罚，这和她的理念相反，她则利用这样的机会促使丈夫改变，加强对丈夫的控制。妈妈应该做好自己，而不是试图控制每件事。她有权利自己不打孩子，但是没有权利干涉丈夫对待儿子的方式。亚瑟和爸爸的关系是他们俩的事，不该妈妈管。

我们知道这个观点很多人都想不通：我们应该关怀孩子，应该关怀别人对待孩子的方式是否正确和合适呀！

是的，我们确实应该关怀孩子。然而，什么是正确和合适的方式呢？谁是判断的权威呢？在一个民主的家庭里，是不存在权威的。再说，我们既然认可孩子有自主的能力和为自己做决定的权利，那我们就应该看到每个孩子的性格、言行都不同，这使得别人对待他们的方式也不同。那么，我们更加有责任去了解整体情况、孩子行为背后的目的、孩子与他人的关系等。有了这些了解，我们才可以，而且必须，引导和训练孩子了解规则，培养他们实事求是、相互合作。这是我们唯一能够激发孩子行为越来越好的方式。

父母两人性格不同，想法和意见不同，这很正常。如果双方能够达成一致，当然最好。但意见一致不是必须的。孩子会观察和感受自己周围的人，他能够自行决定接受什么、拒绝什么。而且，孩子和他人的关系里，孩子自己的行为也是不可或缺的部分，就算父母意见一致，他们和孩子的关系还是会不同。正是因为这样，孩子永远不会混淆自己和妈妈、爸爸、祖父母、亲戚等之间的关系。他们心里非常清楚，而且知道怎么从不同的关系中给自己争取到最大的好处。再进一步，我们会发现：妈妈对自己育儿能力的信心，和她在乎其他人的育儿方式这两者之间有着必然联系。妈妈越在乎别人怎么对待自己的孩子和别人"不对"的地方，孩子就越容易在这个地方出现问题。如果妈妈能够激发孩子的行为越来越好，妈妈就不会在乎其他人的方式。其他人只不过是孩子环境中的事实情况而已。

埃斯特七岁，是爷爷奶奶唯一的孙女，奶奶抓住每个机会给她买礼物。而爸爸妈妈认为只应该在适当的时候、有合适的理由才可以给埃斯特买礼物。复活节时，奶奶送给埃斯特六样礼物，生日时五样，圣诞节时十样。当她打开爸爸妈妈的礼物的时候，她向他们表示感谢，表现出欢喜。然而当她拆完奶奶给的所有礼物之后，她说："就这么多吗？"过了几天，妈妈看到埃斯特把所有能得到礼物的日子都专门标了出来。妈妈对埃斯特的做法有些不安，于是跟爸爸说了这件事，请他跟奶奶说不要再给埃斯特礼物了。而爸爸拒绝了妈妈，觉得妈妈不可理喻，结果两人发生了一场争吵。妈妈更加确定奶奶对埃斯特的溺爱已经到了无药可救的地步。

可怜的妈妈完全不知道自己对孩子的影响有多大，看到的只是和实际情况八竿子打不着的所谓危险。因为爸爸妈妈对送埃斯特礼物的态度比较正确，所以埃斯特并没有表现出贪得无厌，她只对奶奶才这样。妈妈不能控制奶奶的做法，那不是她该管的事情。奶奶和埃斯特之间的关系是他们俩的事。明白了这一点，妈妈就会有信心，相信自己的行为能够为"礼物行为"树立家庭典范，足以平衡奶奶的过度慷慨。而且，还有一点很重要，孩子不仅要学会接受礼物，还要学会给予礼物。她需要记住奶奶的生日，还要学会在圣诞节、情人节（在西方，情人节也是家人相互表达爱意的节日。）给予礼物，最好是埃斯特可以自己制作礼物。其他的，妈妈就不用插手了，让埃斯特自己处理和奶奶的关系。

在孩子生活的环境中，除了父母以外还有其他的大人，通常祖父母和亲戚是孩子最早接触的其他大人，接着是邻居、父母的朋友、老师、社区里的人。父母很难控制这些人对孩子的影响。当孩子受到不良影响时，父母会本能地去反对这个大人，申明自己的理念，减少或消除这些人给孩子的影响。这其实没有什么用，孩子并不需要别人给自己的环境设置防线，或者重新规划。我们要做的，是当孩子对这些影响产生反应时，给予恰当的指导。外界影响本身对孩子不重要，他怎么反应才是最重要的。

孩子是独立的个体，会跟每个与他有亲密接触的人发展出不同的人际关系。我们的孩子必须和不同的人接触, 积累不同的经验, 这样他们才能学习、了解、判断这个世界。我们的责任是找到合适的时机, 引导并支持孩子进行正确的判断。

现代家庭中, 父母与祖父母的关系是很多矛盾的根源。这个事实恰恰证明了我们的社会文化已经和传统的不同了, 父母养育孩子的方式与祖父母非常不同, 很多父母开始对祖父母不满。当父母试图强迫祖父母接受自己的方式时, 结果却破坏了家庭和谐, 给家庭关系带来了损害。

这时, 父母可以对祖父母说: "可能你是对的, 我考虑一下。" 不要和祖父母发生冲突, 继续做自己认为正确的事。祖父母喜欢孙子, 他们有特殊的地位, 可以只宠爱而不用担负太多教养的责任。若爸爸或妈妈被祖父母的溺爱行为困扰, 只能说明他们对自己没信心, 不知道自己对孩子的影响力有多大。花时间和精力去纠正祖父母的行为徒劳无功, 不仅无效, 还会增加家庭的紧张和冲突。孩子和祖父母的关系是他们之间的事。我们需要帮助孩子学会怎么回应。祖父母的溺爱会让孩子觉得想要什么就有什么, 他很有权力, 谁要不满足他的欲望, 就是跟他过不去。我们需要帮助孩子改变这样的想法, 引导他做出不同的反应，这样就可以消除因祖父母的溺爱使孩子形成的自己拥有无上权力的错误想法。

博比六岁，他的爸爸妈妈离婚了，爸爸已经再婚。博比从爸爸家回来，鼻子里有凝结的血块。妈妈非常关切地问他怎么了。"她打了我一巴掌，把我的鼻子打流血了。""她为什么打你？你做什么了？""我念书给她听。""啊，那她为什么打你呢？""因为有个字特别难，我不会念。"妈妈气极了，那个女人凭什么打我的孩子！那天晚上，妈妈怒气冲冲地给前夫打了电话。第二天，她又打电话给律师。一场纷争就此拉开了序幕。最后，却没有产生任何实际结果。

当今社会的人际关系比以前更复杂，发生这样的事情并不罕见。离婚和再婚，对大人和孩子都是个复杂的事情。离婚时双方的敌意常常在离婚后不但没有减弱，反而增强了。很多时候，孩子也不再是无辜的旁观者，他们觉得迷惑不解，然后凭主观想法寻找自己的立场，经常出现的结果是，孩子会让离婚的爸爸妈妈发生更多的矛盾。我们不难想象，孩子为了得到特别的安慰和同情而激发父母的冲突。所以，对妈妈来说，不被这些行为所蒙蔽，或者不要过度夸大，就显得非常重要了。当博比发觉无法再激起爸爸妈妈的冲突,或者妈妈对他在爸爸家中发生的事情没有特别反应,那么博比反而很可能和继母渐渐发展出友好的关系。妈妈可以给博比一些建议,避免发生冲突(不论真假),也可以跟博比说:"这是你的选择,博比,我相信你,你能找到和她和睦相处的方式。"

邻居来找爸爸,不满地说帕特骑自行车撞到了他的儿子埃迪,导致埃迪受了伤(帕特和埃迪都是九岁的男孩)。邻居显然很生气,让爸爸惩罚帕特,保证以后不再发生类似事件。"每次发生这样的事,都是你家帕特引起的!""让你这么困扰和生气,我很对不起。不过你觉不觉得,孩子们之间的冲突,是他们自己的事呢?"邻居有些吃惊,愣了一下说:"你是什么意思?""我的意思是,我不会去干涉帕特和朋友的关系。我很确定,只要咱们让他们自己处理,两个孩子的问题肯定会得到圆满解决。""但是每次都是埃迪受伤,帕特总是故意伤害他。我不能再忍了!"爸爸忍住没有笑,因为埃迪比帕特高大很多。"好几次帕特也受了伤。我只是想,如果咱们俩都不管,孩子们可能会很快厌倦这种相互伤害的方式,转而寻找其他方式的。""我想,现在是你该好好管管你儿子的时候了!""我不知道怎么让帕特什么都不做,除非把我和他绑起来,或者我和他寸步不离,我觉得这样的做法对他学会怎么和小伙伴相处没有什么帮助。当然，我会和帕特谈一谈，看看能不能帮他更好地明白事理，但这是我唯一能做的。"

邻居离开后，帕特从另一个房间走进来，他听到了刚才的对话。帕特显得有些神气又有些迟疑。爸爸和帕特对视了几秒，爸爸没有说话。帕特说："嗯……他骑到了路沿上……""帕特，我不需要听这些细节，我只是想知道，你们俩是不是觉得这样打斗很有趣？因为这样的事让他的父母非常生气。"帕特没有正面回答，只是非常勉强地笑了一下。爸爸说："也许你和埃迪可以找到其他有趣的游戏。你自己决定，我们来看看你会怎么处理吧。"

现实生活中，我们需要和其他人接触交流。大人有责任帮助孩子发展出健康的态度和有效的方法。埃迪的爸爸想要控制和操纵两个孩子的关系，这不是在帮助埃迪，而是给了埃迪"爸爸替我搞定"的错误印象，结果造成埃迪在人际交往和社会技巧方面不用做任何努力。而帕特则相反，爸爸让他承担自己处理人际关系的责任，没有任何说教，只是建议他重新审视现有的方式。最后一句话，爸爸表达了自己对孩子的关怀和信任。

马德琳生气地对妈妈说："我讨厌凯斯小姐！她是个愚蠢的

老师，她很不公平！""发生了什么事？马德琳。""她总是当着全班同学笑话我，我拼写错误的时候，她给的评语都很难听，而且每次我举手，她从来不叫我。今天她把我的拼写作业里所有错误的部分念给全班听。我真想杀了她！"马德琳越说越生气，越说越觉得被羞辱了，忍不住大哭起来。妈妈也非常生气："马德琳，我去找她评理！不能这样对待孩子！"

妈妈说得对，老师不应该通过羞辱的方式让孩子爱上学习，但妈妈这样的方式也不会有什么帮助。她向老师表达愤怒只能火上浇油。妈妈应该先了解整个情况，接下来她就会发现，马德琳对老师的态度也很容易让人发怒。例如她对老师故意扭过肩膀不看，或者斜着眼睛，她通过这些方式在说"你是个愚蠢的老师"，表达她对老师的轻蔑。

毫无疑问，马德琳和老师的关系很糟糕。但妈妈要做的，不是改变老师，而是帮助女儿找出问题的所在，并且给女儿建议怎么自己去面对这种状况，引导女儿想出办法，让她和老师的关系有所好转。另外，妈妈也需要用间接的方式让马德琳看到自己错在哪里，因为如果用直接的方式批评马德琳，只会让事情更糟糕。妈妈可以说："你觉得，如果一个老师知道她的学生讨厌她，这个老师会快乐吗？"或者，"如果你是老师，而你的某个学生很讨厌你，你会怎么做？"接下来，等孩子回答了以后，妈妈还可以进一步说："可能确实如你所说，凯斯小姐很笨，我不清楚她是不是这样，但我知道，很不幸，没有人是完美的，能把所有事情都做好。我们只擅长自己会的事情。我很理解，你现在很不高兴，咱们来想想看，你能做什么让自己觉得舒服一些？"

妈妈不用质疑马德琳对老师的评价，这样会增加孩子对老师的敌意，并且让孩子为自己辩解。如果妈妈站在老师一边，会引起孩子更多的敌意。如果站在马德琳这一边，则会强化她对老师的轻蔑态度。妈妈只需要认可马德琳的愤怒和不满，然后坦诚地和她讨论，帮助她找到能够促进合作的方式，这就能让事情好转。

哈里是独生子，在学校表现很差，非要有人逼着他，他才写作业。每天晚饭后，爸爸都要坐在他旁边，看着他做完为止。爸爸每课必问，还跟他一起复习，基本最后都以哈里大哭和爸爸大怒结束。哈里的功课仍然没有进步。

事实上，这是爸爸在学习，而哈里每晚做的事其实是在证明没人能逼他学习。只要爸爸还在逼儿子学习，逼儿子表现好，继续辅导他做作业，哈里的表现就会继续差劲。

也许人们听起来有点奇怪，但事实上，爸爸只要做好自己就够了。读书是哈里的事，不是爸爸的。

有不少老师仍然在按照传统的方式，要求家长陪着孩子做作业。我们要正视这个要求，这样的要求非常容易引起权力之争。我们可以和孩子商量，一起设定一个学习时间，然后帮助孩子养成好习惯，我们需要给予的是对孩子的激励和鼓舞。

如果孩子在学习上有特定的困难，我们可以找家教来辅导。父母做孩子的家教，通常容易失败，即使父母本身是老师。因为孩子不想用功学习，认为学习不是自己的事情，厌恶学习等现象，大部分与父母有关。有可能孩子是在抗拒父母的控制，反抗父母的标准，也可能是父母为孩子的将来过分担心，想通过家教来增加孩子的责任感。不论是哪一种情况，父母扮演家教的角色，都会增加压力，激化权力斗争。要想帮助上述情况中的孩子学习，最好的办法就是脱离权力之争，单独找一位专业家教老师，并且和孩子说清楚："如果你不想用功，没有人会强迫你。这全靠你自己，你来决定要不要用功学习。"

类似的情况也适用于孩子学习乐器。很多孩子喜欢玩乐器，但是不愿意认真投入地练习。当父母插手、介入、施加压力时，结果却把孩子本来很享受的事情变成了令他们憎恨的工作。我们应该做好自己，让音乐老师激发孩子练习。

做好自己，不介入孩子的事情，并不是说把孩子扔给老师或者扔给乐器不闻不问，而是说，我们不给孩子压力和批评，而是给予激励和鼓舞。例如我们可以制造让孩子为大人、为伙伴表演，或者几个孩子一同表演的机会。这样，音乐就变得有实用价值，而不是让孩子憎恨的无休止的练习了。

很多时候，我们需要留心什么是孩子自己的事情，并且完全把处理这件事的权利交给孩子。

妈妈是个单身母亲，工作非常辛苦，她给女儿南茜制订了一个零用钱计划，零用钱可以用来买午饭、坐公交车、买文具，偶尔可以看场电影或放学后买一点零食。一天，南茜带着好友到家里玩，妈妈看到两个小姑娘都戴着新手镯。她问南茜怎么有钱买手镯？南茜说："我从零用钱里省下来的。"妈妈没有再说什么。朋友走了以后，妈妈痛骂了南茜一顿，诉说自己工作多么辛苦，为了养家多么不容易，自己放弃了多少东西以便让南茜有零花钱，南茜没有按照计划花钱，她有多么伤心难过。

妈妈想控制南茜的所有事情，甚至她怎么花自己的零用钱。父母把零用钱给了孩子，这些钱就是孩子的了，他们怎么用和父母无关。很显然，南茜从计划项目中省出了买手镯的钱。她付出了一点牺牲，得到了自己想要的东西。设想妈妈有个朋友逼迫妈妈用她的钱买朋友自己喜欢的东西，那妈妈一定会非常生气，会觉得这个朋友干涉自己，自己怎么花钱不关朋友的事。基于这样的理解，以及平等和相互尊重，妈妈应该只需要管好自己，让南茜自己决定零花钱怎么花。妈妈唯一的责任，是决定给南茜的钱数。如果南茜乱花钱，花完了来找妈妈要，妈妈要坚持住不给。

当然，我们看到孩子发展出错误的价值观时，可以跟孩子友善地讨论。但是要记住，这样的讨论丝毫没有批评的成分，不然孩子会更加固执己见。可以说"不知道有没有想过……"，或者"你想一下，关于……"，或者"如果每个人都这样想，那你猜猜情况会怎样呢"。这样开诚布公的讨论，不会引起孩子本能的反抗。多提出各种可能性，即使有些可能出现的情况我们不能接受，也要提出来让孩子思考。这种客观、全面的处理方式，是培养孩子理性思考和判断的重要前提。通过这样的方式，我们和孩子都会发现，孩子能够形成对他现在和将来最好的能力和价值观。

DON'T

第二十七章
不要可怜

FEEL SORRY

孩子对大人的态度非常敏感，因此，如果我们可怜孩子，孩子就会认为自己有自悲自怜的合理理由。然而，当孩子自悲自怜时，他的痛苦会加倍，因为这时他不是去面对他的困境或积极寻找解决方法，而是越来越依赖于他人的怜悯，非要等人安抚才能好起来。渐渐地，孩子越来越没有勇气，越来越不愿意面对现实。

即使有理由、可理解，怜悯也是有害的。

七岁的克劳德对自己的生日派对计划非常兴奋，他们要去郊区的农场野餐，还要坐干草车游览。这样去乡村的旅行对孩子们来说很稀罕，妈妈和克劳德一起讨论了派对的所有细节，邀请了十八位客人，其中两位是帮忙接送孩子的妈妈。当生日即将来临时，克劳德和伙伴们充满期待。然而生日当天一早，天上乌云密布，克劳德非常惊慌，他跑出去找妈妈："妈妈，今天不会下雨，对吗？我们还是可以去，对不对？对不对？"妈妈对这个难题也很焦虑，非常害怕让孩子们失望。虽然她跟农场事先约好了，如果下雨就改天举行。但妈妈想，那就不是儿子的生日了，这非常重要。妈妈努力安慰儿子："啊，我想天很快会晴的，儿子，咱们再等等。"克劳德吃了早饭，然后整个早上都站在窗户前面。大家本来计划下午两点出发，但中午开始下起了小雨，到了十二点半，小雨变成了倾盆大雨。显然，今天的计划泡汤了。克劳德伤心地哭了。妈妈想，可怜的孩子，这太让他失望了！妈妈把孩子拥入怀里："宝贝，我理解你现在的感受。我真的很抱歉，对不起，妈妈让你失望难过了。我愿意做任何事情让雨停下来，可是这个我无能为力。明天咱们还能去，农场的人说明天也可以。""可是明天不是我的生日！今天才是！我今天就要开生日派对！""我知道，宝贝。今天下雨实在是太糟糕了。""太不公平了，所有的事情都和我过不去。""宝贝，别再哭得这么伤心了。我真的没办法让雨停。"然而克劳德继续伤心地大哭，非常悲伤，妈妈看得也快要哭了，对于克劳德的失望，她心里充满了愧疚和怜悯。

这个例子中，克劳德大部分的悲伤和失望其实都没有必要。孩子对大人的态度非常敏感，因此，如果我们可怜孩子，孩子就会认为自己有自悲自怜的合理理由。然而，当孩子自悲自怜时，他的痛苦会加倍，因为这时他不是去面对他的困境积极寻找解决方法，而是越来越依赖于他人的怜悯，非要等人安抚才能好起来。渐渐地，孩子越来越没有勇气，越来越不愿意面对现实。这样的态度有可能伴随孩子一生，他会坚信，这个世界欠他的，他损失了很多，他没有办法做好自己的事，无法依靠自己快乐起来，需要别人为他服务。

当事与愿违时，克劳德觉得自己受到了不公的对待，他可能会变成一个"不公证据搜集者"。而妈妈则认为儿子这么小，这个失望对他来说打击太大了。这恰恰让孩子认为自己的想法是对的。即使妈妈说了第二天还可以补办生日派对，克劳德也听不进去，认定自己的生日完全被一场大雨破坏了。

当妈妈认为克劳德难以面对这个失望时，妈妈其实是在不尊重儿子，她认为儿子太脆弱，没有能力面对生活中的困难。而她的处理方式，反倒是在鼓励和强化克劳德对自己的错误认知。

我们避免可怜孩子，孩子就能学会克服失望。

妈妈可以在开始制订计划时，就预防孩子有可能出现的失望。她可以提出：假如下雨，还可以怎么做。例如把生日派对改到第二天。这样，她对待天气因素的轻松平和态度，就会传递给克劳德，避免孩子过度失望。到了生日当天，克劳德看到下雨，自然会非常失望和伤心。妈妈可以用轻松的态度帮助孩子面对现实。只是一味怜悯他，其实帮不了孩子。

九岁的露丝患了小儿麻痹症，住了好几个月医院，刚回到家。她的腿上还套着夹套，需要借助双拐才能行走，家人花了很多时间和精力，给露丝进行物理治疗，让她学习怎么独立行走和用辅助器具走路。出院之前，医护人员告诉妈妈怎么照顾露丝，强调妈妈只需要协助即可。可是妈妈深深地为露丝感到不幸，生怕自己为女儿做得还不够多。很快，露丝就对妈妈的怜悯之心有了对应的行为，她经常抽泣着说："这个太难了，我做不到。"这时，妈妈就会跑过来帮她。走路是康复训练中最困难的部分，所以妈妈越来越多地帮助露丝走路，结果露丝开始坐在轮椅上，走路越来越少。她的双手也变得不太灵活，为了让她轻松些，妈妈喂她吃饭。妈妈把自己所有的时间都给了孩子，帮她做很多很多的事情，希望能够对露丝残酷的人生做出一些弥补。妈妈恳求露丝练习走路，可是当露丝哭着说"好疼啊"的时候，妈妈就会让步："可怜的宝贝，你太可怜了。"当爸爸试图鼓励露丝练习时，妈妈就会责备他，说他对孩子"要求太多"。爸爸和妈妈为此在露丝面前没少争吵。露丝越来越疏远爸爸，越来越依赖妈妈。原本露丝是一个爱笑、勇敢、自立的孩子，而在生病后回到家短短的一个月时间里，她变成了一个暴躁、苛求、无助、病快快的孩子。当妈妈带着露丝回到医院复查时，医生发现露丝的身体状况反而退步了，建议露丝再次住院。物理治疗师发现露丝非常不愿意合作，就将此情况告诉了妈妈。妈妈则认为物理治疗师太狠心了，感到伤痛欲绝，所以拒绝了医生让露丝再次住院的建议。这时爸爸介入了，他和医生进行了商讨。尽管妈妈一再抗议，露丝还是再次住进了医院。大家付出了很多时间、努力、理解和坚持，不让妈妈在露丝面前表露出怜悯之情，努力克服之前妈妈的怜悯给露丝带来的内心的软弱。妈妈也看了心理医生，明白了自己的态度对露丝其实是有害的，是导致她身体状况退步的原因。后来，妈妈和露丝都有了不少的进步，学会了怎么将不幸转变为积极的动力。

身体有残疾的孩子容易变成怜悯的对象，例如先天失明、失聪、分娩时受到伤害、行动不便等。要避免对这样的孩子产生怜悯之心，好像超出了人的本性。可我们也需要认识到，我们的怜悯会加重孩子的残障。事实上，残障孩子的医护人员都常常惊讶于这些孩子规避和克服困难的能力及技巧。专业治疗师也会避免怜悯带来的危险。他们经常看到本来已经有进步的孩子，在过度同情和怜悯的家长的误导下，出现退步甚至崩溃。这些父母却经常批评和指责医护人员无情、残酷、缺乏同情心。治疗师通常不会掺入自己的感情，这样比较容易规避怜悯。当他们长期照顾孩子时，他们会去爱孩子，但不会因为孩子的处境而可怜他。与怜悯相反，治疗师会鼓励孩子克服困难，并体会其中的成就感。

五岁的佩姬有一次发高烧，有些症状医生没有及时观察到，结果病情变得更加严重，需要住院谨慎处理。妈妈除了担心以外，还觉得这样的事情发生在自己宝贝身上非常不公平。住院时，药物要通过注射进入佩姬体内，还要进行血管采血。佩姬处在半昏迷状态，每次扎针，她都会大哭。妈妈提出抗议，认为这样对待一个生病的孩子非常不公平，很残忍。她越来越可怜佩姬。后来医生做出了适当的诊断和治疗，佩姬慢慢康复了，最后可以出院回家了。回到家以后，妈妈愿意为佩姬做所有的事情，结果佩姬的恢复期很长。妈妈生怕对佩姬照顾得不够，结果佩姬好了以后，却变得非常挑剔和苛刻。长时间的紧绷、经常被打断的睡眠、筋疲力尽，终于让妈妈崩溃了。有一天她对佩姬发了脾气，而佩姬十分震惊，痛哭流涕："我病了那么长时间，你怎么可以对我这么凶？"这让妈妈更加后悔和内疚，然后再一次努力给孩子补偿。

佩姬接受了妈妈对她的怜悯，开始自悲自怜。妈妈对自己失去耐心感到内疚，当佩姬提出过分要求时，妈妈再次妥协，这样形成了一个恶性循环。

我们经常可怜生病的孩子，生病的孩子需要我们的关注和理解，这很正常。他们没有照顾自己的能力，我们也需要帮助他们。然而，当我们做这些事时，需要留意自己的态度，不要因为孩子正在受苦、楚楚可怜，就忍不住屈从和妥协。不幸的是，没有人可以让孩子不受苦，这是生活的一部分。孩子生病时，我们满足他的需要，帮助他忍过痛苦，引导他面对困境。和健康的孩子相比，生病的孩子更需要我们精神上的支持，需要看到我们理解他，并相信他有勇气。疾病会让人沮丧，让孩子显得弱小无助。这时候，如果再加上我们的怜悯，那会让孩子更加觉得自己弱小无助，挫伤他的

第二十七章 331

勇气和力量。可怜别人，是带着向别人施恩的态度，它不会增加对方的勇气。聪明的妈妈给孩子最好的爱，但拒绝孩子的过分要求，而给予他信心和勇气。对妈妈和孩子来说，恢复期也很困难。如果在生病时妈妈给予孩子的是理解和勇气，而不是可怜和过多的帮助，那么到了恢复期，双方都会轻松和容易很多。

　　三岁的桑德拉正在开心地玩着她的新秋千，邻居家五岁的孩子梅利跑了过来。梅利还是个婴儿的时候，就被邻居收养了。梅利一把把桑德拉推下秋千，自己坐在上面玩。桑德拉站起来，打了梅利一下，坐上另一个秋千。这时梅利从第一个秋千上下来，又要玩桑德拉的。梅利的妈妈从厨房的窗户看到了这一切，当听到两个孩子的声音越来越大时，她赶紧跑过来，让梅利选一个秋千，然后帮助梅利坐上去，并推她玩。可是没一会儿，梅利又改变了主意，要玩另一个秋千。梅利的妈妈只好哄劝桑德拉下来，让梅利玩，接着推她。梅利的妈妈还想推桑德拉，但小姑娘说："我可以自己荡。"桑德拉刚荡起来，梅利又想换。梅利的妈妈再次说服桑德拉交换。这时桑德拉的妈妈走过来，好奇地问："为什么梅利想怎样你都答应呢？""为什么？因为这个孩子多可怜呀，我从来没有拒绝过她。即使这样，我也永远弥补不了她生命刚开始时的不幸。""刚开始时的不幸，这是什么意思？"梅利的妈妈转到一边悄悄说："她是个私生子，一出生就被抛弃了。"

梅利的妈妈认为自己是菩萨心肠，拯救了一个可怜的不幸的弃儿。可她打心底里认为，这个世界上所有的爱和仁慈都给这个孩子，也无法弥补她的心理阴影。这个想法非常不理智，也不切合实际。她这样可怜梅利，不仅不能帮助梅利健康成长，反而适得其反。婴儿期的经历对梅利性格造成的损害，远远小于养母对她性格造成的损害，而且这个损害还在继续。梅利被宠得无法无天，她无法做出积极贡献。在没有意识的情况下，她一直在形成着"我非常不幸，这个世界欠我的"这样的心态。

养父母很容易掉进怜悯的陷阱，这很可悲。被领养的孩子面临的困难，并不比普通孩子严重很多，倒是养父母对孩子的怜悯容易给孩子带来更多困难。婴儿及幼儿期的孩子，基本分不清自己是领养的还是亲生的。他对环境的认知和亲生孩子一模一样。为了让领养的孩子更好地适应未来的生活，就不应该给他特殊的家庭地位。一旦孩子觉得自己和家里其他人不一样，就很容易发展出错误的自我认知和不切实际的期望。领养的孩子应该和亲生的孩子得到一样的尊重和照顾。

有位妈妈领养了两个孩子，她找到一个相对轻松、自然的时机，告诉孩子们这个事实。孩子们问什么是领养。妈妈解释道：有的人生了孩子却没有能力抚养，而有的人有能力抚养却没有能力生育。所以，如果孩子有机会换个成长环境，这何尝不是件幸事呢？

通过这样轻松的讨论，妈妈很巧妙地解决了这个问题，没有给孩子造成不必要的误解。如果养父母认为领养不好，孩子也会觉得不好。养父母觉得领养很正常，孩子就不会心存芥蒂了。

因为妈妈生病住院，九岁的邦妮、七岁的杰基、六岁的克莱德和玛丽安阿姨一起住，阿姨有两个女儿，分别是八岁的弗里达和五岁的比拉。爸爸每天过来和他们一起吃晚饭，然后去医院看妈妈，有时候阿姨和爸爸一起去。这时姨夫亨利就带着孩子们一起做游戏、讲故事等。玛丽安觉得自己最近压力非常大，一部分是因为忽然家里多了三个精力旺盛的孩子，还因为她跟姐姐一直很亲近，而这次姐姐的病情非常严重，她得了癌症。这让玛丽安非常担忧。大人们都小心翼翼地不让孩子们知道妈妈的病情。一年半以前，妈妈也住了一次医院，但很快就出院了。这次当孩子们问大人妈妈什么时候回家时，他们总是愉快地说："很快。"然而孩子们能够感受到大人们的强颜欢笑，也能从爸爸和阿姨忧伤的神情以及偷偷进行的对话中，敏锐地觉察到大人们没有说实话。但他们不明白为什么，因此更加迷惑不解、心烦意乱，结果孩子们变得易怒、不安、任性。大孩子邦妮最思念妈妈，对情况了解得也相对较多。阿姨要求邦妮帮忙照顾弟弟妹妹，并交代她作为老大要肩负责任。邦妮愿意承担责任，但是她的态度专横，让弟弟妹妹很反感和不满，结果本来就混乱的生活平添了更多的麻烦。

　　后来妈妈去世了，大人无法再掩饰，必须把实情告诉孩子们。爸爸和自己的三个孩子谈，玛丽安和自己的两个孩子谈，玛丽安悲痛欲绝。爸爸强忍悲恸对三个孩子说："孩子们，我有个重要的事要跟你们说。"孩子们察觉到家里的气氛异常，大人们都很沉默。邦妮问："是不是妈妈有什么事？""今天妈妈去了天堂，她在那里非常快乐。而现在我们需要坚强，需要相互照顾。"过了几秒，邦妮才反应过来这件事有多么让人震惊，邦妮泪流满面，痛哭出来："为什么妈妈要离开我们？爸爸，为什么她要去天堂？我们要妈妈！""邦妮，我们对这件事也无能为力。上帝召唤了妈妈，我们不知道为什么。"杰基问："你是说妈妈不会再回来了，对吗？"爸爸温和地回答："是的，儿子。"克莱德呜呜咽咽地哭了："可是，我要妈妈。"爸爸静静地安慰着孩子们，他明白孩子们需要时间把他们的悲伤发泄出来。等孩子们稍微平静一些，爸爸说："妈妈不在了，这对我们来说很艰难。我们需要一些时间适应，我们要一同努力，相互帮助。我们制订一些计划，来看看下一步该做什么？"

这时，玛丽安阿姨和两个女儿走进来。弗里达和比拉在哭，虽然他们不是直接的"悲剧受害者"，但因为其他人都在哭，所以她们也跟着哭。玛丽安将姐姐的三个孩子拥入怀里，不停地哭泣，她断断续续说着："可怜的孩子们呀，没妈的可怜孩子呀！"爸爸向玛丽安摇了摇头，但她并没有领会。本来已经不哭的三个孩子，现在又开始哭泣，而且很快哭到无法自己。爸爸对姨夫亨利示意，亨利悄悄把自己的两个女儿带回了房间。爸爸将三个孩子带离玛丽安，来到爸爸身边。亨利又说服玛丽安躺下休息了一会儿。然后，爸爸环抱着三个孩子，用沉稳、坚定的语气说："孩子们，我们现在都觉得很悲伤，这很正常。记住，我们不是用绝望怀念妈妈，而是用我们的勇气。妈妈也希望我们这样做，我相信你们会按照妈妈希望的那样做。现在，振作起精神吧！"接下来爸爸安静地等待孩子们发泄和调整情绪。当孩子们慢慢平静下来，他说："现在是晚饭时间，玛丽安阿姨需要我们的帮助，我们一起去帮忙准备晚饭吧。"邦妮忍住啜泣，对爸爸说："爸爸，我现在不想吃饭。""生活要继续，邦妮。今晚不想吃，没关系的。说不定等一下晚饭准备好了，你会发现能吃下一点点了。"爸爸又对孩子们说了些鼓励的话，并且给每个人都提了具体要做什么事的建议。

玛丽安阿姨对孩子表现出的怜悯，让孩子们更加消沉和难过。而爸爸则表现出勇气，以及对环境和孩子心理的敏感，引导孩子做接下来该做的事情，慢慢地健康地从悲痛中恢复。

生活中总会遇到不幸。作为成年人，我们面对不幸、接纳不幸、应对不幸，这些都被认为是应该的。我们不会对孩子有这样的期待，而是很自然地觉得孩子很无辜，为他们难过。然而，我们这些出于善意的怜悯，可能会给孩子带来更大的不幸。大人可怜孩子，不论是否有道理，都容易让孩子自哀自怜，这样的心态有可能会影响孩子一生，让孩子认为没有义务和能力应对自己的生活，只能通过无助和别人的帮助。这样孩子就很难成为社会中有贡献的一员，他关注的只是自己和自己想要的。

对孩子来说，最惨痛的困难之一，就是幼年丧母/父，失去亲人后如何恢复，会影响孩子一辈子的人生观。如果失去的是妈妈，情况会加倍困难。这种处境的孩子，需要周围每个人的同情、理解和支持，最不需要的就是怜悯。怜悯是消极的，它不尊重孩子，是贬低孩子的态度，会损害孩子的自我认知和对生活的信心。死亡是生活的一部分，必须被坦然接受，没有死亡就没有生命。我们当然不希望看到孩子失去亲人，情感受到巨大伤害。但我们的痛苦和悲哀不能起死回生。即使死亡发生了，生命还会继续。即使生活中发生了如此巨大的灾难，孩子仍然需要相信：他有责任、有能力，可以勇敢地继续自己的生活。这时候如果可怜孩子，削弱的恰恰是他最需要的勇气。

我们不能保护孩子一辈子。成人世界中需要勇气、坚强和能力来应对生活的打击，而这些不是长大成人后就会自动拥有，而是从孩提时代就要慢慢建立的。从孩提时代起，就要学习受到打击后怎样迈开大步继续向前。如果我们希望孩子勇敢地面对生死，如果我们希望孩子从克服困难中获得成就感，如果我们希望增强孩子理智行为的能力，我们就要放弃随意的怜悯。我们需要明白对孩子天然产生的怜悯有可能会造成的危险，然后规避自己的冲动，把我们对孩子的同情体现在对他的理解和支持上，鼓励他找到继续前进的道路。这完全不是说我们不管孩子的悲伤和痛苦，恰恰相反，这和我们对待成人一样，我们不是给朋友消极的态度，而是给他积极的支持。

　　我们都遇到过讨厌被人可怜的成年人，这样的人回避所有的同情，因为他不愿意接受怜悯。在这样的情况下，我们需要小心地表达自己的理解，以及完全相信他有能力面对考验。对待孩子也一样，我们要尊重孩子，支持他的自尊心，而不是激发孩子自我可怜。当打击出现时，孩子会从大人的态度中寻找如何应对的线索和方式，通过大人的态度找到自己行为的方向。

　　同情和怜悯不难区分。同情传递出的信息是："我理解你的感受，你受了很多伤害，我明白这对你来说是很大的困难。我会帮助你渡过难关。"怜悯传递出的信息则是："你很可怜，我为你难过。我会尽自己的最大努力，为你承受的痛苦做出弥补。"同情是就事论事的态度，而怜悯则是无原则地可怜人。当我们认为对方弱小时，我们就会怜悯对方。结果却会削弱对方原有的智慧和能力，导致他们趋向消极、抱怨，陷入悲惨的恶性循环。

MAKE REQUESTS REASONABLE AND SPARSE

第二十八章
提出合理恰当的要求

我们要求孩子马上做某些事时，我们的立场经常是令人怀疑的。这是一个权威的方式，它通常是一个不合理的要求，孩子的反应——"噢，她总是大声叫我做一些事"——显示了一种没有和谐与合作的不健全关系。若我们不对孩子做过多的要求，传递出的是需要获得孩子的帮助而不是要求他服务或顺从，我们才可以增进友好，形成令人满意的关系。

汤米和爸爸妈妈一起来到朋友家，大人刚在门廊坐下，汤米就开始四处乱跑。"汤米，回来！"妈妈喊道，然后转向朋友继续聊天。汤米拐过屋角，一边走向后院的秋千，一边舔着手里的冰棍。妈妈跟到后院，指着身旁，命令道："汤米，回来！"可是汤米转过身来，仰着头，斜着眼睛看着妈妈，咧着嘴一边笑一边坐上秋千，继续舔着冰棍。妈妈生气地大叫："汤米，我说了，马上到这里来！"汤米充耳不闻，继续荡秋千。"我去告诉爸爸！"妈妈气呼呼地转身离开。汤米吃完了冰棍，把冰棍棒扔进花圃，开始使劲地荡秋千。妈妈没有回来。汤米荡了一会儿秋千，无聊了，回到了门廊。

汤米对妈妈的话完全不尊重，是因为妈妈把自己放到一个难堪的境况里，她对汤米的要求不合理，所以汤米对她的命令公然违抗。两个人发生了权力之争，而汤米赢了。妈妈没有说出任何汤米不能荡秋千的明确理由，只是在表现她对儿子的控制权。当汤米不让步不妥协以后，妈妈继续用语言当武器，威胁要向爸爸告状。而汤米很清楚爸爸不会怎么样，接下来的事实也证明汤米是对的。用"告诉爸爸"恐吓孩子非常不明智，妈妈不应该把爸爸当作武器，并且把爸爸放在了最高控制权的位置上。不论是妈妈还是爸爸，都不是家里高高在上的权威。

合理的要求有一个特点:对孩子、对当时情况的认可及尊重。如果孩子没按爸爸妈妈说的做,那么这个要求很可能不合理,他们是在试图控制孩子。这会容易引起权力之争。爸爸妈妈其实没有意识到,自己和孩子是一高一低的上下级关系。当孩子感到被强迫或者被指挥时,通常都会不服从,会反抗和报复。而如果我们放弃自己的权威心态,做出合理和必要的要求,就能够避免这样的冲突。

十岁的琳达在半条街远的地方玩,妈妈在家门口叫她,让她帮忙去买点东西。可是琳达假装没听见妈妈的话,继续玩。看到琳达没有反应,妈妈放弃了。过了几分钟,妈妈又叫了琳达一次,琳达还是假装没听见。最后,另外一个孩子说:"琳达,你妈妈在叫你呢!"琳达回答:"哦,我知道。但她不是还没有大喊嘛。"现在妈妈生气了,她没有再叫琳达,而是拿了一条皮带走到她身边。琳达吃惊地抬起头。"小姑娘,你没有听到我叫你吗?现在马上回家!"她抽了女儿小腿一皮带。琳达大哭起来,往家跑,妈妈跟在她后面一路打她。过了几分钟,琳达向商店走去,去帮妈妈买东西。

琳达成了对妈妈充耳不闻的"聋子"，很多家庭都会出现这样的挑战和苦恼。

孩子应该帮助做家务，为家里做贡献。买东西可以是一项家务，但这必须是孩子同意的，并且成为规律性的行为。

妈妈和琳达可以一起制订一个计划，既能让琳达帮忙给家里做贡献，又能让琳达有时间和朋友们玩。比如吃午饭的时候，妈妈可以问："今天下午五点以前，我们需要去商店里买些东西，你想几点去？"然后让琳达决定。决定后妈妈可以继续问："到时候需不需要我叫你？"仍然让琳达决定。这样琳达就提前知道了她接下来要做什么事，而且还能自己选择时间。这样的要求就是合理的，而琳达完成以后，会为自己完成任务而自豪。

妈妈在客厅里坐着缝衣服。八岁的波莉在旁边看电视。"波莉，能不能帮我把烟拿过来？"孩子起来帮妈妈拿烟。过了几分钟，妈妈说："宝贝，请帮我把白色的棉线拿过来好吗？"波莉拿来了棉线。过了一会儿，妈妈又说："宝贝，去把煮土豆的火关小点。"小姑娘按照妈妈吩咐的去做了。

妈妈把波莉当成了仆人，而波莉一直顺从妈妈，即使要求不合理。因为她想让妈妈高兴，结果失去了自己的主见和想法。

爸爸妈妈在后院和一个临时到访的客人聊天，九岁的女儿海泽尔在旁边和两个邻居家的孩子玩。十八个月大的儿子大卫因为到了睡午觉的时间，又累又烦躁，一直在闹。妈妈抱了大卫一会儿，但是他闹得很厉害。妈妈喊："海泽尔，过来一下，把大卫用推车推走。"海泽尔有点不情愿："哎呀，妈妈！"妈妈喝道："海泽尔！"小姑娘叹了口气，离开了朋友，去做妈妈要求的事情。

妈妈这个要求非常不合理，我们不能要求孩子做不情愿的事。妈妈想和自己的朋友聊天，所以不让海泽尔跟小伙伴玩，而去照料婴儿。这是严重地忽视了海泽尔的权利。妈妈这时候可以先跟朋友告退一会儿，带大卫去睡觉。

当我们想对孩子提要求时，需要对孩子、对当时的情况有足够的敏锐和觉察。很多孩子并不介意照顾弟弟妹妹，但是要事先跟孩子商量好什么时候做这些事。当然，如果在计划之外的时刻妈妈确实需要搭把手，也可以叫大孩子帮一下。

我们要求孩子马上做某些事时，我们的立场经常是令人怀疑的。这是一个权威的方式，它通常是一个不合理的要求。孩子的反应——"噢，她总是大声叫我做一些事"——显示了一种没有和谐与合作的不健全关系。若我们不对孩子做过多的要求，传递出的是需要获得孩子的帮助而不是要求他服务或顺从，我们才可以增进友好，形成令人满意的关系。

FOLLOW THROUGH —BE CONSISTENT

第二十九章
有效跟进，前后一致

如果我们对待孩子随心所欲，虽然提出要求或者训练孩子，却没有期待这些要求和训练会有效，那么只会让孩子迷惑。而另一方面，如果我们前后一致、言行一致，孩子会感受到清晰、稳定和安全，他们也因此能够学会尊重客观，知道自己应该做什么。

店员拿了几双鞋让威妮弗雷德试穿。妈妈说："你自己决定要哪双，亲爱的。"海军蓝色那双看起来不错，但威妮弗雷德说，她更喜欢红色的鞋子。店员拿了一双红色的鞋子，小姑娘非常喜欢。"可是威妮弗雷德，海军蓝色比较实用，更百搭。你确定想要红色的吗？确定吗？"威妮弗雷德边照镜子边说："是的，妈妈。""过来，再试一下蓝色的。"威妮弗雷德穿着海军蓝色的鞋子照了照镜子。妈妈说："我们决定买这双蓝色的。""不！妈妈，我要红色的！""噢，威妮弗雷德，红色的太不实用了。很快你就会不喜欢的。做个乖孩子，买蓝色的鞋子吧。"小姑娘噘着嘴接受了妈妈的决定。

一开始，妈妈说了威妮弗雷德可以自己做决定，可是妈妈却做了决定，还非要女儿听从她的决定。妈妈前后不一致，不守信用。

我们想教会孩子怎么做理智聪明的选择，那我们就必须给孩子选择的机会，即使选错了，他也能从中有所学习。我们的说教不能让孩子学习。在威妮弗雷德眼里，妈妈是个大老板，这个大老板不给她想要的东西。威妮弗雷德没有机会学习自己选的鞋子是不是实用，她只有郁闷和生气。如果妈妈言行一致，让威妮弗雷德买红色的鞋子，她就很可能发现这双鞋跟很多衣服都不搭，而她又不能买新鞋，所以她就需要接受和忍受这个决定的结果。下一次，她便学会了仔细、主动地考虑。用这样的方法，妈妈就不再像个大老板，而是个有智慧的教育者。

三岁的霍莉从夏天一开始就经常在外面的沙坑里玩。妈妈觉得她晒太阳的时间太长了，一边清除花圃里的草，一边对她喊："霍莉，戴上太阳帽。"霍莉没有搭理妈妈，继续把沙子倒进桶里玩。"霍莉，我说让你把太阳帽戴上。"霍莉从沙坑里出来，接着又去荡秋千。妈妈叹口气耸了耸肩，没再管这件事。

很明显，霍莉被培养得可以违抗妈妈的话。而妈妈说得太多，做得太少。她提出了一个要求，但却不贯彻执行。霍莉很快发现，她不用理会妈妈的话。

妈妈会觉得，自己是为了霍莉好，希望她不要被晒伤，这是对情况的尊重。但是她的做法却没有尊重自己和霍莉。霍莉对晒伤完全没有概念，妈妈也没有解释，所以妈妈的要求在霍莉听起来很专横，更不用说妈妈还是用命令的口气，这就更加激起了霍莉的反抗。妈妈的这个要求，其实变成了权力之争的"邀请函"。如果妈妈真的认为霍莉应该戴帽子，那么第一次说过以后，即使孩子不听，妈妈也说到做到，给孩子戴上帽子。如果孩子还是反抗，妈妈可以告诉孩子这样她就不能再继续晒太阳，然后把她带回屋子里。但这些都需要妈妈提前想清楚自己的要求到底是什么，想清楚以后就用行动来贯彻。

"妈妈。"六岁的葆拉走过商场门口时拉住妈妈的裙子。"什么事？""可不可以给我一个硬币？""做什么呢？""我想去骑木马。""不行，葆拉，今天不行。""拜托，妈妈！"葆拉开始耍赖。"葆拉，我都说了不行，快走！我还有好多事情呢。"葆拉不但没有走，反而可怜地哭起来。"啊，看在上帝的份上！好吧，那你就骑一次。记住，只能骑一次。"妈妈把葆拉抱起来放在木马上，塞入硬币，然后在一旁等待享受乐趣的女儿。

妈妈本来说了"不行"，后来却又妥协了。她没有说"不"的勇气，也不能坚持自己的想法。当孩子不能达成目的开始哭时，妈妈就可怜孩子，做出了让步。

妈妈这样的做法，是在训练葆拉不用听她的话，也使葆拉形成一个错误的观念："眼泪的力量"可以让她得到她想要的一切。这个问题的解决方法很简单，葆拉应该有自己的零用钱，当她问妈妈要硬币时，妈妈可以回答："用你的零用钱吧，宝贝。"如果孩子的钱不够，那就此作罢。妈妈不需要和孩子争辩、说教或者同情、妥协。如果葆拉有钱，那就去骑木马；如果没有钱，那是葆拉自己的事。妈妈说了"不"，就要保持言行一致，有效跟进自己的话，而不是被孩子的挑战行为所影响。

妈妈受够了每天早上叫两个儿子——亚历克斯和哈里——起床时的折腾。她打算把从家长指导中心学到的新方法付诸实践。她买了一个闹钟，告诉两个儿子，他们自己设定闹钟，然后自己听到闹钟后起床。第二天早上，妈妈听到闹钟响，然后声音停止了。她等了一会儿，却没有动静。她意识到孩子按掉了闹钟，然后又睡着了。她进到房间叫醒孩子："我跟你们说过了，要自己听到闹钟起床。你们的闹钟半个小时以前就响了，可你们现在还没起。快点，赶快起床！"

妈妈的开端很棒，但她没有贯彻执行。她没有真正做到让孩子自己起床。她的行为前后不一致，仍然在催孩子起床，所以这还是妈妈的任务。

如果妈妈真的想让孩子学会自己起床，就需要完全退后，把责任交给孩子们。假如孩子们把闹钟按停后继续睡，那是他们的事。他们不论多晚起床，学还是要上的，要自己去面对迟到的后果。这样坚持一段时间，妈妈不要动摇，贯彻她的决定。当孩子发现妈妈不再忙于和孩子纠缠，就会真正承担起这个责任。

十一岁的迈克尔和九岁的罗比想养一条狗，为此恳求了很长时间。最后，爸爸妈妈决定养一条狗，但前提是两个孩子需要负责喂食和清理工作。他们毫不犹豫地答应了，兴高采烈地买了一条狗。刚开始，孩子们尽职尽责，但很快新鲜感过去了，他们开始渐渐懈怠了。妈妈喂狗的次数越来越多。尽管她一再提醒、催促、讲道理，可孩子们还是会忘。最后妈妈恐吓他们，如果他们再不尽责，就把狗狗送人。迈克尔和罗比有点害怕，接下来的两天，他们做到了说话算数。可是一个星期后又恢复了老样子，妈妈彻底放弃了，她觉得自己不能不管孩子们和狗狗在一起的快乐。

可怜的妈妈，她最后承担了所有的工作和责任，而孩子们享受乐趣。

当孩子们第一次懈怠时，妈妈可以问："你们忘记喂狗，那我们可以怎么做？"然后和孩子们友好地讨论解决方法，同时清楚地表明，她不会替他们承担喂狗的责任。然后妈妈问："这样忘记喂狗的行为，可以允许发生几次呢？"让孩子们自己说一个数字。接下来妈妈可以说："如果你们同意，当忘记喂狗的次数超过这个数，我们就要把狗狗送人。"孩子们知道对动物不管不顾是残忍的行为。超过约定的次数后，妈妈要执行协议，把狗狗送走。但这不是惩罚，不带任何怒气，而是执行约定的结果。

保持连续一致是规律的一部分，有助于建立健康界限，健康界限让孩子产生安全感。如果我们对待孩子随心所欲，虽然提出要求或者训练孩子，却没有期待这些要求和训练会有效，那么只会让孩子迷惑。而另一方面，如果我们前后一致、言行一致，孩子会感受到清晰、稳定和安全，他们也因此能够学会尊重客观，知道自己应该做什么。

PUT THEM ALL IN THE SAME BOAT

第三十章
一视同仁

如果我们把孩子们当成一个群体对待,也就是说一视同仁,就能规避没必要的竞争以及竞争可能产生的负面影响。也许《圣经》上的一句话可以解释这个新方法的精髓:人是彼此的护卫,而不是拼死竞争的对手。虽然这句话在现代社会中几乎被遗忘了,但它的精神却始终没有改变。

爸爸发现刚建好的壁炉上，有人用蜡笔在上面涂涂画画。他把三个女儿叫到一起，一个一个问她们是谁干的。没人承认。"你们之中肯定有人说谎，我必须知道是谁干的。我不会对撒谎的人网开一面的。到底是谁画的？"还是没人回答。"那好吧，三个人都得接受惩罚！"爸爸打了三个女儿的屁股。然后再次质问："说，是谁画的？"最后，老大承认了。"这样才对！现在马上擦干净。"爸爸拿来水桶、水、刷子、清洁剂，看着大女儿把壁炉砖洗干净。

我们通常认为，对孩子赞赏或惩罚时，应该因人而异。但我们可能很难看出，孩子们其实会联合起来，用他们的方式反抗大人，或者让大人们忙个不停。不论是成人还是孩子，都有一个共识，没有人喜欢群体中的告密者，这样的人在哪里都会受到憎恨。在刚才的例子中，我们看到三个孩子宁可一起受罚，也没有人告密。

出现不良行为后，如果我们惩罚其中一个孩子，就容易鼓励其他孩子告密。孩子们都想得到父母的褒奖，有了这样的机会，孩子们就容易通过贬低别人抬高自己。所以，惩罚一个孩子，其实是加强了孩子之间的竞争，让孩子们对立起来，是在激励孩子们寻找他人的认可，而不是合作和贡献。没有人可以一直得到他人认可。总是寻找他人的认可，本身就是一个错误目标。但不论什么情况,我们都可以一直做贡献。当我们把贡献作为目标,就容易达成,并产生和谐。当我们鼓励竞争时,我们是在强化孩子的错误目标。"好孩子"做得好,并不是因为他想做个好孩子,而是因为他想比别人好,以便让自己领先。他关心的是自己,而不是大家的共同利益。"坏孩子"做得差,也是因为他想通过这个方式——负面行为——得到自己的价值感。

如果我们把孩子们当成一个群体对待,也就是说一视同仁,就能规避没必要的竞争以及竞争可能产生的负面影响。可能对于很多家长来说,这是个革命性的方式,和传统方式非常不同。对孩子们一视同仁,这和传统的竞赛精神、道德标准、个人喜好大相径庭。也许《圣经》上的一句话可以解释这个新方法的精髓:人是彼此的护卫,而不是拼死竞争的对手。虽然这句话在现代社会中几乎被遗忘了,但它的精神却始终没有改变。

在前面的例子中,从一开始,爸爸可以把三个孩子叫到一起,请她们一起洗壁炉砖,而不是再三追问是谁干的。这样就可以避免找出谁是"好孩子",谁是"坏孩子",而不产生竞争或报复。

你可能会说:"那另外两个孩子没有画,还要一起干活,不是很公平!"孩子们可能也会发出同样的异议。什么是公平，什么是不公平，孩子的概念来自于我们。当事情对他们不利时，他们就将这个概念再反过来用在我们身上。如果我们自己认为一起洗墙砖是公平的，那么孩子们就能领会到其中的道理：她们如何进行团队合作，而不是为了得到父母的认可。这样孩子们就能学会相互尊重，而不是竞争和敌对。

让我们从更高更大的层面来讨论一下什么是公平。以下其实是不公平的：让每个孩子都强化自己的错误目标，对自我认知和价值感的判断有误，影响家庭应有的合作与和谐。我们希望孩子怎样？如果我们把孩子放在同一条船上，不管是谁的行为，都由全体一起承担和负责，我们不认可或评论其中任何一个人，他们就不需要贬低或抬高对方，这样的动机就失去了意义。

孩子们之间会相互嫉妒，因为这样能够吸引父母的关注，让父母想尽办法来纠正，这是个多么有效的方法。当父母不被孩子们的嫉妒影响，那么它就没有效果，只是很少有父母能够不受到孩子们相互嫉妒的影响。结果是，父母给予的关注越来越多，嫉妒及其产生的负面影响也随之越来越多。

把孩子们放在同一条船上，一视同仁，通常都会有很好的效果，甚至比预期还好。一位妈妈使用了这个新方法，做了下面的实例报告。

她有三个孩子,分别是九岁、七岁和三岁。两个大孩子对老小没有什么影响力,不怎么和弟弟玩,但经常抱怨他得到的特殊待遇很多。妈妈听了关于一视同仁的讲座后不久的一天晚上,老小玩食物,弄得到处都是。这时,妈妈请三个孩子一起离开餐桌,因为他们不知道怎么正确地用餐。两个大孩子表现出少许愤怒,但三个孩子都很配合地离开了餐桌。从那以后,老小再也没有玩过食物。妈妈对这个新方法的效果非常惊讶,她不太清楚为什么会有这么好的效果。

以前老小经常通过做出不良行为而得到额外关注,妈妈总需要提醒他好好吃饭。现在妈妈的做法不再给他特别关注,而是让另外两个孩子也得到了同样的关注。当这个特别关注被其他孩子分享时,那么也就没什么特殊意义了。

这种共同分享责任,在另外一个例子里更加明显。

八岁的查尔斯是三个孩子中的老二,他的哥哥很能干,妹妹很乖巧,而他自己则是个"小魔王",说谎、偷窃,还在地下室放过两次火。他最喜欢做的事,就是用蜡笔在所有墙壁上乱画,妈妈用尽各种办法也阻止不了他。当妈妈来到中心寻求帮助时,她得到了"把孩子放在同一条船上,一视同仁"的建议,让三个人一起为查尔斯的行为负责。这个新方法和她以前责备查尔斯、表扬另外两个完全相反。

　　两个星期后，妈妈带着查尔斯一起来到中心面谈。妈妈对效果非常惊讶，查尔斯的不良行为已经消失了。有一次查尔斯又在墙上乱画，妈妈请三个孩子一起清理，查尔斯没有参加，哥哥和妹妹把墙清理干净了。但从那以后，查尔斯没有再乱画过。当被问到为什么不再乱画时，他回答："现在不好玩了，其他人要把它弄干净。"

　　查尔斯感受到，他的不良行为不能再激起争斗，不能再激起妈妈苦口婆心地给他讲道理，于是这个行为没有了意义。他的行为让其他人得到了关注，他可不想要这个。

　　孩子们发生冲突时，很难断定谁是罪魁祸首。冲突不是一个孩子的问题，所有参与的孩子都有份，是所有人的问题。所谓好孩子可能刺激、挑战、怂恿所谓坏孩子，让他破坏规则，然后希望妈妈介入。每个孩子都对其他孩子的行为有影响。通常，"坏孩子"变好的时候，"好孩子"就容易变坏，孩子们的行为相辅相成，和大人制衡。妈妈如果能够明白这一点，把孩子们看成一个群体，放在同一条船上，就很可能会得到意想不到的效果。孩子们也因此能明白，他们之间相互负有责任，应该并可以相互照顾。

LISTEN!

第三十一章
倾听

如果我们能像对待亲密好友那样，真心倾听孩子
说话，我们就能从他们的敏感和智慧里学到很多！

有个众所周知的笑话。孩子问："妈妈，我是从哪儿来的？"妈妈解释了一大堆关于鸟和蜜蜂的说法（The birds and the bees 是英语国家中父母对孩子解释孩子从哪里来常用的比喻，家长通常会对孩子讲蜜蜂授粉、小鸟生蛋等）。"这些我都知道了。妈妈，我问的是，我是从哪儿来的？"妈妈又进一步解释婴儿是怎么来的。可是孩子对这个仍然不满意："妈妈，罗伊从芝加哥来的，皮特从迈阿密来的，我是从哪里来的？"

我们大人经常以为我们理解孩子的意思，但其实根本没有倾听他们。这是对孩子的偏见。我们只顾着说，却没有倾听孩子说了什么。然而，很多人其实非常喜欢孩子那种单纯的智慧，畅销书、流行的电视节目中经常展现这样的智慧。我们要做的，就是听。

全家人要去度假，六岁的阿尔帮爸爸把行李箱放进车后备箱。有个小箱子怎么也塞不进去。阿尔说："爸爸，把妈妈的靠垫拿出来，靠垫可以放在后座上。"爸爸没有理会阿尔的建议，把所有的行李箱重新整理一遍，可还是放不进去。爸爸走回屋子里，阿尔把靠垫拿了出来。当爸爸再回到车旁，惊讶地发现，那个小箱子可以放进车后备箱了。

　　当阿尔给了正确建议时，爸爸没有听进去。孩子们其实非常善于观察情况，他们有能力提出有建设性的建议，甚至很有价值的质疑，我们其实完全可以充分利用孩子的智慧。

　　一位五个孩子的爸爸来中心寻求帮助。听他讲完以后，顾问给了他一些解决难题的建议。然后顾问请爸爸离开，让五个孩子进来。顾问问孩子们，这个困难是怎么回事？孩子们的解释清楚又准确。顾问接着问孩子们，可以怎么解决？孩子们给出的答案和顾问给爸爸的建议如出一辙。

　　如果这位爸爸能够认真倾听孩子们，他就不必花这笔咨询费了。

　　很多时候孩子知道我们做错了什么，可我们却坚信他们没有权利指出我们的错误，我们才有权利指出他们的错误。自负，阻止了我们倾听孩子。如果我们能像对待亲密好友那样，真心倾听孩子讲话，我们就能从他们的敏感和智慧里学到很多！

　　凯利、梅布尔和罗丝发生争执，三个人想看不同的电视节目，凯利想看牛仔片，两个女孩想看喜剧。最后，妈妈发怒了：
"我受不了你们这样吵吵闹闹！凯利，回到你的房间去！"凯利
大喊着争辩："为什么你总是挑我的毛病?！""凯利，不许顶嘴，
立刻离开这里！"

妈妈应该听进去凯利的话，他的问题非常好。为
什么妈妈总是挑凯利的毛病？因为她被两个女儿牵着
走了。如果妈妈认真听听凯利的话，就会发现其实是
自己的行为让孩子们之间产生了矛盾。

九岁的约翰尼和狗在客厅里玩，而家里不允许这样的
行为。约翰尼和狗朝着桌子滚去，结果撞到了台灯，灯泡摔
烂了。妈妈生气地跑进来，严厉地批评了他一通，最后妈妈
说："今天下午你不许去游泳！"约翰尼郁闷地回答："我才
不在乎。"

约翰尼其实很在乎，但他的骄傲让他不承认。他
的表现其实已经证明他是在反抗妈妈，因为他不想输
给她。

很多时候，我们需要听到孩子话语背后的真正

含义。约翰尼说的"我才不在乎"，其实是"你不能用惩罚使我就范"。当孩子大喊"我恨你"时，他其实是在说："我不能按自己的想法去做，我很不高兴。"当孩子不断地问"为什么"时，他其实是在说："关注我。"

十岁的乔治和朋友皮特坐在校车上，司机无意间听到他们俩的对话。"乔治，昨天你怎么没上学？""我不想上学。我就想：我生病吧。结果，我真的生病了。""什么病？""胃疼，呕吐。""为什么呀？""因为我不想在这么冷的天出门。本来今天早上我还想让自己生病来着，但是我妈把家里暖气的温度调得太高了，我可不想在那么热的地方待一整天，所以我改变主意了。我就赶快来坐校车了。不过因为我还是觉得胃里不舒服，所以我没有吃早饭。"

孩子之间的坦白，让人惊讶。如果我们更多地留心倾听孩子，就会发现这一点。校车司机听到了孩子的对话，才明白原来孩子可以通过让自己生病的方式逃避不喜欢的事情。同时，他还学到了什么是孩子之间的平等，皮特完全接受乔治，也接受乔治的行为是他生活的一部分，皮特只是在听，完全没有对乔治进行任何说教。

几乎每个妈妈都学会了分辨婴儿的哭声代表的含义。我们听到哭声，就明白哭声背后的含义——孩子是累了还是生气。我们每个人都有聆听的天分，只是随着孩子慢慢长大，我们就把这个天分搁置在一边了。孩子一尖叫，我们就立即跑过去解决，而不是听一下尖叫背后的含义。很多时候，让我们跑过去才是尖叫的含义。如果我们能够停下来一会儿，倾听孩子，就能避免无意间强化孩子的错误目的。

只要我们倾听，我们就能收获很多很多！

WATCH YOUR TONE OF VOICE

第三十二章
注意说话的语气

当我们和孩子说话的语气与和朋友说话的语气一样时,我们和孩子的沟通之门就敞开了!

孩子跟我们说话时，听我们的语气，往往多过听具体的内容。经常仔细听自己说话，会对我们大有好处。在商店里、公园里、聚会中，你可以留意听一听我们说话的语气，会发现我们跟孩子说话的语气和平时不一样。回到家里，再听听我们的语气，到底我们在表达什么？孩子从语气中听到的是什么？

很多时候，我们的语气刺激了孩子的不良行为。

比利说他要去给草坪浇水。妈妈强硬地说："你不要去。好好待在屋子里。"比利看了妈妈一会儿，没说什么，离开了。没过一会儿，妈妈听到了水流的声音，比利正在给草坪浇水。

妈妈的语气强硬独断，刺激了比利和她发生权力之争。当时还有一个十六岁的孩子在场，我们问她从比利妈妈的语气中听到了什么。她说："她很心虚，在故意制造她很厉害的声势。"（看，明白我们的意思了吧？）

爸爸在辅导十岁的乔迪做作业，乔迪对作业不太明白。"哦，你懂得可真多呀！"爸爸用讥讽的口气说。乔迪蜷缩着靠近书本，显得更加迷惑了。

爸爸的语气是在说，他对乔迪的学习能力一点没有信心，这让孩子非常气馁。

妈妈在商店里碰到一位朋友，女儿辛西娅出生后，两个人就再没怎么见过。朋友问："她多大了？""十一个月。"朋友逗着辛西娅的下巴，咯咯笑着模仿小孩子的口吻说："哎哟哟，她可真是可爱的小宝宝哦！"

用傻里傻气的"婴儿语言"或者刻意简化的语言，是很多人和孩子们说话的方式，这其实是在显示，他们低我们一等。我们不会用这样的方式和语气跟朋友说话。如果我们留意自己说话的语气，就会发现这样的方式是对孩子的不尊重。我们学孩子说话，满脸堆笑，假装兴奋，故意把声调弄得甜腻腻的，希望孩子喜欢。只要我们觉察出自己的语气不对劲，及时更正就好了。当我们和孩子说话的语气与和朋友说话的语气一样时，我们和孩子的沟通之门就敞开了！

TAKE IT EASY

第三十三章
放松，从容

我们为孩子担心的程度和数量让人惊讶。我们时刻留心孩子有可能出现坏习惯的征兆，再三盘问，怕他们有坏思想，担心他们的道德观，操心他们的身体健康……把自己的想法强加在他们身上。我们的行为是在说：人性本恶，必须通过强迫、控制才能变好。我们花了无数时间和精力，想替孩子过他们的生活。如果我们能够放松一些，从容一些，对孩子真正有信心，信任他们，让他们过自己的生活，双方都会很好。

五岁的雪莉和七岁的凯茜在厨房里仔细地看着妈妈称她们的两块巧克力。妈妈看了看电子秤上显示的读数，然后又加了一些。凯茜哼哼唧唧地说："妈妈，雪莉的比较重，这不公平！她的比我的多。"妹妹雪莉说："不是的，一样多，它们一样的。"妈妈又仔细看看秤："雪莉，凯茜说得对，我再称一下。"然后妈妈继续秤，并调整两边的巧克力，直到两个女儿的巧克力精确等重。

妈妈尽了最大努力对两个孩子公平，但她的行为过度了，适得其反。她其实是在一件小事上制造紧张气氛，激起两个孩子的竞争。两个孩子都想得到分量稍重的那块巧克力，而且严防死守不让对方比自己的多。另外，两个孩子的行为加起来，又让妈妈陷入是否公平的焦虑和紧张中。妈妈这是怎么了？

妈妈有个错误概念：她必须对两个孩子绝对公平，绝不偏爱任何一个。可是，谁能保证绝对公平呢？妈妈怎么可能做到把俩孩子的每件事都安排得完全相等呢？妈妈过度公平，结果忘记了"贡献"。如果雪莉和凯茜用这样的理念生活，恐怕她们很难快乐。

妈妈需要放松一些，从容一些，不用过度关注所谓的公平。如果她觉得两个孩子都可以吃巧克力，那就给她们巧克力。如果她们为了谁的巧克力比较大发生冲突，妈妈不需要参与，可以退出她们的"战场"。如果有必要，可以去卫生间，让孩子们自己解决吧。

妈妈非常焦虑，觉得三岁的儿子雷蒙德患了慢性便秘。雷蒙德六个月时，妈妈开始对他进行如厕训练。从那时起，妈妈就为了让儿子按时大小便而焦虑。因为这个原因，雷蒙德一岁之前就被通过便，现在妈妈发现，几乎每天都要给儿子通便。

妈妈对雷蒙德的大便问题太关切了，看似她关注儿子的健康，但实际上她完全忽视了儿子大便应该遵守的自然规律。妈妈和雷蒙德之间有一场暗暗的权力之争。雷蒙德不大便，妈妈就得帮他，所以他就越来越担心。而只要妈妈把这件事揽在自己身上，孩子就不会承担这个责任，他"被训练"得用肠子说话。这可能会成为他一辈子难以改变的习惯。

妈妈应该放松一些，从容一些。雷蒙德想大便就大便，不想大便也不要勉强他，这是他自己的事情。当孩子发觉他不需要用肠子替自己抗议时，他正常的身体机能很快就会恢复。

妈妈带着五岁的多萝西去商场买东西。多萝西跟在妈妈后面，慢慢悠悠地，在每个地方都停下来看看。妈妈买东西的时候，多萝西自己走开了。本来妈妈就一直在等多萝西，跟着她，怕她跟不上或者走丢，结果现在刚买了些东西，女儿就不见了，妈妈快疯了！最后她终于找到了多萝西，妈妈说："天哪，多萝西，你吓死我了！看在上帝的份上，你紧紧跟着我啊！我不能让你在这么大的商场里走丢了！"小姑娘睁大眼睛，紧张地看着妈妈。

几乎每次她们出门，多萝西都这样跟妈妈捉迷藏，看到妈妈急得快要发疯对多萝西来说很有趣。多萝西并没有走丢，她很清楚自己在哪里，她觉得应该让妈妈跟着她。

妈妈可以先把多萝西会走丢的焦虑放下，然后花时间训练孩子。两个人玩另一个游戏：当多萝西再从妈妈身边走开，妈妈可以静静地走到一个多萝西看不到的地方。很快多萝西就会意识到妈妈没有来找她，她会回到刚才妈妈站的地方，而这时她会发现妈妈不见了！多萝西会有些害怕，她会找妈妈。这时妈妈可以安静从容地走到孩子能看到的地方，表现出自己仍然在购物。当多萝西惊慌失措地跑过来，妈妈可以沉着地说："真抱歉，我们刚才走散了。"妈妈放松，不用担心多萝西会走丢，孩子很快就能学会怎么紧跟着妈妈而不乱跑。

妈妈和朋友在客厅聊天,每隔几分钟就站起来走到窗口,看看她的两个孩子——分别是六岁和四岁——和朋友的孩子在院子里玩得怎么样。最后,朋友忍不住问:"窗户外面有什么好玩的东西吗?""没有,我只是想确定孩子们安全,都好好的。"

妈妈,放松一点! 如果孩子们真的有事,他们会让你知道的。

十岁的丹尼让妈妈揪心,他总是不遵守妈妈让他放学后直接回家的规定。有一天,都五点半了,丹尼还没到家。妈妈快急疯了。她几乎可以肯定,儿子骑自行车的时候被车撞了。正在她准备给当地医院打电话时,丹尼回来了。鞋子和裤子都湿透了,身上全是泥,手里拎着一桶脏脏的泥水。"丹尼! 你到底跑到哪儿去了? 看没看到现在已经五点半了,我快急死了! 你到底去哪儿了? ""我去公路旁边的池塘了。你看,我抓了些蝌蚪。"妈妈气坏了:"我跟你说过多少次了,放学以后要直接回家! 而且不管去哪儿,一定要告诉我! 你不能让我这么为你担心!"丹尼面无表情地听着妈妈啰嗦的说教。

第二天,妈妈和一位朋友来到中心,有个人提出了类似的问题。通过讨论,妈妈想到了一个办法。她不再给丹尼讲道理和说教,丹尼按时回家,妈妈表现出高兴。而当丹尼有一次又晚回家,妈妈不见了!

我们很多对孩子的操心其实没必要。更糟的是,孩子很清楚我们在为他做没必要的操心,他会利用它得到我们的关注,或者权力之争,或者报复。我们的担心并不能阻止事情发生,只有发生以后,我们才能想办法处理。最好的预防和让双方都安心的方法,是放松一些,对自己的孩子真正有信心。

妈妈的困难一直不断。儿子比利十六个月的时候,因为离婚和工作的缘故,她不得不把比利寄养在别人家。比利两岁时,妈妈再婚了,把儿子接了回来。比利三岁时,因为第二个孩子的种种原因,比利再度被寄养。现在比利五岁了,他显得非常不快乐。不论妈妈用什么方式表达对比利的爱,他就是不相信。只要妈妈跟比利说"不"或者拒绝他的要求,他就可怜地呜咽着说:"你不爱我。"比利要的很多东西都是妈妈买不起的,或者是对他没有好处的,妈妈快疯了,觉得安抚比利的感情简直是没有指望。

问题在于妈妈对于寄养比利这件事过度内疚和自责。在当时的情况下,寄养是最合理的方式,但妈妈觉得严重亏欠孩子。现在则给予比利过分关注,因为她认为比利觉得自己被抛弃了。

比利能够感受到妈妈的态度,然后利用这个态度达到自己的目的。他知道妈妈的弱点，然后用这个弱点来反击妈妈，这样让妈妈一直对他保持高度关注，他仿佛掌握了对妈妈的无限控制。只要他表现出质疑妈妈的爱，妈妈就会弯腰屈膝地努力证明。

妈妈很清楚她爱比利（比利也知道）。妈妈可以不理会比利的"怀疑"，只要做好应该做的事，她就是个好妈妈。她可以学着不怕比利，明白他这个行为后面的目的，这样比利的行为就没有了用武之地。当比利又呜咽着说妈妈不爱他的时候，妈妈可以淡定地回答：你这样想，我很难过。

嫉妒中的孩子也会有类似的问题。我们都会想到：大孩子会对弟弟妹妹嫉妒。很快，我们发现：这件事真的发生了，大孩子真的嫉妒了。然后，我们尽一切努力消除孩子的嫉妒。结果却是让孩子发现原来嫉妒有这么大的用处！我们其实教会了孩子嫉妒！当我们被孩子的嫉妒影响，孩子就发现嫉妒有用。要想不被嫉妒影响，最好的办法就是放松、从容，不要可怜孩子。我们要表现出对孩子面对困难、承受不快并且学习成长这个过程有十足的信心。弟弟妹妹出生后，妈妈当然不可能再像以前那样，在老大身上花很多时间。如果妈妈感到内疚，竭力想要弥补老大，那么大孩子很快就能调整自己，适应新的角色。有些孩子得到的多一些，有些孩子得到的少一些，这就是生活，我们要冷静面对，从容应对。孩子只有在嫉妒能带来好处时，才会利用嫉妒。反之，他们就不会嫉妒。

我们为孩子担心的程度和数量让人惊讶。我们时刻留心孩子有可能出现坏习惯的征兆，再三盘问，怕他们有坏思想，担心他们的道德观，操心他们的身体健康……把自己的想法强加在他们身上。我们自以为知道他们的想法，而不去询问和倾听他们。我们要求孩子在学校表现良好，勉强他们参加对他们"有好处"的活动，这样我们会觉得脸上有光。我们想知道他们每分钟在做什么。我们的行为是在说：人性本恶，必须通过强迫、控制才能变好。我们花了无数时间和精力，想替孩子过他们的生活。如果我们能够放松一些，从容一些，对孩子真正有信心，信任他们，让他们过自己的生活，双方都会很好。

我们大部分焦虑的原因，都是自己不知道该怎么做。其实，我们没有必要每件事都管，每个问题都解决。当我们放松下来，很多焦虑都会消失。原因很简单，孩子的很多行为都是要求过度关注或权力之争。努力让生活完美、没有问题，这是徒劳，不会成功。

孩子发生挑战行为时，如果我们不但知道做什么，而且还知道不做什么，对我们自己有信心，对孩子有信心，那么轻松享受养孩子的快乐就会成为现实。

DOWNGRADE "BAD" HABITS

第三十四章
降低"坏"习惯的重要性

责骂、批评、惩罚、说教，都不能教孩子不说谎、不偷盗；相反，它们更像这些行为的"燃料"，孩子会更想做坏事，以击败父母和增强自己的权力感。孩子不需要任何说教，他们本来就知道说谎和偷盗不对。如果他宁愿选择去做坏事，那是因为坏事能给他带来他想要的结果。

妈妈在晾衣服，发现四岁的儿子马克和两个小伙伴在隔壁空地的杂草丛里站成一排，下半身藏在杂草里。妈妈仔细一看，原来是三个孩子在随地小便。她跑向他们，让另外两个孩子回家，把马克拉回家。马克开始大哭，妈妈一边打他一边训斥："看你干的坏事，我要好好教训你一顿！你永远、永远都不可以这样子。如果你想尿尿，到家里来上厕所。现在回到你的房间，三天都不准出去玩！"然后，妈妈给另外两个孩子的妈妈打电话告状。

三天后，马克可以出去玩了。结果妈妈接到一位邻居怒气冲冲的电话：马克在院子里当着一群孩子的面故意随地小便，孩子们中还有女孩。妈妈冲出去把马克揪回家，又打了他一顿，这次比上次更狠。晚上，妈妈把这件事告诉了爸爸。爸爸骂了马克一顿，又恐吓说："如果我再听到你做这样的事，我就好好打你一顿，让你记一辈子！"可是，类似这样的事情又接连发生了，每次都是马克挨揍，然后被关在家几天。

很明显，惩罚完全阻止不了马克。相反，惩罚给这个行为注入了"燃料"，他现在想的是怎么继续随地小便而不被抓到。

我们没有必要针锋相对，这样只能让问题更糟糕。

妈妈聪明的做法，是悄悄地把马克叫回家，不用发怒，也不用教训和讲道理，只要平静地把他领回家就好了。既然他不知道在公共场合怎样的行为才合适，那么就让他先留在家里。每次马克在外面随地小便，妈妈都这样做。马克知道自己的行为不端。

我们越急于纠正孩子的"坏"习惯，就越有可能让这个习惯更严重。诸如此类的还有孩子们之间各种形式的性游戏、尿床、吸吮手指、咬指甲等。我们专门对"坏"字加上引号，是因为这些行为和其他的不良行为没有本质区别，并不是哪个"更坏"。孩子有这些行为，都是因为能够满足他们潜意识中的某种目的。其实只是大人才觉得这些习惯背后隐藏着多么严重的问题和危险。处理的时候，想的都是"降低、减弱、消除"。当孩子发现自己的习惯、行为让父母体会到这么严重的困扰，他就像拥有了一个强大的武器。如果我们保持平常心，就能"让他的风，无帆可吹"。

每个心理医生都知道一件事：孩子们大部分的性游戏都没有引起过大人的注意，自生自灭，事实证明结果没有对孩子产生危害。假如我们发现孩子手淫，最明智的做法就是假装没看到。手淫本身不会造成危害，但如果我们因为这个和孩子发生冲突，则可能造成危害。这和吸吮手指一样，只是孩子单纯的生理乐趣，说明孩子还没有找到更有建设性的与身体共处的方法。如果我们试图阻止孩子这样做, 那孩子就会本能地更加保护这个乐趣, 用各种方法避免这个乐趣"被拿走", 结果这个乐趣现在有了第二个目的——击败严厉的大人。我们最好忽视这样的行为习惯, 用间接的方式解决, 例如激发孩子的其他兴趣, 增加孩子喜欢的身体运动等, 通过正面的方式给予孩子满足。

三岁的玛丽有吸吮手指的习惯。她还有个不寻常的行为, 用另一只手遮住脸, 仿佛在掩盖她的行为。

玛丽这样做的时候, 其实是给自己制造了一个小环境, 自得其乐, 和别人无关。

晚饭后, 妈妈小心翼翼地看着六岁的杰克, 不让他多喝水。每天半夜, 爸爸或妈妈睡觉前, 都会把杰克叫醒, 让他去小便。尽管如此, 妈妈早上还是发现儿子的床是湿的。她说了很多遍, 让杰克不要尿床。有时候也会为了洗床单发脾气。爸爸妈妈用了很多方法——惩罚、说教, 但是什么效果也没有。杰克简直成了一个习惯尿床的人。

尿床的孩子 (杰克已经六岁了) , 通常是因为总是等到特别想做的时候才去做某件事。他们通常不相信能控制自己, 他们对情况所需没有概念。而爸爸妈妈在这件事上给了杰克过多的关注，更加让他相信他无法控制自己尿床。指责、惩罚、哀求，只能让他更加气馁。他认定，他就是这个样子，没办法控制自己不尿床，而且肯定会被惩罚，会丢脸。

杰克需要学习对应该面对的事情做出反应，爸爸妈妈可以把这件事交还给杰克处理，这样才能帮助他。他们可以真诚地跟杰克说明，小便、床都是他自己的事："我们不会再叫你起来上厕所，你可以自己决定。如果你觉得床湿了睡着不舒服，可以自己换床单。"然后，爸爸妈妈要真的做到对这件事放手。改变孩子原来错误的自我认知，树立起他有能力照顾自己的信心，这需要时间，不要期待一夜之间发生奇迹。

孩子咬指甲通常是在表达愤怒、怨恨、紧张或者反抗。和前面一样，这个习惯本身不是问题，它只是表象。责骂、羞辱、阻止都是无效方法。我们不能不让孩子做，只能调整自己的行为，找出消除让孩子产生这些行为的原因。

孩子说谎或偷东西通常是想要证明什么。如果孩子并不介意我们发现他说谎或偷盗，那我们基本可以确定他是想得到我们的关注。如果孩子竭力否认，那我们基本可以确定他是想展现他的权力。孩子可能是觉得，他有权得到任何他想要的，不管用什么方式。也可能他对说谎和偷东西得逞、没有被发现，感到特别得意。说谎和偷盗都是潜意识里想要反抗的表现。当我们发现孩子偷盗，偷来的东西当然要归还，但我们不需要大呼小叫、大惊小怪，我们可以不被这样的行为影响，以平常心对待。这对那些觉得自己有责任教孩子的父母比较困难，但是要记住，责骂、批评、惩罚、说教都不能教孩子不说谎、不偷盗；相反，它们更像是这些行为的"燃料"，孩子会更想做坏事，以击败父母和增强自己的权力感。孩子不需要任何说教，他们本来就知道说谎和偷盗不对。如果他宁愿选择去做坏事，那是因为坏事能给他带来他想要的结果。

五岁的苏珊和邻居的孩子露西一起玩，露西有辆自行车。苏珊恳求爸爸妈妈给她也买一辆。爸爸妈妈解释说，现在家里还买不起。有一天，妈妈发现露西的自行车被藏在了自己家炉子的后面。但妈妈很有智慧，她想："嗯……我等一两天，再看看到底怎么回事。"她观察到苏珊很不安。接下来一整天，自行车一直在炉子后面。第二天黄昏，妈妈问苏珊："你怎么不骑露西的自行车出去玩呢？"苏珊慌张地回答："出去她就看见了，那我就得还给她了。""那你把自行车拿回来，对自己并没有什么好处，对吗？"苏珊哭了起来。妈妈建议："为什么不还给她呢？那样子的话，至少你们两个都有的骑。"苏珊听了妈妈的话，妈妈赢得了苏珊的合作。这件事就这样轻而易举地解决了，苏珊还学到了人生的一课。

这件事的关键是，苏珊认为她有权利得到自己想要的东西，不管用什么方式。而妈妈用智慧引导她认识到，偷窃是错误的行为。

当孩子说脏话或者骂人时，他想要的是话语带来的惊人效果。假如我们的反应是很惊讶或者大惊小怪，其实是在刺激孩子继续这样做。我们可以不理会，"让他的风，无帆可吹"。当孩子遇到这样的反应，他很快就会放弃这个"战术"。

当孩子出现坏习惯的时候，他们需要的是理解和帮助。这个习惯只是一个表象，只解决这个表象，不能解决任何问题。表象后面的原因是什么？很多时候，我们只要和孩子友好、轻松地聊聊，就能帮助我们理解孩子。比如睡觉前，妈妈和孩子心情都不错，妈妈可以和孩子做个游戏，问一问："今天你高兴的事情是什么？"孩子说完以后，妈妈也说说自己今天高兴的事。然后再问问："今天你不高兴的事情是什么？"从这里妈妈可以得到一些孩子有怨气的线索。这些线索是妈妈行动的基础，而不是用来跟孩子说教。

对孩子说的事情，妈妈不做任何评价或批评。可以问问孩子觉得能怎么解决。这是个非常好的聆听机会。如果孩子没有什么想法，妈妈可以接着说说自己今天不高兴的事情，最好与孩子无关。不然这个游戏就变成批评了。我们要小心不要拐弯抹角地批评孩子，这样做只会让孩子关闭心门，对我们的其他努力也"不开门"。我们可以将这样的游戏作为一个固定的习惯，成为间接了解孩子的方式。

我们不要希望孩子的不良习惯一夜之间改变。有个现象很自然：我们努力做好自己应该做的事，可是孩子并没有什么改善，这时候我们难免会有挫败感，会感觉这个习惯永远也改不了了。其实只要我们停下来，静心想一想：难道孩子上了高中，还会吃手或者尿床吗？当然不会！我们会发现，现在的担心和悲观都没必要。我们其实很清楚，这样的行为即使不管，迟早也会停止。这样，我们就能给自己信心。然后，我们的信心也会传递给孩子。这是个长期的事情，还需要我们在生活中用正面积极的事情和及时的鼓励来继续向前。不论怎样，我们要确信，孩子对我们的正面行为一定有回应的意愿。一旦我们从自己的挫败感和悲观中走出来，我们就会拥有对自己、对孩子的信心和信任，而这会给他们更大的激励，形成良性循环。最重要的是，当我们不再担心恐惧，不再强求完美，当我们放松下来，我们就会发现，紧张消失了。不论是对孩子还是对我们自己，所谓的坏习惯，也不是什么了不得的大事。

HAVE FUN TOGETHER

第三十五章
一起享受乐趣

共同的游戏时间，可以成为家庭和谐、相互了解的重点时间。这是家人快乐的重要来源，而不是竞争。

往日传统的家庭里，因为物质条件和家庭环境的限制，孩子们只能一起玩。这个习惯延续了很多代，直到收音机、电视的发明，带来了大众媒体这样的传播方式，才有了改变。我们都喜欢看讲述一家人情感坚实幸福的故事，舞剧《胡桃夹子》中很著名的一幕，就是大人和孩子们一起围着圣诞树跳着传统舞蹈。而在现代社会中，很多家庭关系却越来越疏离。孩子们自己玩，父母提供玩具，但却不参与。产生这样的现象，一部分是由于我们的社会文化发生了变化，孩子和大人之间的对抗比以前更多；还有一部分原因，是大人们缺乏和孩子一起享受乐趣的技能。父母花了很多心思给孩子最好的物质生活，却不记得自己也要参与。

还有一个现象，是父母和孩子没有共同兴趣。这是因为孩子抗拒进入父母的成人世界，而父母也难以用平等的姿态进入孩子的世界。在很多家庭里，孩子根本不想和父母一起玩！当家里的气氛是压抑、紧张的，父母和孩子没办法开心地相处。而当父母和孩子一起玩游戏，这样的对抗气氛就会降低，就有可能变得更加和谐。父母有义务和责任带动孩子一起玩游戏，使家里渐渐形成和谐快乐的气氛。这样，就可以慢慢改善成人要求过多和孩子对抗的情况，大人和孩子成为有共同兴趣的伙伴。

和婴儿玩耍很容易，然而随着孩子慢慢长大，好像我们不知道怎么和他一起玩了。可是大孩子非常需要和爸爸妈妈一起玩的时间。共同的游戏时间，可以成为家庭和谐、相互了解的重点时间。这是家人快乐的重要来源，而不是竞争。利用这个时间，孩子能够学会：即使输了也没关系，最重要的是享受乐趣。这句话看似容易，其实对很多成人来说都很难，因为他们习惯了总要让孩子赢。

每个家庭都应该有适合孩子年龄的游戏时间，这应该成为日常生活中固定的一个部分。当孩子大一点，对孩子各项生活技能的训练，可以很容易添加到游戏中，家庭所有成员都可以参加游戏。

有一位爸爸是个棒球迷，还是当地业余棒球队成员，他有五个孩子 (三个男孩，两个女孩)。春天，只要天气好，爸爸就和孩子们一起练习棒球，连三岁的小宝宝都有自己的球棒。爸爸投出的球，尽量让孩子们能打到。孩子们长大一点，爸爸就增加一些投球的难度。大孩子毫不介意弟弟妹妹的击球技术相对较弱，只要大家一起参与就好。当小的孩子有了进步，大孩子们也和爸爸一起欢呼。爸爸从来不批评任何孩子击坏或漏掉了球。他总是大声为孩子们加油，给孩子们鼓励。很显然，他享受这样的打棒球的时光，孩子们也是。

八岁的休热爱棒球，如果有棒球赛，且步行就能到，他一定会去看。爸爸妈妈告诉他，去之前必须征得父母同意，这样他们知道他在哪里。有一天傍晚，到处找不到休。天色渐渐暗了，爸爸正准备报警，休回到家里，像没事人一样。本来爸爸非常焦急担心，这一下全转成了生气。就在爸爸开口责骂之前，休恳求道："爸爸，等一下，让我解释一下。"休告诉爸爸，他和一群大孩子去了十英里以外的球场看比赛。"爸爸，你从来没有带我看过球赛，我问过你很多次，但你总说你很忙，或者有其他事情。"

爸爸没想到孩子说出这样的话，儿子只是希望和爸爸一起分享他最大的乐趣。这件事引起了爸爸的震动。现在，爸爸妈妈真心对棒球产生了兴趣，三个人经常一起去看球赛。

绝大部分孩子都喜欢表演，父母不一定总当观众，也可以参与！孩子喜欢扮演大人，那大人们就可以扮演孩子。所有的故事、童话、传说，都可以成为即兴表演的素材。没有观众也没关系，"让我们一起来扮演"吧！

节日也可以成为全家人一起享受乐趣的机会。有一家人在圣诞节来临前聚在一起制作圣诞树纸质吊饰。五月节前一天，全家人又一起用彩纸做了可爱的篮子，摆在餐桌上。

这些都是激发家庭成员创意、增进家庭和谐的好机会。

另外一个家庭做了个"虚拟环游世界之旅"。暑假来临前，家里每个人都开始筹划自己想去的地方，开始调研，搜集信息，制订旅行计划，每个人一个国家，放在专门的文件夹里。暑假时，全家一起"环游世界"。

每家的兴趣不同，做的事情也不同，当父母热情参与时，就能强烈地感染孩子，孩子这时也会格外足智多谋，创意无限。孩子也会告诉父母他的兴趣是什么，然后大家可以借着这个机会一起参与。有个孩子参加了学校的活动后，在家里建了一个"博物馆"。家里所有古老的东西都被贴上标签，放在"博物馆"的架子上。家里的其他人也帮着很努力地收集各种可以放在"博物馆"的物品，一块彩色玻璃被称为"古老教堂窗户的遗骸"，一根树林里找到的羽毛被称为"古印第安人帽子上的装饰"，家里的一个孩子甚至用玉米棒做了一个娃娃。

一起唱歌也能给家里带来美妙的和谐。有个家庭一共有八个成员，每天晚上大家都一起洗碗、收拾，他们把这个时间变成了唱歌时间，孩子们唱学校里学的歌，还教大家一起唱，全家人尽情欢唱。慢慢地，孩子越来越大，可以唱和音了。后来，全家分成两个声部，好像一个出色的合唱团。

如果父母留心倾听孩子，会发现很多孩子感兴趣的事情，再加上一些想象力。这些都能成为家庭的项目，成为家里所有人的乐趣。

共同享受乐趣，把大家凝聚在一起，形成团结合作的氛围，这是家庭气氛必需的基础，能够促进全家人的平等、轻松、和谐。

MEET THE CHALLENGE OF TV

第三十六章
电视挑战

我们不能从孩子的生活中删除什么内容，我们这是在把自己的意愿强加给他，但是我们可以用更有趣的事情影响孩子，他们会自愿离开电视。

几乎每个家庭都面临电视带来的挑战，爸爸妈妈和孩子为了看电视而发生争执和冲突。父母担心孩子花在这种"垃圾娱乐方式"上的时间太长，担心孩子会从电视节目中受到负面影响。而孩子可以为了好看的电视而不做作业，或者拖延睡觉时间，甚至一边看电视一边吃饭。很多家庭调整吃饭时间，以配合电视节目时间，或者在电视机前就餐，结果吃饭的时候每个人都在全神贯注地看电视。因而家人一起吃饭却没有相互交流，不能让家庭更和谐，这让家长头疼。有时候，很多妈妈甚至想把电视机扔出去。而孩子们则要么在别人家看，要么抱怨说别的孩子都看了什么什么，为什么他不能看。

电视机的存在是无法改变的事实。我们憎恨、抱怨，于事无补，不如去学习怎么解决这个问题。如果孩子之间为了看电视发生争执，父母可以不介入，或者把电视先关掉，等孩子们自己商量好再打开。而当父母和孩子之间为了看电视发生争执，就会稍微复杂一点。但这不是爸爸妈妈有权在晚上看电视或者爸爸妈妈让步，让孩子随便看这样的单方面问题，这是一个涉及家里所有人的问题，应该由所有人共同决定。这样，这个问题就成了我们要一起处理这件事，而不是父母说"我们怎么管他看电视"。家里人要达成共识，通常这可以作为家庭会议的主题。如果分歧实在严重到无法统一，那么可以先拔掉电视插头，在达成一致之前，包括爸爸妈妈，都先不看电视（这个很像工会组织的行业罢工，问题解决前，大家先不工作）。

至于拖延完成作业的问题，可以和孩子商量，取得一致意见。他可以自己决定什么时候做作业，什么时候看电视。对于孩子已经同意的决定，妈妈要用坚定的态度去执行，要用行动，而不是语言。如果孩子年龄较大，妈妈则可以提问："现在该做什么了？"让孩子自己想出解决办法。

如果孩子到了睡觉时间还看电视，父母可以坚持家里的惯例。如果孩子年龄还小，可以不用讲道理，而是平静地带孩子去睡觉。妈妈不要想着"要让他听我的话，不看电视去睡觉"，而是本着遵守惯例的态度，就不会引起权力之争了。如果孩子年龄大一点，父母可以和孩子达成协议，并让孩子遵守承诺。另外，如果我们对孩子不信任，那么上面的方法都会非常难。我们要相信孩子。事实上，电视本身不是问题所在，电视引起的挑战其实显示了父母和孩子之间的信任及合作出了问题。

几乎所有人都关注孩子看到的电视节目的内容和质量，对此争论不休。但是我们不能消极地坐等，等着这个问题从国家或政府层面解决。我们自己的家，我们自己的孩子，我们可以自己采取行动。

十一岁的琼、八岁的莫娜和七岁的罗伯特很喜欢一个圣诞主题悬疑恐怖节目。但爸爸妈妈觉得这个节目不适合孩子看。可是他们越反对，三个孩子越要看："这个节目有什么不好？这是好节目，其他的孩子也看！"每个星期，因为这个电视节目，全家人都要争执一番。

当我们不让孩子看某个电视节目时，就引起了权力之争，而孩子通常是赢家。"其他孩子也看"这个争辩多么有力！另外，假如我们强行不让孩子看，他有可能接下来会用其他方式报复。那么，解决方式是什么呢？首先，我们不能把电视挡在孩子的世界之外，也做不到让孩子完全不受电视的影响。但是，我们可以培养孩子的品位和判断是非的能力。说教没有用，语言可能会成为武器，而不只是用于沟通。一旦父母开口说教，孩子就会让自己变成聋子。

但是，如果父母只是抛出一个问题，然后倾听孩子的想法，这样就会很有帮助。例如，父母可以和孩子一起看电视，气氛轻松时相互分享感受："你对这个节目有什么看法？""那个人的做法明智吗？你觉得其他人会有什么感觉？为什么呢？那他还可以做什么？"这样，父母就引导孩子主动思考，并且用自己的智力对节目进行判断。父母真心倾听，就会惊喜地发现孩子的见解和判断能力很不错。当孩子发表看法时，父母不用点评、纠正，这样会破坏这个游戏。我们应该接受孩子的想法。这样坚持一段时间，父母会发现孩子渐渐发展出了理性的思想和眼光！如果父母偶尔想发表一下自己的看法，可以用启发式的问题："我很好奇，如果……结果会是什么？"例如看了西部牛仔片，我们可以问："你觉得什么是'好人'？所谓'好人'永远是好的吗？"或者："打人或者折磨人真的很有趣吗？被打或者被折磨的人，他们会有什么感受？"通过这样的讨论，我们可以避免把自己的想法强加给孩子，同时又能引导孩子独立思考，我们和孩子的关系也会更和谐。如果我们把所有的事情做好，把所有的答案想好，直接教给孩子，那孩子永远无法学会独立思考。当亲子关系良好时，孩子听到这些问题，会非常坦诚地表达自己的想法，他们不用担心会被评价和批评。而我们则会发现孩子非常公正、公允和善良，应对他们刮目相看。

这样养成习惯，我们很快就会看到，孩子能够面对电视的挑战。只要看电视不是引起权力之争的原因，孩子就不会故意坚持。另外，我们还可以用全家人的乐趣时间替代让人担心的"垃圾娱乐时间"。我们不能从孩子的生活中删除什么内容，这是在把自己的意愿强加给他们，但是我们可以用更有趣的事情影响孩子，他们会自愿离开电视。

当我们自己知道该做什么，并且对自己和孩子有信心时，相信我们能够解决这个问题，电视就不再是我们的忧虑之源了。

TALK WITH THEM, NOT TO THEM

第三十七章
"和"他们说话，而不是"对"他们说话

"对"孩子说话，是在告诉他，我们要他怎样，是在让他顺从，是我们在思考。

而"和"孩子说话，是我们和他一起思考，找寻解决问题或改善情况的方法。

　　在这本书中，我们多次建议家长和孩子们一起讨论问题。但在实际研究时，我们发现只有少数家长知道怎么"和"孩子说话。大多数家长虽然在和孩子说话——态度也挺好——可是，孩子听到的仍然是说教。

　　青春期的孩子和成人之间一个尤为突出的问题，就是无法沟通。如果在孩子还小的时候，父母打下了良好沟通的基础，那么到了青春期，这个沟通的大门通常还会保持敞开状态。但是要做到这一点，需要家长尊重孩子。即使我们不同意他们的想法，也要保持对他们的尊重。事实上，当我们静下来想一想，会发现孩子的思考能力非常惊人，也非常让人敬佩。孩子像海绵，在潜意识里观察、接收，然后根据自己的解释，形成自己的体系和判断，再依据这个判断指导自己的行为。孩子有自己的想法！只是我们常常用"孩子有自己的想法"去敲打他们，当他们不顺从或反抗时，我们说这样的话去贬低他们，以便把自己的想法强加给他们。我们想塑造孩子的个性、想法、人格，把他们当成一块橡皮泥，我们的任务就是给他们塑形。在孩子眼里，这是专横和暴虐——事实上也的确如此。这样说的意思是，我们可以影响和引导孩子，但不能强迫他们进入我们给他们设计的"模具"里。

　　每个孩子都有创造力，每个孩子都有能力对自己的人生经历做出反应，每个孩子都可以塑造自己的性格。

既然父母的责任不是塑造孩子，而是引导孩子，那么智慧的父母就会觉察：什么时候引导孩子，怎样引导孩子。我们可以通过细心观察，发现孩子行为背后的目的。我们可以主动思考，站在孩子的角度探究他们的想法。这样，我们自己也会学到很多。这些并不难，真的，因为年幼的孩子会非常自由、毫无顾忌地用各种方式表达自己——这多好！但是如果我们指责、批评、威胁他们，或者挑他们的毛病，他们就会感到表达自己的想法是件很不安全的事情，就会渐渐关闭和我们沟通的大门。

相反地，如果我们敞开心扉，接受他们的想法，一起平等友好地讨论，问好奇的问题，例如："然后有可能发生什么？""你会有什么感觉？""其他人会怎么想？"孩子就会感到，在面对和解决生活困难时，他有同伴。问好奇的启发式问题，是和孩子沟通思想的最好的方法之一。

期待孩子只有正确想法很可笑。跟孩子说，他的想法是错的，而我们的想法是对的，只能让孩子更沉默（放在我们自己身上也一样）。

"比利，你知道憎恨妹妹不对，你应该感到羞愧。你是她的哥哥，应该爱护妹妹！"——这是"对"孩子说话。

反过来，"和"孩子说话则是："我有些好奇，为什么这个男孩会讨厌他的妹妹呢？你有什么想法？"孩子可能会说："因为她挡了我的路！""那这个男孩除了恨她，还可以怎么做来解决这个问题呢？"——这样是讨论。我们接纳比利这一刻恨妹妹的感受，并且不评价。发生了什么、为什么——从孩子的角度看这两个问题，是这件事的焦点。

家长们经常自以为是地认为，我们知道孩子的感受是什么。"我小时候，因为我妹妹很可爱，所以奶奶把所有的关注都给了她。我记得那时候我的感受是什么！所以，我绝对不会让同样的事情发生在我的孩子身上。"这是我们自以为是。事实上，很有可能，我们的女儿根本不会像我们当年一样，也许她用自己的办法，不让妹妹得到奶奶所有的关注；也许她没有我们当年那种对妹妹的怨恨；也许她用其他办法赢过妹妹。我们的孩子很可能和我们的感受完全不同，我们需要弄清楚孩子的感受，而不是自以为是地认为孩子会有和我们当年同样的感受。

我们需要坦白承认：观点不是唯一的，每个人对同样一件事的看法和观点会不一样。

当我们发现孩子的看法与我们的不一样时，我们需要很小心。如果我们因此批评或羞辱孩子，我们立刻关上了相互信任的大门。我们要随时准备好接纳那些不一样的观点，这个非常有价值。我们可以对孩子说："可能你是对的。咱们再仔细想想，看看还有什么可能？"或者："我不同意你的看法。"然后接着说，"但是你有权利这样想，咱们看看这样是不是可行。"当关系平等了，每个人都会愿意重新看待和评估自己的想法，不是根据"谁对"、"谁错"的标准，而是"怎样最符合实际情况"。如果我们想让孩子改变自己的想法，就需要引导他们了解：其他的方式可以得到怎样的效果，是否更好。我们需要铭记，孩子是我们的伙伴，双方一起才能创造家庭的和谐。他们的想法、观点同样重要。而他们的想法、观点，正是他们各种行为的依据。这些加在一起，形成了孩子的"个人逻辑"——他行为习惯的来源，这通常是无意识的。很多事情，孩子知道不对，但还是做。这时我们告诉他不要做是没用的。因为这个不良行为是他通往错误目的的方式，我们的否定和说教，只能让孩子的决心更加坚定，他会更加认为自己有权利坚持己见。我们必须理解这个心理逻辑，当孩子认为引起过分关注和过度权力能够增加自我价值，那么即使用不良行为取得也很值得。倾听孩子，了解他的心理逻辑，引导他从另一个角度看问题，帮助孩子了解他还没有看到的其他方式的正面效果。想要得到权力的孩子，通常也希望得到大家的喜欢。那么，我们可以和孩子讨论一下：得到至高无上的权力和得到大家喜欢，这两者之间为何难以并存？通过讨论，孩子会看到，假如他是一个小霸王，那么很多人会不喜欢他。然后让他自己思考和选择。如果我们直接说"如果你当小霸王，那就没人喜欢你"，只能激起孩子的敌意。我们可以问："当大家碰到小霸王，会有什么感觉？会怎么想？"用类似的问题引导孩子自己思考事情的本质，以及对自己社会身份的选择。他也会承认，决定权在自己！

我们假想一个场景，妈妈无意间听到两个孩子因为玩纸牌时其中一人作弊而发生冲突。开始的时候，妈妈保持了中立，没有介入。过了一会儿，两个孩子心平气和的时候，她觉得还是有必要讨论作弊这件事，于是她跟孩子们说："你俩都知道，作弊不对，而且作弊也让游戏不再好玩。那你们干吗不好好遵守游戏规则呢？"虽然妈妈的口气很和善，但这不是在和孩子讨论，这是说教。这是妈妈的逻辑，不符合孩子的心理。

还有另一种方式。一两天后，妈妈跟孩子们说："我有件事想不明白。"俩孩子会很好奇，妈妈有什么不明白的事？这样妈妈得到了孩子的注意，然后她说：
"当两个人玩游戏时，其中一个人作弊，接下来会发生什
么？""他们会吵架！""那你们觉得，为什么那个人要
作弊呢？"然后倾听孩子的回答。这样，妈妈就可以了解
两个孩子各自的想法。可能孩子会说，"因为他想赢"，
或者"因为他想让自己很厉害"，或者"因为我不喜欢每
次都是我输"。两个孩子的回答，妈妈都仔细倾听。不但
妈妈了解了孩子的想法了，俩孩子之间也增进了了解。然
后，妈妈可以问："那么，作弊会对游戏的乐趣产生什么
影响？作弊的那个人，对被骗的那个人会有什么感觉？你
们觉得，这样能让我们学会公平吗？我们可以怎么做？我
们每个人分别可以做什么？怎么能让游戏不失去乐趣，而
且继续好玩？"通过类似这样的提问，妈妈就会清楚俩孩
子竞争的心理原因。最后，妈妈可以说："我很高兴了解
你们的想法，这对我也很有帮助。"

妈妈在播下思考的种子。她不需要给孩子讲道理——什
么是对的，什么是错的——而是引导孩子自己发掘：问题在
哪儿？怎么解决？让孩子思考，然后静观其变。

如果我们一开始就指责其中一方有错，那没人能听得
进去。不论是孩子还是大人，都不喜欢在被指责时面对问

题。我们可以将问题上升到笼统的层面，用"人们"这样的词，而不是"你和他"，或者"这两个孩子"，这样笼统的语言，能够让孩子离开问题一段距离，为讨论创造客观的环境。我们都比较愿意讨论别人的问题，把自己的问题当成别人的问题讨论，这样会容易很多。

另一方面，我们也可以直接给孩子提问题，让他们思考："我有个困难，不知道你们有什么看法？我现在要做晚饭，而你让我辅导你做作业。我要同时做两件事，这让我手忙脚乱。你觉得咱们俩可以怎么办？"

我们和孩子的讨论结果，可以成为我们改善行为的基础。如果我们想通过说教、道德标准去纠正孩子的行为，那我们通常得不到有效信息，讨论只会越来越无效。如果我们给孩子留下一个印象，他很差很坏，孩子就会关闭心门，不和我们沟通。当孩子表达了一个我们很反对的想法，在那一刻，我们仍然要练习接纳："你说的可能有道理，但是我不知道如果每个人都这样做会发生什么。"当孩子因为我们没有完全赞同他的想法而表现出不想继续讨论时，不要强迫孩子，先把问题放在一边。大家都好好想想，过几天再聊。那时候，我们都会有新的想法。

"对"孩子说话，是在告诉他，我们要他怎样，是在让他顺从，是我们在思考。

　　而"和"孩子说话，是我们和他一起思考，找寻解决问题或改善现状的方法。孩子对家庭和谐也做出了贡献，他们也知道自己做出了贡献，同时又不是由他支配每个人。这样的讨论，是在照顾所有人的利益的前提下，共同找到最佳的解决之道。很多人认为新育儿心理学是向孩子低头，成人不再是领导。这是完全错误的想法。如果我们不能平等地和孩子坐下来共同讨论问题，那他才会为所欲为，我们的行为对孩子没有任何影响。我们只能赢得孩子的合作，不能强迫孩子合作。赢得合作的最佳途径，是每个人都放心地畅所欲言，共同找到解决方法。

THE FAMILY COUNCIL 第三十八章 家庭会议

家庭会议成功的要点，在于每个家庭成员都认为这是个和全家人有关系的问题。家庭就是全家人有各种互动，解决之道也在于全家人共同参与。这样的方式能够发展家中每个人相互尊重、相互负责、和平相处的责任意识，这是民主家庭的基础。

　　家庭会议是以民主的方式解决家庭难题的方式之一。就像它的名字，指的是家庭所有成员共同讨论和解决问题的会议。每个星期应该有固定的时间，全家人一起开家庭会议，让它成为家庭活动的常规内容。除非经过全家人的同意，否则不能随意改变会议时间。每个家庭成员都参加，如果有人不想参加，但他仍然需要遵守家庭会议的决定。那么，为了自己也能参与决定，最好的办法就是参加会议。

　　每个家庭可以根据自己的情况，制定具体的细节，但大框架和总原则不变：每个人都有权利提出问题，都有权利发言，说出自己的想法，然后大家一起寻找解决方法。家庭会议中，父母的地位并不比孩子高。家庭会议做出的决定，将会持续一星期。会议之后就开始执行，本星期内按照会议决定行事。到了下星期，如果发现上星期的解决方法不太理想，则寻找新的方法。经常用这样的语气提问："我们该怎么处理比较好呢？"然后全体成员讨论、决定。

　　有一个家庭，家里有八个孩子，从四岁到十六岁不等。妈妈在家庭会议时提出，吃晚饭的时间很让人困扰，因为孩子们时常迟迟不上桌吃饭，然后爸爸又因为孩子们不按时吃饭发脾气，造成晚饭的气氛紧张不安。一个孩子建议，大家都不在餐桌上吃饭，而是每个人在自己的房间里吃。其他孩子都赞成这个主意，觉得很妙。妈妈也接受了，而爸爸很生气，高声表示不同意。妈妈接着问孩子们："那谁来盛饭？""我们自己盛。""吃完以后的碗和盘子怎么办？""我们会放回厨房。"妈妈说："我愿意洗放进厨房水池的碗盘。"大家都同意，爸爸只好也同意了。那天晚饭做好以后，妈妈和爸爸盛了饭，到自己卧室去吃，不管其他的孩子。一个小时后，妈妈吃完饭，只洗了放在水池里的碗盘。

过了四天，孩子们开始抱怨，有的人没有把碗盘拿回厨房，导致大家没有足够的干净碗盘。有个孩子抱怨和他一个屋子的那个孩子不把碗盘拿回厨房，结果食物都发臭了。妈妈的回应是："我们在下星期的家庭会议上一起讨论。"到了第二个星期的家庭会议上，这个主意立刻消失了，大家都看到它行不通。大家开始对吃晚饭的规则提出很多建设性的解决方法。

即使年幼的孩子也能参与家庭会议，大家轮流做主持人，这样就不会出现某个人统治会议，主持人也要确定每个人都有发言的机会。有时候会议的决定会让父母不舒服，他们仍然需要执行，顺其自然，一起体验自然结果。孩子从中学会的，会比父母说教的多得多。

妈妈在家庭会议中提出的议题是,十岁的珍妮和七岁的杰瑞放学后都把各自的朋友带回家里来,家里很容易乱成一团。孩子们跑进跑出,在楼梯上追逐打闹,把家里的狗狗追得到处跑,乱弹钢琴,电视音量也过高,爆米花、可乐……妈妈陈述了自己的不满后,说:"我认为你们俩可以轮流带朋友回家,你们觉得这个意见怎么样?"珍妮同意,她选了星期一和星期五带朋友来。杰瑞弓着身子坐在椅子上,用手指头指指画画,不说话。妈妈问他愿不愿意选择星期二和星期三?杰瑞不高兴地点点头。爸爸说:"那你们怎么解决满屋子乱跑的问题?你们的朋友也需要有人告诉他们要有礼貌哦。"妈妈说:"你们可以告诉朋友们,我们家的规矩是什么,对吗?"珍妮同意,而杰瑞仍然很不高兴的样子。

接下来的星期一,珍妮带了一个朋友来家里玩,他们玩得很安静。而杰瑞也带了一个朋友来玩。妈妈说:"杰瑞,对不起,今天不是你带朋友来的日子。""那我们可以在院子里玩吗?""可以。"半个小时内,杰瑞跑进屋子四次,问他们能不能进屋看电视,想要饼干和牛奶,还要妈妈给他钱。每次妈妈的回答都是:"不。"几分钟后,妈妈从窗户看到杰瑞正站在篱笆墙上尿尿。妈妈大声说:"杰瑞,对不起,你的朋友现在需要回家了,因为你需要到屋子里来。"杰瑞大叫:"这都是因为你不让我进屋上厕所!"

杰瑞在家庭会议中的感受，是他的"好孩子姐姐"和妈妈联合起来压制他，他在会议上什么意见都没有发表，是因为他觉得说什么都没用。结果是，他虽然同意了会议决定，但实际上带着一肚子气。最后，他用不良行为来表达自己的怒气和抱怨。

如果妈妈换一种方式，先提出问题，然后询问孩子，怎么做比较好，这样就会更有效。第一次询问时，孩子可能会说不知道，想不到解决方法。妈妈可以等一等，过一会儿再提出自己的建议。最好依然用询问的方式提出："你们觉得，轮流带朋友来玩，会不会对大家更好？"或者："如果……会怎样？"

现在，杰瑞已经用行动表达了自己的态度，那么下一次开家庭会议时，妈妈要表现出她理解杰瑞，可以引导杰瑞更多地参与。"我想知道，杰瑞有没有觉得自己没有发言的机会？看起来他不喜欢这个计划，杰瑞，你觉得呢？"然后进一步讨论。也许妈妈可以先问杰瑞有什么建议？刚开始，可能杰瑞会显得不想参与，如果妈妈真心对杰瑞的想法感兴趣，那杰瑞很快就会改变想法，开始参与会议讨论。

如果只是爸爸妈妈提出解决方法，那不是家庭会议，家庭会议需要激发孩子的思考和参与，这样他们也能做出贡献。

两位受过大学教育的父母和三个女儿开家庭会议，三个孩子做了一个决定：买一栋新房子。而且老大愿意贡献十五块钱，老二愿意贡献十块钱，老三愿意贡献五块钱。这个决定非常出乎父母的预料。这可怎么办？为难又迷惑的爸爸来到中心寻求帮助。

爸爸妈妈本来以为，孩子们是因为不知道一栋房子要多少钱，才做出这样的决定的。然而当孩子们被询问时，她们回答大概需要三万块钱。爸爸妈妈惊讶极了，孩子们不但知道，而且估计得很准确。那么接下来怎么做呢？有人给爸爸出主意：愿意贡献五十块钱，然后让女儿们去买房子。

爸爸按照这个建议做了。结果，事情不了了之，女儿们也不再提出这个不平等的决定了。

假如女儿们坚持让爸爸贡献其余的巨款，爸爸可以提出这样不公平："为什么呢？我是咱们五个人中的一个，为什么我要付几乎全部的钱呢？"甚至爸爸可以同意女儿们要买新房子的想法，但需要和女儿们一起筹款。

当我们遇到孩子的决定大大出乎我们的意料时，我们可以运用自己的想象力，把孩子当作自己的成年朋友。如果是成年朋友提出这个意见，我们会怎么做？父母可以告诉孩子，在这个计划中，我们支持的部分有多少，然后把问题抛回给大家，共同讨论和面对。

家庭会议成功的要点，在于每个家庭成员都认为这是个和全家人有关系的问题。比如，妈妈觉得难以监督孩子们看电视的时间，或者爸爸和孩子觉得难以和妈妈达成一致。那么，这些就是全家人的问题。家庭就是全家人有各种互动，解决之道也在于全家人共同参与。这样的方式能够发展家中每个人相互尊重、相互负责、和平相处的责任意识，这是民主家庭的基础。

养育孩子的新原则

1. 鼓励孩子

2. 避免奖赏和惩罚

3. 利用合理和自然的结果

4. 坚定而非强硬

5. 尊重孩子

6. 引导孩子遵守规则

7. 引导孩子尊重别人的权利

8. 杜绝批评和减少错误

9. 让生活有规律

10. 花时间训练

11. 赢得合作

12. 避免过分关注

13. 避免权力之争

14. 不介入冲突

15. 做，而不是说

16. 不要"赶苍蝇"

17. 慎用取悦，
有勇气说"不"

18. 避免冲动行为，
做孩子意料之外的行为

19. 避免过度保护

20. 鼓励孩子独立

21. 不介入争执

22. 不被恐惧驱使

23. 做好自己

24. 避免怜悯孩子

25. 要求合理简洁

26. 言出必行，
保持一致

27. 对孩子一视同仁

28. 倾听

29. 注意说话的语气

30. 放松从容

31. 对坏习惯不要小题大做

32. 一同享受乐趣

33. "和"他们说话，
而不是"对"他们说话

34. 家庭会议

Appendix

附录
使用新方法

我们建议你，下面的实例，你一次看一个。看完以后仔细想一想：这是怎么回事？家长的言行违反了什么原则？可以怎么改善？不要去分析孩子的行为，而是关注家长和孩子的互动。我们的目的，是帮助父母更加有效地养育孩子，知道在孩子有挑战行为时，应该做什么，不应该做什么。

不同的人，对下面的例子有不同的见解；同样的情况，可以有不同的解决方法，但没有唯一的标准答案。每个例子后，我们都给出了一些评语，供你参考。

例一

安三岁，不小心把沙拉打翻了。妈妈说："清理干净吧。"安噘着嘴，没动。"快点呀，你打翻的，你来清理。"妈妈等了一会儿，安还是噘着嘴不动。最后，妈妈清理了桌子上的沙拉，没有再说什么。

★评语

当妈妈命令安清理干净，她引起了一场权力之争。而当她妥协时，她只是"把闹人的苍蝇赶走了"，并没有达到对孩子性格有益的长期效果，最后妈妈还提供了不应该的服务。

妈妈可以避免脱口而出的命令，而是问："我们现在该怎么做？"这样可以引发安的思考和回应。有可能安会提出自己清理，也有可能安什么都不想做。妈妈这时可以拉着安的手，温柔并坚定地带着安一起清理。

如果安仍然反抗，妈妈可以让安先离开餐桌一会儿。

例二

八岁的拉尔夫随手把西装乱扔，妈妈用了很多方法让拉尔夫把衣服捡起来放归原处，可是都没有用。这次妈妈很生气，把地上的西装全部捡收起来。星期日早上，拉尔夫找不到他的西装："妈妈，我星期日要穿的西装在哪儿？"他大声喊。妈妈告诉他，衣服都被收了起来，他只能穿着平时的衣服去教堂的主日学校。拉尔夫开始大发脾气。妈妈说："拉尔夫，我告诉过你很多次了，衣服要挂好，现在就是给你个教训。"拉尔夫叫起来："那我不去主日学校了！""你当然要去,现在赶紧脱了睡衣,换好衣服,时间很紧。""我不去!我不去!我不去!"因为拉尔夫不肯换衣服,妈妈只好妥协了:"好吧,我把你的西装拿出来,你要保证,回家以后要挂好哦!""当然!"妈妈拿出西装,拉尔夫匆忙换好衣服出门。回到家以后,拉尔夫还是照旧乱扔衣服。

★评语

妈妈刚开始的做法,是让孩子体验合理后果。但后来,她把自己卷入了权力之争,结果"战败"。

妈妈可以和拉尔夫一起讨论,如果西装不放好会有什么后果,跟孩子达成协议。当拉尔夫发脾气的时候,妈妈一句话也不用说,保持平静从容即可。如果妈妈忍受不了拉尔夫的脾气,可以先到卫生间待一会儿。过一会儿,等他平静下来,再带他去主日学校,也可以让他自己决定要不要去。

例三

露丝三岁,全家人有个习惯,晚上睡觉前一起开车出去兜个风。这天晚上,露丝一直在磨蹭。最后,爸爸妈妈坐进车里:"看起来你不想出去兜风了,但我们还是很想去。再见,宝贝,我们很快回来。"他们在附近兜了一圈,回到家以后,什么都没有说。第二天晚上,露丝早早做好了准备。

★评语

爸爸妈妈把自己从露丝要求过分关注的情境中解脱了出来。

他们没有把时间和精力花在强迫露丝上,而是只做自己应该做的事情，他们保持了一直以来的习惯，并且利用了合理后果。

例四

妈妈给三岁的玛丽莲穿上厚厚的衣服，让她去学玩雪。没一会儿，妈妈听到玛丽莲在后院里哭，出去一看，原来她没戴手套，手冻红了，有点疼，所以小姑娘哭了起来。妈妈赶忙给玛丽莲戴上手套："你要是戴着手套，手就不会冷了。宝贝，这就是手套的作用呀。现在觉得好多了吧？肯定是！好啦，去玩吧！"几分钟后，妈妈发现玛丽莲的手套又脱了下来。这次，爸爸赶紧出去给女儿戴上手套。这样重复了很多次，最后爸爸的耐心磨光了："别管她了，让她的手冻着吧！这样她就受到教训了！"妈妈立刻表示反对："这样太可怕了，怎么可以呢？她的手会冻伤的。"妈妈自己出去，给女儿戴上了手套。可这个情况再次反复，最后连妈妈也发了脾气，把玛丽莲带回屋里打了一顿。

★评语

玛丽莲用"无助"激起爸爸妈妈的怜悯，获得他们的服务。

爸爸妈妈可以避免给予玛丽莲过度关注，跟她说"手套可以让手暖和"完全没必要，这一点她早就知道了。爸爸妈妈不需要对这件事太过关切，让自然结果来解决就好了。当玛丽莲大哭——用无助激起怜悯——爸爸妈妈要小心不要掉入这个陷阱。他们可以说："我很难过你的手很冷，我非常理解，但我也相信你自己知道该怎么做。"如果玛丽莲故意一再重复这个行为，那么父母只需要让她待在屋子里就可以了。

例五

四岁的南茜在海边游完泳，和妈妈一起进了浴室。南茜说她不想洗澡。妈妈刚冲完澡，回答说："可以啊，亲爱的。只是你不能带着一身水和一身沙子上车哦。"然后妈妈关了水，擦干自己，没有再说什么。南茜也没有说话。过了一小会儿，南茜忽然表示，她愿意冲澡了。

★评语

妈妈赢得了南茜的合作。首先，妈妈明确了底线，然后妈妈没有多说，避免了和女儿发生权力之争，并且保持了从容和坚定的态度。最后她赢得了孩子的合作，以及对孩子的要求。

例六

九岁的斯坦没洗手就要吃晚饭。妈妈责备说："你这样子过来吃饭，想干什么？你们男孩子怎么总是这样，手老是脏兮兮的，头发也乱乱的，你到底梳不梳头发？再看看你的衬衣，脏得像抹布一样！"斯坦眼睛里充满了泪水："还有其他不好的地方吗？"

★评语

斯坦不遵守饭前洗手的规则，是他对自己定位的错误决定，这样做至少让妈妈给了他关注。而接下来，妈妈提出了一大堆指责和批评，更增加了斯坦的气馁，更强化了他错误的自我定位。

当斯坦没洗手就过来时，妈妈可以简单地说："这样不行，手脏不能上饭桌。"然后不再说话。当斯坦洗干净手，妈妈可以说："我看到你学会了怎么照顾自己。"或者："今晚你愿意保持整洁，真好！"

例七

"玛丽，站在我旁边。"妈妈在银行柜台前一边填写单据，一边对两岁半的女儿说。但玛丽反而走开了几步。妈妈叫道："玛丽，回来！"玛丽站住了，妈妈继续填单据。玛丽朝着大门跑去。"你去吧，你会被汽车撞到的！"妈妈吓唬她，自己去了银行窗口。玛丽一个人站在了门口。

★评语

玛丽在和妈妈玩游戏，她让妈妈一直操心，让妈妈忙个不停。而妈妈说的太多，最后只有用一个她自己都不能接受的事情吓唬孩子。

妈妈可以平静地牵着玛丽的手，要求她站在自己身边。

例八

妈妈买完东西付了钱，正要往外走，看到五岁的格雷格手里拿着一包打开的糖果。"你在哪儿拿的？"孩子指："那边。""你这个坏小子！你这样做意味着什么你知道吗？"妈妈一边骂，一边打了几下儿子的屁股："你不知道这是偷东西吗？现在我还得为你这包糖付款，而咱们家已经有好多糖了！"然后妈妈走向收银员，付了糖果的钱。

★评语

格雷格相信自己想拿什么都可以，反正最后是妈妈承担结果。妈妈要避免批评、责骂和打击孩子。妈妈也不用说那么多话，她可以用坚定的态度，告诉格雷格自己付钱，用他的零用钱买他想要的糖果。

例九

妈妈在游乐场和另外几位带着婴儿的妈妈聊天。两岁的儿子迈克走到每个婴儿车旁边，摇晃婴儿车，差点把婴儿车拉倒。他每次这样做的时候，妈妈就大喊："迈克，不可以这样。"然后继续聊天。迈克也继续摇晃婴儿车。最后，另一位妈妈站起来，把自己的婴儿车拉到身边，并抓着车子。迈克的妈妈终于站起来，把迈克拉过来打了一下屁股："我说了，不可以这样！"迈克没有反应，跑到沙堆里开始玩沙子。

★评语

迈克让妈妈无法和别人好好说话，不时地停下来关注自己，他让妈妈忙个不停。

妈妈应该避免给予迈克过分关注，也不用对他的行为像"赶苍蝇"一样。她可以一句话都不说，只要做就好了。只要迈克又摇晃婴儿车，妈妈就把他放进婴儿车。如果迈克大叫，妈妈静静地不理会他。当他安静下来，就让他从婴儿车里出来，并对他给予鼓励。

例十

还有几分钟就要睡觉了，客厅地板上到处都是南茜的玩具。妈妈说："睡觉时间到了，你要我帮你收，还是你自己收？"以往，妈妈用这样的方式都很有效。可是今晚三岁半的南茜说："我不要收玩具。我好累呀，你收吧。"妈妈拿起手上的书："南茜，我现在想看书。"然后妈妈没有再说话。一分钟后，南茜说："我们现在收玩具吧，你可以帮我吗？""好的，宝贝。"两人一边收拾，一边聊第二天要做的事情。

★评语

南茜在试探妈妈。

妈妈从南茜的试探中抽身出来，避免了与南茜的权力之争，赢得了南茜的合作，没有说任何批评的话，并且提供了南茜需要的协助。

例十一

"妈妈，我要糖！"五岁的朱迪跟妈妈说，妈妈正等着排队结账。妈妈非常坚决和强硬地说："不行，家里已经有很多糖了。"朱迪声音更大了："但是我现在就想要糖！"妈妈瞟了一眼排队的人，有点烦躁和无助："我的钱不够。"朱迪拿过一块糖，尖叫着说："我现在就要这个糖！"妈妈问："多少钱？"然后看着价码牌苦苦想了一下，叹口气说："好吧，拿着吧。"朱迪高兴地打开包装，咬了一口，把包装纸扔进了购物车。

★评语

朱迪觉得,她有权得到任何想要的东西。不光想要糖,她还要超越妈妈的权力。在不应该给予的情况下,妈妈不必有求必应,不用取悦朱迪,要有说"不"的勇气,拒绝朱迪的挑衅,平静从容地坚持到底。

例十二

十二岁的埃伦、十岁的弗吉尼娅和八岁的迈克为了家务活吵吵闹闹,妈妈头都快炸了。最后,她和爸爸想了一个办法,爸爸在厨房里放了一个布告牌,上面写着每个孩子要做的家务,每项家务标明了报酬价码。如果这项工作做得好,得到的报酬会更高;如果做得很差或者没有完成,就没有报酬。好的行为就会得到特别奖赏,不好的行为或者破坏规矩,就会扣钱。每天吃过晚饭,全家人在布告牌前一起计算分数。一周结束时,孩子们根据计算结果领取报酬。孩子们之间因家务引起的摩擦减少了很多,妈妈也轻松了很多。

★评语

孩子们用争吵得到父母的注意,让爸爸妈妈一直操心。新的方法是在提供另一种父母的注意,这是父母利用奖赏和惩罚来控制孩子,让孩子们学会的是只要付出就必须得到金钱报酬,而不是让孩子学会参与、合作、贡献。

爸爸妈妈可以停止这个报酬制度,和孩子们开一个家庭会议,引导大家一起建立做家务的责任感,坚持让每个孩子都对家务活儿有自己的责任。当孩子们再吵吵闹闹时，父母可以暂时离开现场，等孩子们平静下来再回来继续。

例十三

六岁的汤尼、四岁的帕蒂带着狗从外面跑进厨房，两个孩子满鞋都是泥。妈妈大声说："嘿！你们这些熊孩子！我刚把地板擦干净。你们把我当什么了？看你们俩干的好事！我说过多少次了，把鞋擦干净才能进屋。坐到这儿来，把鞋脱掉！我还得再擦地板！"妈妈把孩子们脱下来的鞋扔到屋子外面，打算等一下再擦一次地板，然后洗干净孩子的鞋。俩孩子穿着袜子，在屋子里跑来跑去。

★评语

孩子们随心所欲，妈妈承担孩子行为的后果，给孩子责备以作惩罚。

妈妈可以不再用语言做武器，而是把拖布拿给孩子。妈妈也可以想一想孩子行为的合理结果是什么？比如：如果厨房地板上都是泥，妈妈怎么做饭呢？

例十四

妈妈在教一岁的凯茜用杯子喝牛奶，而不是用奶瓶喝。她把凯茜放在腿上，凯茜喝了一口，把杯子推开了。"你看那只小鸟！"妈妈转移凯茜的注意力。凯茜一看，妈妈立刻把杯子又放在凯茜的嘴唇上。每次凯茜推开杯子，妈妈就找别的事情转移孩子的注意力，让凯茜在推开前用杯子喝一点。

★评语

妈妈用尽各种办法做一个好妈妈，然而她缺乏信心，预设凯茜肯定会反抗用杯子喝牛奶。

妈妈可以像平时一样，把凯茜放进餐椅，发自内心地相信凯茜会对用杯子有兴趣，愿意学，也能学会。用这种从容、轻松、信任的态度，帮助孩子掌握这个新技能，不用过分担心。每天吃东西的时候，妈妈不用奶瓶，而是把装牛奶的杯子和其他东西摆在一起，不用专门哄劝，也不用过分强调。很快凯茜就能学会，她不会故意不用杯子，而让自己饿着或渴着的。

例十五

乔治六岁，只要感到紧张、烦躁或者沮丧，就会蜷在客厅的椅子上吮手指。这个问题已经困扰妈妈五年了。她试过在乔治手指上涂苦药水、缠胶布、绑手指夹板、打屁股等，可是都不顶用。乔治的门牙都因为吮手指而变形了。每次妈妈看到乔治又蜷在椅子上吮手指，就会很难过，她知道儿子又不快乐了。妈妈同情地问："怎么了，乔治？不要再吮手指了，宝贝，吮手指不会对你有好处。你告诉妈妈，什么事让你不高兴呀？"有时候乔治回答，有时候他什么都不说，只是继续吮手指。最后，妈妈只好强行把他的手指从嘴里拉出来。这样乔治更加愤怒了。妈妈继续低声下气，想尽办法查找儿子不高兴的原因，如果幸运，能够找到答案，妈妈就想各种办法来解决。

★评语

乔治通过吮手指寻求安慰，另外，他还通过吮手指来表达不快乐，因为妈妈会因此难过，乔治用这样的方式来惩罚妈妈。妈妈可怜孩子，然后用自己的方式替孩子安排。

妈妈可以不理会乔治吮手指的习惯。当乔治又蜷在椅子上，妈妈可以不受孩子的影响。当乔治情绪平静或者心情好的时候，妈妈可以和孩子聊聊他不喜欢什么等。通过引导和鼓励，让孩子朝着积极的方向发展。

例十六

七岁的萨莉是家里排行在中间的孩子，她想帮妈妈把刚买的玻璃杯拿回家。"萨莉，不行，我来拿，你说不定会打烂杯子的。""哎呀，妈妈，我会很小心的。""嗯，好吧，看在上帝的份上，那你要小心别掉了哦！"妈妈拎着大包小包跟在女儿后面。上楼梯时，萨莉不小心踩到了自己的长外套，整个人连同玻璃杯都摔倒在地。她哭着站起来，妈妈恼怒地把手里的袋子放在地上，过去打开玻璃杯的盒子，发现只剩两个杯子没破。妈妈大怒："我就说了，你会把杯子摔破的！为什么你总是要做你做不到的事情呢？你怎么这么笨手笨脚的？我花钱买杯子不是用来给你摔的！回到你的房间去，今天不许吃晚饭。这样给你个教训，让你学会以后做事情小心点！"

★评语

萨莉果然被妈妈言中了，再一次失败了。而妈妈一开始就怀疑萨莉的能力，让萨莉觉得气馁。当萨莉真的失败了时，妈妈又一通猛批和惩罚，让萨莉更加气馁。

妈妈可以从开始就对女儿表现出信心，不要强化孩子本来就有的错误的自我认知。妈妈要放下所有的批评，接受孩子犯错。丽萨不小心打破杯子，已经够害怕和难过了，妈妈这时候要表达对萨莉的关心，而不是对杯子的关心。这时非常需要给孩子鼓励："发生这样的事真让人难过。我知道你不是故意摔烂杯子的。"

例十七

爸爸回到家，发现草坪上到处都是他的工具。九岁的儿子比利未经爸爸允许就把爸爸的拖车改造成了一辆"赛车"，这让爸爸大怒。他在离家不远的地方找到了比利，命令他回家。比利明白自己有麻烦了，他慢慢地蹭向爸爸旁边。爸爸指着草坪上乱丢的工具问："这到底是怎么回事？我跟你说了多少遍，工具用完要放回原位。为什么你总是不听？"比利站在那儿，盯着地面，缩着脖子不说话。"喂，你到底回不回答我的问题？""爸爸，我不知道。""好吧，要我打你一顿，你才能记住下回要把工具放好！"爸爸打了比利一顿。孩子哭着把工具捡起来，拿回去放好。

★评语

比利的行为没有尊重爸爸和实际情况，爸爸用怒气来对待儿子。爸爸相信，语言恐吓和体罚能够达到有效养育的效果。这是错误的认识。

这个例子显示了比利需要手把手地训练。爸爸可以和比利讨论怎样使用工具、怎样维护工具等，这个讨论可能需要进行好几次。爸爸还可以给比利一些专属工具，让孩子对自己的工具负责。假如因为比利使用不当或者随意丢弃而造成工具损坏，爸爸可以告诉孩子用自己的零用钱买来补上。

例十八

爸爸妈妈带着两岁的杰克去朋友家玩。妈妈开心地告诉大家："我们真为杰克感到骄傲！他现在不用穿纸尿裤了。而且，前两个星期，他一次都没有尿过裤子。"接下来的一个小时，妈妈不停地问杰克要不要上厕所，问了不止六次。最后杰克只好说："要去。"然后爸爸带着杰克上楼去上厕所，仿佛完成了一个隆重的仪式。

一个星期后，朋友来家里吃饭。一顿晚饭，杰克连着三次说要上厕所。爸爸每次都陪他去，他每次都能尿出来。

又过了一个星期，爸爸跟朋友说："我们真不明白到底是怎么回事，杰克又开始尿裤子了！现在又得重新穿纸尿裤了，他现在甚至不跟我们说该换纸尿裤了。"

★评语

爸爸妈妈对训练杰克大小便这件事小题大做了。这本来应该是个自然的学习过程，爸爸妈妈过分关注，再加上他们觉得孩子能够不穿纸尿裤让他们很有面子，结果反而跟孩子在上厕所这件事上出现了权力之争。

爸爸妈妈可以发自内心地相信，杰克能够学会自主大小便，应该用轻松的态度引导。这件事的重点，是杰克学会上厕所，而不是爸爸妈妈为孩子干爽的裤子而骄傲。

例十九

妈妈每天上午需要出去工作，于是在这段时间给三岁的女儿丽塔请了一位保姆。有一天她回到家，发现丽塔用蜡笔把门、沙发、椅子上涂画得到处都是。本来妈妈计划下午带女儿去海边，吃过午饭，她跟女儿说："咱们去海边之前，需要把这些蜡笔痕迹都擦干净。如果你愿意，我们一起清理。"丽塔看了妈妈一会儿，妈妈没有再说任何话。然后丽塔拿起一块抹布，按照妈妈教她的方法清理，妈妈也有条不紊地擦拭着。每次丽塔问："我们什么时候去海边呀？"妈妈都平静地回答："清理干净就去。"最后，当俩人把所有涂画痕迹都清理干净的时候，妈妈坦诚地告诉丽塔，现在去海边已经太晚了，来不及了。丽塔很平静地接受了。

★评语

妈妈提供了一个训练孩子增长经验的机会，她没有责令丽塔去清理，所以没有引起权力之争。妈妈的态度坚定，但方式温和，她邀请孩子一起干，赢得了孩子的合作。最后，妈妈顺应了自然结果，表明需要遵从客观环境，孩子也平静地接受了。

例二十

"莉莉，我说了，这个星期你不能和简一起去看电影，因为上次你回来得太晚了。”妈妈对九岁的女儿说。莉莉眼睛里充满了泪水，没有说话，伤心地低着头，转身要走。妈妈看到女儿难过的样子，又于心不忍：“莉莉，这个星期演什么电影？”莉莉带着哭腔回答：“那又怎样，妈妈？反正我也不能去。”“我记得你说好像是迪士尼的电影，对吗？”莉莉眼泪流了下来：“对。”妈妈想了想：“如果这次我让你去，你保证一看完电影就立刻回家，是吧？”“妈妈，我会的。”“好吧，这次我让你去。但是如果你又不准时回家，那下个星期不管演什么，你都不能去。记住了吗？”“记住了，妈妈。”

★评语

莉莉发现了泪水的力量。她用这个激起妈妈的怜悯之心，达到自己的目的。妈妈掉入了这个陷阱，她不但缺乏说“不”的勇气，而且自己的言行前后也不一致。

妈妈可以不受莉莉眼泪、伤心、难过的影响，如果莉莉不遵守按时回家的协议，那就按照约好的，不能去看电影。妈妈可以不讲条件地坚持这个约定。

例二十一

傍晚，妈妈给四岁的蒂米洗了澡，穿上干净衣服，两人一起到后院乘凉。后院里有个小的儿童戏水池，正好有个朋友过来跟妈妈聊天，妈妈对蒂米说：“别再把自己弄湿了哦！”蒂米玩了一会儿玩具，很快就跑到水池边开始玩小船。妈妈大声说：“蒂米，小心别弄湿自己，最好别到水池边去。”可是蒂米噘噘嘴，跪在水池边，把小船放进水里。"蒂米！如果你把自己弄湿了，爸爸会揍你哦！"蒂米充耳不闻。忽然，他一不小心跌进了水池里，衣服全湿了。爸爸赶紧跑出来，把他捞上来。蒂米大哭，妈妈责骂说："我说了让你别在水池旁边玩，你看看，现在又弄湿了！"爸爸带着蒂米进屋换衣服。

★评语

蒂米让自己变成了"妈妈的聋子"，自己想干什么就干什么。妈妈对蒂米提了一个不切实际的要求：让他在水池边玩，但不让他弄湿衣服。当妈妈再次命令蒂米"别把自己弄湿"时，就引起了和孩子的权力之争。接下来，妈妈又威胁他，很显然，实际情况告诉蒂米，妈妈的威胁只不过是空洞的语言而已。

妈妈不用替蒂米决定做什么、不做什么，这样就能避免权力之争。她可以根据实际情况判断让不让孩子玩水。如果天气暖和，玩水不是什么大不了的事。而且，当妈妈不试图控制孩子，不发生战争，孩子也不容易跌到水里。妈妈应该提合理的要求，然后安静从容地顺应实际情况。

例二十二

七岁的约翰正在外面玩，没过多久，妈妈就听到孩子们吵架的声音，她出去察看。发现约翰把邻居家孩子的玩具抢过来，想要据为己有。很明显，让别的孩子大喊大叫，约翰很得意。妈妈叫约翰过来，但是约翰不愿离开现场。妈妈走过去说："约翰，亲爱的，你应该和小朋友分享玩具哦。"约翰瞪着其他孩子，不做声。而其他孩子则看着妈妈。妈妈伸手从约翰手里拿走一个玩具，约翰立刻开始吼叫："住手!"妈妈喊道："约翰，你怎么想的? 你绝对不应该这样子! 现在你就给我进屋睡觉!"妈妈把约翰拖回家，把他放在床上。约翰哭着睡着了。

★评语

约翰通过自己的不良行为让妈妈忙个不停。果然，妈妈介入了约翰和其他孩子的冲突，妈妈给约翰讲道理，无果。最后妈妈惩罚了约翰。

妈妈可以不管这件事，让其他孩子和约翰自己去解决。孩子们会的! 等一切过去了，妈妈可以心平气和地跟约翰聊一聊怎么和朋友相处这件事。

例二十三

妈妈摇着八岁的女儿："玛莎，你到底起不起来? 你要再不赶紧起床，肯定会迟到的。赶快起来! 我已经叫你三次了!"玛莎从床上爬起来，妈妈回到厨房继续忙碌。过了一会儿，妈妈说："玛莎，快点! 我警告你哦，今天我可不会开车送你去学校。你得学会自己按时起床。"终于玛莎坐下来吃早饭了，可是一边吃一边看漫画书。"把那个东西放下，好好吃饭! 没时间了!"这时，电话响了，是妈妈的姐姐打来的，妈妈在电话里和姐姐交谈。玛莎插话："妈妈，只剩十分钟了，请你快点送我上学去!""不行，玛莎，你自己去上学。""可是就算我跑着去，也肯定来不及了。我今年一次迟到都没有哦。拜托妈妈! 就这一次，我可不想破坏这么好的纪录，你也不想，对不对?""哦，好吧!"妈妈告诉姐姐回头打给她，然后赶紧开车送女儿上学去了。

★评语

玛莎让妈妈承担了所有的责任，让妈妈为自己服务。妈妈缺乏坚持的勇气，而且对那个所谓纪录的重视影响了对女儿的健康培养。

妈妈可以给玛莎一个闹钟，让她为自己按时起床、准时上学担起责任。不要孩子说什么甜言蜜语或者乞求威胁，妈妈就放弃原则，让孩子自己去上学。

例二十四

妈妈在洗衣房，八岁的罗丝、六岁的乔伊丝和两岁的苏珊在卧室里玩。忽然妈妈听到苏珊的尖叫声，而且听起来好像被什么东西捂住了。妈妈跑进卧室，发现罗丝和乔伊丝把苏珊关在了壁橱里，两个人还抵住壁橱门，不让苏珊出来。妈妈大喊："立刻住手!"两个女孩在被妈妈抓住之前跳开了。妈妈打开门，把苏珊抱了出来。等苏珊慢慢不哭了，妈妈责问两个女儿："你们这样做到底为什么? 你们不知道她怕黑吗?""妈妈，我们只是在玩游戏。""这是什么游戏! 这是折磨你们的妹妹!"妈妈非常生气，带着苏珊出了房间。

★评语

罗丝和乔伊丝联合起来，让妈妈为了过分保护苏珊而忙碌。与此同时，苏珊则利用自己的恐惧操控妈妈。

妈妈可以先听一下苏珊的尖叫，判断一下。她能听出苏珊害怕，但是没有危险。这时可以决定不介入，也不要被苏珊怕黑影响。当妈妈不再急急忙忙跑过去保护苏珊，两个姐姐很快就会觉得这样做没有意义，会让苏珊出来。或者，如果妈妈实在很难做到不介入，她也可以平静地走进房间，帮苏珊从壁橱里出来，然后立刻回去做自己的事情，什么都不要说。除了这些办法，妈妈还可以和孩子们开家庭会议，用一系列的提问引导孩子们讨论和理解怎么做姐妹，例如："你们觉得罗丝和乔伊斯为什么这么喜欢捉弄妹妹呢？我们可以怎么做来改善呢？"

例二十五

六岁的琼吃饭吃到一半，朋友在外面叫她。琼从餐桌上跳下来，往门口跑去。爸爸命令道："琼，回来！你还没吃完饭！"琼充耳不闻，站在门口和朋友说话。爸爸走过去，把琼抱回来："你不能离开，需要把饭吃完。"琼坐回椅子上，噘着嘴，没有打算吃饭的样子。爸爸失去了耐心，开始严厉地说教。琼坐着不动。最后妈妈问："你吃饱了吗？""是的。""那你可以出去玩了。"爸爸接过话茬儿生气地说："既然妈妈说你可以出去玩，那你就去吧。"琼立刻离开了餐桌，只剩妈妈和爸爸继续吃饭，气氛安静得让人不安。

★评语

琼让她的父母卷入了一场权力之争，让他们意见不合。权力之争开始于爸爸命令她"回来"。爸爸忘记了，琼既需要有礼貌地对待家人和规则，也需要有礼貌地对待朋友。

因为爸爸是处理问题的人，妈妈可以不用介入。事后三个人可以一起商量餐桌上应该有什么样的规矩，从而达成一致。如果三人都同意吃完饭才可以离开餐桌，那么琼可以既顾及餐桌的规则，又顾及对朋友的礼貌，可以暂时离开一下，告诉朋友她正在吃饭，等一会儿再去找她。

例二十六

一阵狂风吹起了客厅的窗帘，窗帘把地上的一个花瓶打破了。妈妈赶忙去擦地上的水，以免弄坏地毯。她对女儿说："阿黛尔，请你帮忙把酱汁浇到烤肉上，好吗？"阿黛尔嘀嘀咕咕地不想做。"妈妈，我不会。""你已经看我做了好几百次了，按照我的方法做就好了。"阿黛尔去了厨房，几分钟后，妈妈听到东西打破的声音，接着是阿黛尔的大叫声。她冲进厨房，看到烤肉、土豆、酱汁、盘子撒了一地，阿黛尔的手被烫了一下，正在大哭。"阿黛尔，你简直没治了！我从来没见过像你这么笨的人。为什么这么简单的事情你都做不好？现在出去！""可是我的手被烫了，好疼呀。""擦点药膏就好了。""我擦不了，我烫到的是右手。"妈妈既生气又绝望，找到药膏，给阿黛尔涂上，然后再去处理厨房的混乱。

★评语

阿黛尔认为自己什么都做不好，事实也在不断证明。

妈妈可以不接受阿黛尔这个错误的自我认知，并且提醒女儿她曾经做好了什么，给她鼓励，不对她的任何错误做出评价。上面的例子中，妈妈分身乏术，她应该判断哪件事她可以先做，哪件事后做，避免让阿黛尔做完全没有经验的事。事后,妈妈专门花时间训练阿黛尔,手把手地教她,还可以让她在没有完全掌握前先做协助工作。

例二十七

两位朋友来访,四岁的帕齐看着八个月的比利在地上爬。妈妈和朋友们称赞比利多么聪明。帕齐冲过去在比利的手臂上咬了一口。妈妈跳起来,抓住帕齐,一边打她的屁股,一边大叫:"你咬弟弟干吗?现在你立刻回到你的房间,等你知道怎么守规矩再出来!"她打了帕齐,然后推开她,把比利抱起来安慰。

★评语

帕齐嫉妒弟弟,用报复表达不满。果然,妈妈对她的报复行为给予了关注,做出了反应。

已经咬过了,任何惩罚都于事无补,只能更加强化帕齐要和弟弟争得平等关注的信念。妈妈可以单找一个时间,抱着帕齐说:"我理解你,宝贝。我明白你刚才很不高兴。"

例二十八

一岁半的露西发现了刚堆好的砌炉子用的炉石。她不停地爬上去,每次爬上去,妈妈就把她抱下来:"不可以哦,不可以哦。"可是妈妈一松手,露西又摇摇晃晃地朝着炉石走过去往上爬。妈妈再次把她抱下来:"不可以哦,你会受伤的。"这样反复了五次,妈妈打了露西的屁股,强行让她离开了房间。

★评语

露西在探索自己的能力和勇气，可惜她被妈妈过度保护，一次次感到气馁。妈妈先是不停地说"不可以哦"，就像"赶苍蝇"，无济于事，然后她又用打屁股惩罚孩子。

妈妈可以放心地让露西去探索自己身体的能力和技巧，不用大惊小怪。当露西探索了自己的能力后，她很快就会对那堆炉石失去兴趣。或者，如果妈妈实在不能接受露西爬炉石，那么当露西爬上去后，妈妈可以静静地把露西抱离这个房间，并给她其他可以探索身体能力的机会。

例二十九

六岁的杰瑞进门看到姑姑，跟她打招呼："嘿！苦瓜脸！"妈妈狠狠地给了杰瑞一巴掌："不要让我再听到你说这么没礼貌的话！要尊重姑姑，现在立刻向她道歉！"杰瑞流着眼泪，愤愤不平地说："对不起！"

★评语

杰瑞在耍小聪明，想让人觉得他很不一般。而妈妈一时冲动，给了杰瑞一巴掌。

杰瑞在和姑姑说话，与妈妈无关。姑姑这时可以不被杰瑞的小聪明影响，像平时一样跟他打招呼，这样杰瑞的错误认知——想通过不良语言让人觉得自己不一般——就会失效。姑姑也可以把此当成一个游戏，用类似的称呼回应，这样也能减弱杰瑞的错误认识。

例三十

六岁的桑迪站着看工人挖防风洞，看了一会儿，他开始把挖出来的土往里踢。工人大喊："嗨，小伙子，不要这样哦。"桑迪不听，淘气地把更多的土踢进去。妈妈听到了，出来看究竟。桑迪完全不听工人的话，一直往里踢土。妈妈在一旁无助地看着。最后，工人走向妈妈："能不能让你的孩子停下来？""我怎么阻止他呢？我也不能一直在这儿盯着他让他不玩呀！"桑迪还在踢，工人很生气，威胁桑迪要狠狠打他一顿。桑迪哭着跑回家。可是没过多久，他又去其他挖防风洞的工人那儿。这样的情况一直持续到爸爸回到家，不许桑迪出门。

★评语

桑迪是个"坏"孩子，为所欲为，没人管得了。妈妈也这样认为，并任由他为所欲为。

对桑迪，妈妈不必感到无奈，也不用怕桑迪。她需要激发和引导桑迪尊重他人。如果有必要，妈妈可以把桑迪带进屋。当妈妈用从容、坚定、平和的态度处理以上事情，表现出对客观情况的尊重，而不是强硬地让孩子服从自己，就不会引起权力之争。

例三十一

五岁的琼是独生女，也是大家庭中唯一的孙女和侄女。她和妈妈一起去隔壁邻居家参加户外晚餐。邻居看到琼和另外两个孩子露西和玛丽在一起玩，就专门给三个孩子摆了一张小桌子，让她们吃东西。可是琼开始哭了起来："我要坐在妈妈旁边。"妈妈说:"宝贝,你看,你能和露西、玛丽一起吃东西,多好啊。乖乖的,吃你的晚饭哦。你看,每样食物都很好吃哦。"可是琼哭个不停,不断重复"我要坐在妈妈旁边"。妈妈最后发火了:"如果你再这样,我就带你回家!"然而琼还是继续哭。最后妈妈让步了,把琼从孩子那一桌挪过来,和她坐在一起。

★评语

琼被宠坏了,她想要的就一定要得到,不论在什么情况下。妈妈对琼说教哄劝,可是没有效果,然后妈妈又威胁恐吓她,但琼知道妈妈只是言语吓唬她而已。最后妈妈果然被"泪水的力量"击败了。

妈妈可以这样说,以表达对情况的尊重:"小孩子们都是坐在这张桌子旁。"如果琼继续哭,妈妈可以问孩子:"你是想跟露西和玛丽一起吃东西,还是我们一起回家?"然后,妈妈按照孩子的选择执行。

例三十二

八岁的罗伊打了两岁的妹妹珍妮特一巴掌,因为珍妮特弄乱了他的牛仔玩具。妈妈责骂罗伊:"罗伊,你有什么问题?你怎么就不能让妹妹好好待着呢?""因为她总是弄乱我的东西。""罗伊,妹妹还小,你没有权利打她。现在你给我回房间!"罗伊非常不满:"你不能勉强我!""那咱们看看我能不能!"妈妈一边说,一边把罗伊拖进房间,关上了门。然而罗伊立刻把门拉开,妈妈再把他推进去,又把门关上,拉住门把手。罗伊试图在里面打开门,又叫又闹。最后,妈妈精疲力尽,松开门,顺手抓起一把梳子,扔向儿子。最后,妈妈离开房间,罗伊在床上尖叫、踢打。

第二天，罗伊在和珍妮特玩，妈妈经过时，正好看到罗伊拿着一条绳子绕在珍妮特脖子上。"罗伊！"妈妈大喊着冲向他们，用力把罗伊拉开，松开珍妮特脖子上的绳子。

珍妮特什么都没有说，只是面无表情地看着妈妈打罗伊。

★评语

这是权力之争后的报复。

妈妈的努力不能阻止罗伊的报复行为。每次妈妈惩罚罗伊，只会让他更记恨，更想要扯平。

妈妈可以不介入两个孩子之间的冲突，让珍妮特学会照顾和保护自己，对两个孩子的挑衅行为（珍妮特也有挑衅行为）都不予理睬。当然，她需要把珍妮特脖子上的绳子拿开，但要静静地做，不要大呼小叫（这正是儿子期待的效果）。罗伊不是真的想要伤害妹妹，他只是知道妈妈的软肋在哪里，然后故意去戳那里。妈妈这时不用做出罗伊期待的反应，她可以给罗伊一个微笑或者亲吻（罗伊会很吃惊，不知所措）。然后，妈妈再通过一点点地沟通，慢慢改善和儿子的关系，从报复中转变过来。

例三十三

妈妈把买好的东西都放进车里，可是四岁的杰伊拒绝上车。妈妈拉着他的胳膊，他拼命挣扎，大声尖叫。最后，妈妈松开手，杰伊一屁股坐在车旁边的地上。"好吧，就在那儿坐着吧！"妈妈生气地说，然后坐进车里，发动车子，做出要离开的样子。杰伊坐在地上，用眼角看着妈妈，还在生气。这个情景引来路人的注视，妈妈觉得很尴尬，她跳下车，用力把杰伊拖进车里，打了他一巴掌。而杰伊在后座上使劲尖叫，上蹿下跳。

★评语

妈妈在说："你要做！"杰伊在说："我不要做！"然后妈妈用武力和威胁强迫儿子。

妈妈可以"让杰伊的风，无帆可吹"。从商店出来以后，妈妈可以很自然地坐进车里，就像什么事情都不会发生那样，认定杰伊会配合上车。而杰伊看到妈妈不会因为上车这件事跟他发生冲突，很可能他也会上车。如果杰伊还是拒绝上车，妈妈可以说："那么，我就等着你吧，等到你愿意上车。"然后，妈妈什么也不要说，不要生气，不要和儿子发生争执。很快，杰伊就会感到："唉，我这样坐着也没什么意思。"就会上车了。另外一个办法，如果妈妈认为这样等不能接受，而遵从规则和情况要求更重要，那么妈妈也不需要生气。她可以冷静地把杰伊抱起来，放进车里。杰伊能感受到妈妈的坚定，妈妈面对他的吵闹，没有落入情绪的陷阱。

例三十四

三岁的露易丝走向餐桌，心情很糟。她是四个孩子里的老小，要什么有什么。妈妈把食物盛在她的盘子里，可是她拿起盘子，扔在地上，然后又哭又闹。妈妈把她带出去，坐下来问道："露易丝，你怎么了？"露易丝不说话。"你怎么能那样子，丢不丢人？"露易丝还是不说话。妈妈站起身说："好吧，那你坐在这儿吧！"露易丝这时说："妈妈，对不起，我不会再这样做了。""好吧，那你现在回去吃饭吧。"露易丝在饭桌上对食物挑挑拣拣。甜点上来时，她不喜欢，又把甜点扔在地上。妈妈大喊："露易丝，你说了要守规矩的！看你干的好事，你要被打屁股了！"

★评语

"小公主"再次证明自己的想法是对的。开始时，妈妈把露易丝带离饭桌是对的。但是她仅仅是和女儿说了说，而"小公主"完全无视妈妈的态度。妈妈接受了露易丝的承诺。事情发展到最后，妈妈无计可施，只好惩罚。

妈妈可以用最少的语言，让露易丝离开饭桌。至于露易丝的承诺，她实际只是用这样的承诺为自己的不良行为开道，妈妈对此可以忽略。如果妈妈有足够的勇气，她也可以尝试将露易丝和其他孩子"放在同一条船上"："因为有人不遵守餐桌规矩，所以请你们都离开。"然后不用再多说什么。

例三十五

两岁半的格蕾塔把房间抽屉里的所有衣服都拉了出来，妈妈发现后说了她一顿,然后收拾好所有的衣服。收拾完,妈妈生气地说:"因为你做了这个,所以今天下午你不许吃冰激凌。"冰激凌车来的时候,格蕾塔跑出去,喊着让妈妈拿钱。妈妈说:"格蕾塔,你今天不许吃冰激凌!"小姑娘大哭大闹,尖叫跺脚。于是妈妈把她抱回了屋子里。

★评语

格蕾塔用淘气让妈妈为她忙个不停,而妈妈用责备、数落和剥夺权利来惩罚孩子。

冰激凌和衣服并不相关。妈妈看到凌乱的衣服,可以问:"你来收拾衣服,需要我帮忙吗?"如果格蕾塔说要,就协助她;如果她说不要,就安静地离开。

例三十六

四岁的威利和三岁的马琳有严重的食物过敏症。妈妈见过爸爸花粉过敏时的痛苦,现在她的孩子们也有过敏!妈妈非常难过,孩子们这么小就要受这样的罪,不能随便吃想吃的东西。妈妈严格遵守医生的嘱咐,因为两个孩子的食物过敏源不同,所以妈妈要为每个人准备不同的食物。尽管如此,他们还是经常防不胜防,出疹子、呕吐或者肚子不舒服。只要孩子们出现一点点过敏症状,不管他们做了什么不良行为,妈妈都完全不计较了,总是说:"可怜的孩子,他们现在不舒服。"妈妈也从不让孩子做家务,仿佛妈妈让孩子们临睡前把玩具放好,都会加重他们的病情。结果,妈妈做了家里所有的事情。她只希望像医生说的：长大以后这些过敏就好了。

★评语

过敏被证明很有用！孩子们用这个让妈妈可怜他们，这样可以完全不顾实际情况和生活对他们的要求。

妈妈需要避开这个可怜的陷阱，引导孩子面对自己过敏的现实，不让他们利用过敏这件事。家里需要有规矩，让孩子给家里做出贡献。如果他们能玩，那他们就能收拾。如果他们真的病了，那就会躺在床上，而不是享受着病人的特殊待遇，又像正常孩子那样玩耍。

例三十七

四岁的埃里克在门口的台阶上玩，忽然发出刺耳的尖叫："妈咪！妈咪！"妈妈赶紧跑过去，发现埃里克缩在纱门边，一条狗正在台阶上闻来闻去，埃里克被这条小狗吓得大哭。妈妈推开纱门，把埃里克领进来："宝贝，宝贝，宝贝，别怕，不要害怕，不用怕，那条狗又不会咬你。"她把儿子紧紧抱在怀里，不停地给他保证。好不容易，埃里克终于平静了下来。然而，只要他还看得到狗狗，他就拒绝出去玩。

★评语

埃里克对狗狗的害怕，严重影响了妈妈，让她不断操心。

妈妈可以不被埃里克的害怕影响，只需要轻松地鼓励孩子："你自己会发现，那只狗狗不会伤害你的。"然后让这件事就此打住。

Children: The Challenge: The Classic Work on Improving Parent-Child Relations—
Intelligent, Humane & Eminently Practical
By Rudolf Dreikurs &Vicki Scoltz
© 2013 by Eva Dreikurs Ferguson. All rights reserved.

图书在版编目 (CIP) 数据

孩子：挑战 ／（美）鲁道夫·德雷克斯，（美）薇姬·索尔兹 著；甄颖
译. — 北京：生活书店出版有限公司，2015.1（2015.2 重印）
ISBN 978-7-80768-074-1

Ⅰ．①孩… Ⅱ．①鲁…②薇…③甄… Ⅲ．①家庭教育 Ⅳ．①G78

中国版本图书馆CIP数据核字（2014）第307408号

责任编辑　李　娟
特约策划　三川玲
装帧设计　视觉共振设计工作室
责任印制　常宁强
出版发行　生活书店出版有限公司
　　　　　（北京市东城区美术馆东街 22 号）
图　　字　01-2014-8667
邮　　编　100010
经　　销　新华书店
印　　刷　鸿博昊天科技有限公司
版　　次　2015年1月北京第1版
　　　　　2015年2月北京第2次印刷
开　　本　787毫米×1092毫米 1/32 印张14
字　　数　230千字
印　　数　15,001-35,000册
定　　价　48.00元
（印装查询：010-64052066；邮购查询：010-84010542）